JN080226

銀をつむぐ者

Spinning Silver

上 氷の王国と魔法の銀

ナオミ・ノヴィク
那波かおり 訳

静山社

銀をつむぐ者 上

氷の王国と魔法の銀

ナオミ・ノヴィク 著
那波かおり 訳

もくじ

登場人物

パヴィスの町

ミリエム・マンデルスタム……金貸しの娘
ヨーゼフ・マンデルスタム……ミリエムの父、金貸し
ラケル・マンデルスタム……ミリエムの母
ワンダ……貧しい農家の娘
ゴーレク……ワンダの父
セルゲイ……ワンダの上の弟
ステフォン……ワンダの下の弟
オレグ……御者
カイユス……酒屋の主人

ヴィスニアの街

イリーナ……公爵令嬢

エルディヴィラス……イリーナの父、リトヴァス公爵(こうしゃく)

マグレータ……イリーナの乳母(うば)、付き添い(シャペロン)

ガリナ……イリーナの義母

モシェルの大旦那(おおだんな)……ミリエムの祖父、金貸し

バシア……ミリエムのいとこ

アイザック……宝石職人、バシアの婚約者(こんやくしゃ)

ウーリシュ公……イリーナの父の盟友

ヴァシリア……ウーリシュ公令嬢(れいじょう)　皇帝(こうてい)の花嫁(はなよめ)候補

リトヴァス皇国

ミルナティウス……リトヴァス皇国の若き皇帝(こうてい)

スターリク王国

スターリク王……異界の雪と氷の王国を統(す)べる王

1 金貸しの娘ミリエム

現実の物語は、あなたが聞かされてきたお伽ばなしの半分ほどにも、きよらかなものではない。
それは、たとえば、こんなふう——。

むかしむかし、あるところに、貧しい粉ひきがおりました。粉ひきには金色の長い髪の娘がいて、娘はいつか王子さまか金持ちの息子と結婚したいと考えておりました。そこであるとき、村の金貸しからお金を借りて、そのお金で宝石の指輪と首飾りをあつらえ、めかしこんでお祭りに出かけていったのです。

とても美しい娘だったので、すぐに王子さまだか金持ちの息子だかの目にとまり、踊りに誘われました。踊りのあとは、人目をさけるように干し草小屋へ。けれども事が終わると、男はおうちに帰り、親が選んだ金持ちの娘と結婚してしまいました。もてあそばれた粉ひきの娘は、返すお金に困り、「あの金貸しは悪魔の手先だ」と村じゅうに言いふらします。村人たちは石を投げて金貸しを村から追い出しました。こうして娘のもとには、宝石の指輪と首飾りが残りました。娘はそれを嫁入り支度として、村の鍛冶屋の息子と結婚しました。やがて十月十日を待たずに、ふたりのあいだには、玉のような赤ちゃんが生まれましたとさ。めでたし、めでたし。そう、これが現実ってものだ。借金なんか踏みたおせ——。だれかがそう言うのを実際に聞いたわけじゃないけど、あたしにはわかる。なぜって、うちの父さんが金貸しだから。

しかも、父さんはあまり商売上手じゃない、つまり借金の取り立てが苦手な金貸しなのだ。そのせいで、うちの台所の棚はからっぽ、家族の靴はぼろぼろ。そのうち母さんが、あたしが眠ったころを見はからい、低い声で愚痴をこぼすようになる。そうなってやっと、父さんは浮かぬ顔で家を出て、町の家々の戸をたたいて言う。あのう、貸した金を、いくらか返してもらえませんかね？

反対にうちにお金があるときには、いつもだれかが借金を申し込みにきた。家計が火の車になるとわかっていても、父さんは借金を断れない。そもそも、うちにあるお金の大半は母さんのものなのだ。つまり、母さんがお嫁に来たときの持参金なのだけど、そのお金がなぜかいまはよそのうちにある。そう、この町の人たちの手にかかるとこうなってしまう。もちろん彼らだって、そんなお金まで借りるのは恥知らずだとわかっている。だからこそ、あのきよらかじゃない「現実の物語」を語りつづけるのだろう。もしかしたら、あたしがそばにいるとき、わざと耳に届くようにして。

あたしの母方のおじいちゃんも金貸しだけど、こっちはたいそう商売上手な金貸しで、ヴィスニアという遠くの街に住んでいた。その街は、昔から商人が行き交う穴ぼこだらけの街道を四十哩ほど行った先にある。その途中には、汚れたひもに連なる結び目のように、小さな町が点々とある。母さんが実家に帰るときには、たいていあたしもお供をした。銅貨数枚の運賃を払って行商人の荷馬車やそりに乗せてもらい、五、六回は乗り継いで、ヴィスニアの街までたどり着いた。そんな旅の道中に、森の木の間にもうひとつの道、そう、スターリクの道が垣間見えることがあった。その道は、雪が吹き払われたあとの冬の川面のようにきらきらと光っていた。「見てはだめよ、ミリエム」と、母さんはいつも言ったけど、あたしは目の端っこでその道をとらえ、どこまでもこの道がつづきますようにと願った。スターリクの道がふたたび視界から消えるまで御者はけっして速度を落とさないから、その分だけ早く目的地に着くことができたのだ。

一度だけ、馬のひづめの音がスターリクの道からはずれて、あたしたちの背後に迫ってきたことがあった。御者がすかさず馬に鞭を入れ、荷馬車を大きな木の陰に寄せ、みんなで荷のなかに身をひそめた。母さんの片腕があたしの頭を押さえこんだのでなにも見えなかったけど、馬に乗った者たちが勢いよく駆け抜けていくのはわかった。スターリクの騎士たちは黄金しか狙わない。そのときの荷馬車に積まれていたのは、ありきたりなブリキ鍋だった。

ひづめの音が高らかに通り過ぎると、身を切るような寒風が吹きつけた。顔を上げてみれば、あたしの細い三つ編みに結った髪が、毛先まで霜で白く染まっていた。あたしたちの背中も、あたしをかかえていた母さんの腕も真っ白だった。けれど、ほどなく霜は消えた。霜が消えるとすぐに、行商人が母さんに声をかけた。「どうだい、休憩はもう充分じゃないか？」なぜそこに馬車を停めたのか忘れてしまったような言い方だった。

「ええ、行きましょう」母さんも、なにも憶えていないようにうなずいた。行商人は御者席にもどり、馬たちを促して、ふたたび街道にもどった。あたしは幼いながらに起こったことを憶えていたけれど、おとなたちほどスターリクを恐れはしなかった。あたしにしてみれば、服のなかに吹きこんで胃を縮みあがらせる寒風と、そんなに変わらなかった。それでもふたたび荷馬車を停められるのはごめんだったので、余計なことは言わず、ヴィスニアの祖父の家に早く着くことだけを祈っていた。

おばあちゃんは、孫のためにいつも新しい服を用意して待っていてくれた。たいてい地味で平凡な茶色のドレスだったけど、仕立てがよく、暖かかった。冬が来るたびに、新しい革靴もくれた。新しい靴なら、足が痛くなったり、ぱくりと裂けたりすることもない。食事は朝昼晩、おなかいっぱい食べられた。そして滞在の最後の日に、祖母は決まってチーズケーキを焼いた。外側が黄金色に焼けて、なかは白くてしっとり、ほのかに林檎の味がするケーキ。てっぺんには金色の甘い干しぶどう。あたしは自分の手のひらより大きなひと切れを、ちびちびと最後までだいじに味わった。夜になると、二階の大きくて居心地よい寝室へ上がった。母がかつて姉たちと使っていた部屋で、鳩の模様が彫られた木製のベッドがあった。母さんはよく暖炉のそばにすわって、となりにすわったおばあちゃんの肩に頭をあずけていた。そんなとき、ふたりはほとんどなにも話さなかった。だいぶ大きくなってからだけど、暖炉の炎に照らされたふたりのほおに、涙のすじが淡く光るのを見たことがある。

　あたしと母は、そこに居つづけることもできた。おじいちゃんの家は広くて余裕があって、あたしたちはいつでも歓迎された。それでも家に帰っていったのは、あたしたちが父を愛していたからだ。商売はからきしだめでも、父は心根のやさしい人で、自分の短所をべつのなにかで埋め合わせようとがんばっていた。ほとんど毎日、獲物やたきぎを求めて凍える森に入り、うちにいればなにかにつけて母を助けた。わが家には、これは女の仕事だから、という決めつけはなかった。父は三人家族のなかでいちばんひもじかったにちがいない。いつも自分の皿の料理をあたしや母の皿にそっと分けてくれた。夜、暖炉のそばに家族が集まるときでも、父の手は休むことなく、あたしのために木彫りのおもちゃをつくり、母を喜ばせようと椅子の背や木のスプーンにかざり模様を彫っていた。

　けれども、冬はつねに長く、きびしかった。子どもながらに年ごとにひどくなっていくのがわかった。あたしたちの町には、まわりを囲う周壁もなければ、正確な地名さえもない。〝道のそば〟という意味をもつペカルという名で呼ばれることはあったが、その名がスターリクの道を思い起こさせるからいやだという人たちは、〝川のそば〟を意味するパヴィスという名で呼んだ。ただ、この町を地図にのせようという話もなかったから、これといった結論も出ないまま、周辺の住民にはただの〝町〟で通っていた。ヴィスニアとミナスクのほぼ中間に位置しているために、旅人たちには重宝されていたようだ。

旅人たちが使う街道と交差するように、小さな川が町の東から西に流れていた。農家の人たちが舟に収穫をのせて運んでくるので、市の立つ日だけ、町はにぎやかになる。でもまあ、この町のありがたみなんてその程度のものだ。領主だって、この町やこの町の民を案じることはない。コロンの宮殿にいる皇帝も同じだろう。税官吏がだれの命令でどこからやってくるのかさえ、あたしは知らずにいた。あるとき祖父の家で、ヴィスニア公があたしたちの町からの税収が年々減っていくことを怒っている、という話を聞いて、初めてここがヴィスニア公爵領だと知った。町からの税収が年々減っていくのは、森から冷気が流れてくる時季が年々早まって、畑の収穫をだいなしにしてしまうからだった。

あたしが十六歳になった年には、とうとうスターリクまで襲来した。十月最後の週、春蒔き大麦の収穫がようやくすんだころだった。それまでにも、彼らが黄金を奪いにやってくることはときどきあった。指の隙間から見た光景のぼんやりとした記憶や、彼らが道に残していった屍をもとに、さまざまなうわさが流れていた。けれどもこの七年間で、冬はますますきびしく、スターリクはますます強欲になった。その年、スターリクの騎士たちがあの異界の道からあらわれ、あたしたちの街道に乗り入れたとき、樹木にはまだわずかに葉が残っていた。彼らはあたしたちの町から街道の十哩先にある裕福な修道院を襲い、十数人の修行僧を殺し、金の燭台、金の聖杯、金箔張りの聖像画など、あらゆる黄金の財宝を奪って、彼らのきらめく道のはるか北にあると言われるスターリク王国まで運び去った。

彼らが通り過ぎたその夜、地面が堅く凍りついた。その日以来、肌を刺す寒風が、雪を散らしながら森から吹きつけるようになった。町には風を防ぐ壁もなく、小さなわが家は町はずれに建っていたので、とてつもない寒さに震え、日に日にひもじくなり、みんな痩せ細っていった。父は、気の進まない本業の仕事を避ける言いわけをくり返していたけれど、ついにしびれを切らした母に背中を押され、外に出ていった。けれども、帰ってきた父の手には、わずかな小銭しか握られていなかった。

父はすまなそうに言った。「ひどいもんだ。これはだれにとっても、きびしい冬だよ」借金を返せない人に代わって、父が弁解しているようなものだった。翌日、あたしは町なかを歩いて、かまど屋にパン種をあずけにいった。その道すがら、うちに借金のある女たちが、これからつくるごちそうや市場で買うお菓子についておしゃべりしているのを聞いた。真冬はすぐそこだ。だれだって食卓においしいものを、お祭りのための――彼らのお祭りのための――特別なごちそうを用意したいと望んでいた。

だから、町の人たちは父さんを手ぶらで帰した。あたしは、パンが焼けたころを見はからい、焼き賃の銅貨を握りしめ、かまど屋にもう一度ゆっくりと向かった。雪景色のなかに家々の明かりがまたたき、肉を焼くいい匂いが壁の隙間から洩れてきた。かまど屋は銅貨一枚と引き替えに、焼きすぎた硬いパンをあたしに寄こした。あたしが渡したパン種を焼いたパンじゃない。きっとそれはうまく焼けたからべつの客に回して、焦げたやつを残しておいたのだろう。家に帰ると、母がわずかなキャベツが浮いたスープをつくり、使い古しの油をかき集めていた。あたしたちのお祝い〔ユダヤ教の年中行事のひとつ、ハヌカの祭り。毎年十二月ごろ、八日間にわたって明かりを灯して祝う〕三日目の夜に灯す明かりが必要なのだ。母さんは何度も咳こんだ。森からまた冷気が押し寄せ、ぼろ家の軒から、あらゆる割れ目から、家のなかに流れこんできた。明かりはつかの間灯っただけで、冷たい風に吹き消されてしまった。父はふたたび火を灯そうとはせずに、「さてと、これは、そろそろ寝なさいということだな」と言った。わが家の油が底をつきかけていた。

お祝いの八日目には、母の咳がベッドから起きあがれないほどひどくなった。「すぐによくなるさ」父さんは、あたしと目を合わせずに言った。「この冷気もすぐに去っていく。ずいぶんたったからな」父は薪をこまかく割って細い棒をつくり、ろうそく代わりにした。油はその前夜に、最後の一滴まで使いきってしまったのだ。ろうそくを灯さないわが家に、もう聖なる奇蹟は訪れないだろう。

父さんはもっと木を集めるために、雪のふぶく外に出ていった。薪箱もほとんどからっぽだった。母さんがかすれた声で「ミリエム」と、あたしの名を呼んだ。あたしは、薄いお茶に壺からスプーンでこそげ取った蜂蜜を落とし、母のベッドに持っていった。これくらいしか母にしてあげられることはない。母はお茶を少しだけ口にふくむと、また枕に頭をあずけて言った。「この冬が終わったら、あなたには、おじいちゃんのところへ行ってもらわなければ。父さんに頼んで連れていってもらいなさいね」

祖父の家を前回訪ねたときには、ひと晩だけ、伯母たちが家族づれで食事にやってきた。みんな厚い毛織りの服を着て、はおってきた毛皮の外套が玄関広間にならんだ。手には金の腕輪や金の指輪。みんな声をあげて笑い、歌を歌った。冬のさなかで、家じゅうが暖められていた。焼きたてのパンとローストチキンを食べ、塩がきいておいしい黄金色のスープを飲んだ。スープの湯気が顔をくすぐった。母からヴィスニア行きの話を聞かされたとたん、そのときの思い出と暖かさが一気によみがえり、あたしはなつかしさで胸がいっぱいになって、痛いほど凍えた指をぎゅーっと握りしめた。祖父の家に行くということは、お金をもらいに行くということだ。父さんは、あたしを送り届けたら、ひとりで帰っていくだろう。そして、あたしが持ち帰るお金は、ふたたび近所の家々に行ったまま、永遠にもどってこないだろう。

あたしは悔しさにくちびるを噛みしめた。それから母さんのひたいにキスをして、もっと眠って、と言った。母がうつらうつらしはじめると、あたしは暖炉のそばの箱から父さんの大きな帳簿を取り出した。父のすり減ったペンも出してきて、暖炉の炭でインクをつくった。あたしは帳簿をめくりながら、必要なことをひとつひとつ書き出していった。金貸しの娘は——たとえ商売べたな金貸しの娘だって——数字に強い。書いては計算し、また書いては計算していった。たまった利子、行き当たりばったりに小銭で返されてうやむやにされた返済期限。金の行き来については詳細に、父らしい几帳面さで帳簿にしるされていた。こうして返済されるべき借金の一覧表を書きあげると、あたしはありったけのセーターを着こみ、ショールをはおり、朝の冷気のなかに出た。

うちに借金のある家を一軒一軒訪ね、玄関扉をたたいた。まだ薄暗い早朝だった。母の咳の音で、父もあたしも暗いうちに目覚めてしまうのだ。でも、この時刻なら、だれもが家にいる。扉をあけた男たちは、驚いた顔であたしを見つめた。あたしは彼らを見返し、冷ややかに、決然と言った。「借金を返してもらうために来ました」

もちろん、彼らはあたしを追いはらおうとした。あたしの前で大笑いした人もいる。御者を仕事にするオレグは、その大きな両手を腰にあてがって、あたしをにらみつけた。リスみたいな女房が暖炉の前で身をかがめ、上目づかいにこちらをうかがっていた。

　カイユスという男は、あたしが生まれる前の年に、父から金貨二枚を借り、それで蒸留器を買って、クルプニク酒〔蜂蜜とスパイスをきかせた蒸留酒〕づくりを商売にした。あたしの顔を見るとにっこり笑い、なかに入って温かい飲み物でもどうかと言った。もちろん、断った。ここで暖まってなんかいられない。あたしはどこの家でも玄関口で足を踏んばり、こしらえたばかりの借金一覧表を取り出し、相手がいくら借りていて、そのうちいくらをすぐに返さなくてはならないか、どれだけ利子がついているかを告げた。

　彼らは早口で文句をまくしたて、声を荒らげ、ときには怒声を浴びせてきた。だれかから怒鳴りつけられることなんて、人生で初めてだ。母は静かに話す人だし、父もやさしい人だった。でも、このときのあたしのなかには、冷酷ななにかがあった。冬の冷気が心まで凍らせていたのかもしれない。母のやまない咳や、町の広場で何度も聞かされた、金貨を借りっぱなしでどこかの国のお妃になった娘の話も、あたしの耳の底に張りついていた。あたしは玄関口から一歩も引かなかった。あたしの計算は確かだし、相手もそれはわかっているはずだ。あたしは、怒鳴りつけてくる相手にひるむことなく言った。「お金はあるんですよね?」

　彼らだって、あたしの訪問がこの一回ですむはずがないとわかっていたようだ。金はない、と答えた。もちろん、借金をまるまる返済できるはずがない。

「じゃあ、きょうは少しだけ返してください。来週にまた少し。全額を返すまで毎週払ってもらいます」あたしは言った。「まだ払ってない利息も、払ってもらいます。そうしてくれなきゃ、祖父のところに使いを送って、法に訴える手段を取りますよ」

彼らはほとんど旅をしないけれど、母さんの父親が裕福で、ヴィスニアのお屋敷に住み、騎士たちや、うわさによればどこかの領主さまにもお金を貸していることを知っている。だから、しぶしぶとわずかな金をあたしに返した。銅貨二、三枚の家もあったけれど、そういうときにはなにかしら品物がついてきた。あたしはそれを受け取った。濃い赤の暖かそうな毛織物が一反、油の壺ひとつ、良質な長いろうそく二本、鍛冶屋につくらせた新しい包丁一本。あたしはそれらに正当な値段をつけた。つまり、彼らがあたしにではなく市場で売るときにつけるような値段を。あたしはその値を彼らの目の前で帳面にしるし、その分の借金を棒引きした。そして、来週また来ることを宣言した。

帰り道に、リュドミラの店に立ち寄った。彼女はうちからお金を借りていないし、人に貸せるほどのお金を持っている。ただし、金貸し業ではないから、おおっぴらにお金を貸して稼ぐことはできない。それに、この町の人たちは、よほどのばかでないかぎり、リュドミラよりも、好きなときに返済させてくれて、なんなら返済しなくてもすむ父さんから借りるほうを選ぶ。リュドミラは、彼女が旅人をひと晩迎え入れるときのつくり笑いを浮かべて扉を開いたが、あたしだと気づくと、すぐに笑みを消し、「なんの用だい？」と、まるであたしが物乞いにきたみたいに、きつい口調で尋ねた。

「母が病気なんです」と、ていねいに返した。彼女はそれについてちょっと考えていたが、あたしがつづきを話しだすと、顔に安堵が浮かんだ。「だから、母のために食べ物を売ってもらいたくて……。スープはいくらですか？」

そのあとは卵の値段を尋ね、つぎにパンの値段を尋ねた。この朝あたしがしてきたことを知らないリュドミラが、この娘は乏しいお金でどれかひとつを買おうとしていると思ってくれるように。そのおかげで、彼女は値段を倍にふっかけることはなく、まともな値段をぶっきらぼうに答えた。だから、あたしがすべての品物の値段、銅貨六枚を取り出すと、彼女は憤然とした。こうして、鶏の半身が入った鍋一杯のスープ、産みたての卵三個、ふかふかのパン、ナプキンに包まれた蜜蜂の巣一個を、リュドミラはしぶしぶの体であたしに手渡した。あたしは大荷物をかかえて、長い小道を家まで歩いた。

家に入ると、ひと足早く帰って暖炉の火を熾していた父さんが、怪訝そうにあたしを見あげた。父さんの視線が、たくさんの食べ物と赤い反物に釘づけになる。あたしは荷物をおろし、残りの銅貨と一枚の銀貨を暖炉の横におかれた壺に入れた。それまで壺の底には銅貨が二枚きりしかなかった。あたしは父さんに今回の回収分を書きこんだ借金一覧表を手渡し、母さんの看病にもどった。

こうしてあたしは、この町の金貸しになった。それも商売上手な金貸しに。前よりも金を借りるお客が増えた。月日の経過とともに、わらを敷いていた家の床がつやつやした板敷きになり、暖炉のひび割れが修理され、わら屋根も新しく葺きかえられた。母さんには毛皮の外套をあげた。外に着ていけるし、眠るときには上からかけて胸もとを暖められる。でも、母さんはその外套を気に入ってくれなかった。父さんも同じ……。父さんはあたしが毛皮を家に持ち帰った日、ひとり外に出て、声を殺して泣いた。かまど屋の女房のオデータが家の借金すべてを、その濃い茶と薄い茶が混じり合った美しい毛皮で支払ったのだ。彼女が嫁入りのときに持ってきた、貴族の所有する森で狩られたオコジョの毛皮だと聞いていた。

結局、あの「現実の物語」には、金貸しにとっての教訓もふくまれていた。つまり、金貸しとしてうまくやっていきたければ、心を鬼にせよってこと。あたしは、町の人たちが父にしたように、彼らに対して情け知らずになった。だけどまさか、この自分がひとの家の子まで奪うようなまねをするなんて思ってもみなかった。それは春の初め、ようやく雪の下からあらわれた道をたどって、町からかなり離れた一軒の小作農家まで歩いていったときのことだった。

その家には返す金もなければ、パンのひと切れすらなかった。たとえこれから一生のあいだ毎年の収穫があったところで、農夫のゴーレクには借金の銀貨六枚を返しきることはできないだろう。一度に銅貨五枚以上が彼の手もとにあったことさえないだろう。借金を返せない多くの人と同じように、ゴーレクはあたしを罵って追い返そうとした。でも、あたしは一歩も譲らず、返さなければ法に訴えると言った。やけっぱちになったゴーレクが叫んだ。「こっちにゃ、食わせなくちゃなんねぇ口が四つもあるんだ！　金はねえ。どこを振ってもねえ！」

ゴーレクを哀れむべきだったかもしれない。父さんなら確実に、母さんだって、かわいそうに思ったことだろう。でも、あたしは冷酷だった。ここは用心しないと、と思っただけだ。もし彼の弁解を受け入れたら、翌週からはみんなが弁解を言いはじめる。それでは、もとのもくあみだ。

そのとき、ゴーレクの娘がよろよろともどってきた。背が高くて、スカーフから金色の二本の長いおさげをたらし、肩にかついだてんびん棒には水の入った桶がふたつ。それは、あたしが水汲みに行くときの倍の量だった。あたしはゴーレクに言った。「それでは、あなたの娘さんにうちで働いてもらいます。借金を返す代わりにね。賃金は、一日につき銅貨半分、それを借金の返済にあてさせてもらうわ」あたしはこの思いつきにたいそう満足し、猫のように軽やかに家路をたどった。道が木立に入ると、ひとりきりでダンスを踊りだすほどだった。

　ゴーレクの娘は、名前をワンダといった。翌日、ワンダは夜明けどきにわが家へやってきて、ほとんどしゃべらず、牛のように働き、夕食のあとに黙って帰っていった。いつもうつむいていて、だれとも目を合わせようとしない。驚くほど力持ちで、骨の折れる家事をどんどん引き受け、ほぼ半日で片づけた。水を運び、薪を割り、庭で飼うようになった鶏たちの世話をし、床を、炉を、すべての鍋を磨いた。あたしはおおいに満足した。

　ところが、ワンダが帰ったあと、母さんが初めて聞く激しい怒りの声で父さんを責めた。あのひどい寒さと病気のときでさえ、母がそんな声を出すことはなかったのに……。「ミリエムにあんなことをさせて。あの子がどうなるか、あなたは考えないの？」あたしは家の入り口でブーツの泥を落としていた。その日は、家事をワンダにまかせ、ロバを借りて遠くの村まで借金の回収に行った。そんな遠くまで借金取りがやってくるなんて、彼らは思ってもいなかったようだ。この日持ち帰ったのは、収穫期の冬麦ふた袋、毛織物二反、母の大好きなヘーゼルナッツの大きな袋。古いけれど頑丈な木の実割り器もあった。これがあれば、木の実の堅い殻を割るのに、もう金槌を使わなくてもすむ。

「じゃあ、あの子になにを言えと言うんだ？」父の声も大きくなった。「なにを言えと？　そんなことはやめろ、飢えたほうがましだ。やめておけ、どんなに寒かろうが、ボロを着ていりゃあいい。あの子にそう言えと言うのか？」

「あそこまでやる冷酷さが、あなたにあったら……。でも、そんな冷酷さがあなたにあったら、きっとあなたは、あの子にそれをやらせていたわね」母が言った。「でもね、ヨーゼフ、忘れないで。ミリエムはわたしたちの娘なのよ！」

その夜、父さんがあたしになにか話しかけようとした。ことばに詰まりながら、父はもごもごと言った。おまえはよくやっている……でも、あれはおまえの仕事じゃない……明日からは家にいればいいさ……。あたしはヘーゼルナッツの殻を割りつづけた。目を上げなかったし、返事もしなかった。肋の奥に冷気がたまっていた。あたしは母さんの言ったことではなくて、母さんのまだかすれている声のことを気にしていた。しばらくすると、父さんは黙った。あたしのなかの冷気が父を追い返したのだ。そう、借金の返済を求める父を、かつて町の人たちが冷ややかに追い返したときのように。

2 ワンダと腹ぺこの弟たち

うちの父ちゃんは、これから金貸しのところへ行くぞって、しょっちゅう言った。金を借りて、新しい鋤やブタや乳牛を買うんだって。でもあたいには、金ってのがなんなのか、よくわかってなかった。うちは町から遠いし、税はいつも穀物でおさめていたからね。金ってのは、父ちゃんにとって魔法のおまじない。母ちゃんにとっては、恐ろしい罠だった。

「行っちゃだめだよ、ゴーレク。金は災いのもと。金を借りたが最後、遅かれ早かれ、災いが起こるんだから」父ちゃんが金貸しのところへ行くって言いだすたびに、母ちゃんはそう言った。父ちゃんは、おまえの指図なんか受けるもんかって怒鳴って、母ちゃんをぶった。だけど、金貸しのところへ行くことはなかったよ。

ところがあたいが十一歳のとき、父ちゃんは金貸しのところに行った。生まれた赤ん坊がその夜のうちに死んで、母ちゃんの具合が悪くなったときのことだった。もう、赤ん坊なんかいらなかったのに……。

うちには弟のセルゲイとステフォンがいたし、白い木の下には死んだ四人の赤ん坊が埋められていた。土が硬くて掘りにくかったけど、父ちゃんがそこに赤ん坊を埋めたのは、畑にする土地を失いたくなかったからだ。白い木のそばじゃ、どんな作物も育たなかった。白い木があたりの養分をぜんぶ吸いとっちまうからだ。たとえばライ麦が芽を出したとしても、ある寒い朝、ライ麦はぜんぶ枯れて、代わりに白い木が白い葉っぱを増やしていた。

でも、父ちゃんは白い木を切り倒さなかった。白い木はスターリクのもので、もし父ちゃんが木を切り倒したら、スターリクどもがやってきて、父ちゃんの息の根を止めてしまうかもしれなかったから。だから、あの木の下に植えられるのは、種じゃなくて、赤ん坊の骸だけだったんだ。

父ちゃんは、死んだ赤ん坊を土に埋めて、汗だくになって怒りながらもどってくると、でかい声で言った。「母ちゃんには薬がいる。おれは金貸しんとこに行くぞ」あたいとセルゲイとステフォンは顔を見合わせた。幼い弟たちは怖くてなにも言えなかった。母ちゃんは口もきけないほど弱ってた。あたいもなにも言わなかった。母ちゃんは、まだ腰のあたりを血まみれにして横たわってたし、熱のせいで顔が赤かった。話しかけても、ただ咳をするだけだった。あたいは父ちゃんに、魔法の薬を持ち帰ってほしかった。母ちゃんが元気な体にもどれるようにしてほしかった。

その日、父ちゃんは家を出ていった。そして金貸しから銀貨六枚を借り、そのうちの二枚を酒場で使い、二枚を博打ですり、最後の二枚で医者を連れてもどってきた。医者は湯に溶かして飲ませる粉薬をくれた。でも、母ちゃんの熱は下がらなかった。それから三日後、あたいはまた咳をはじめた母ちゃんに水を飲ませようとした。「母ちゃん、水だよ」そう呼びかけたけど、母ちゃんは目をあけず、大きな手をあたいの頭においた。重くて、だらりとして、なんか変な感じだった。それからまもなく、母ちゃんは息を引きとった。あたいはその日はずっと、母ちゃんのそばにすわっていた。そのうち父ちゃんが畑からもどってきて、しばらく母ちゃんを見おろしていた。父ちゃんは「寝どこのわらを取り替えな」とあたいに言って、イモ袋みたいに母ちゃんをかついで白い木の下まで運び、赤ん坊たちのとなりに埋めた。

金貸しがうちへやってきたのは、それから数ヵ月後のことだった。あたいはその男を家のなかに入れた。悪魔の使いだって聞いてたけど、ぜんぜん怖くなかった。手も体も顔も小さい男なんだ。母ちゃんが壁に吊るした木彫りの聖人像そっくり。金を返してくれっていう声まで小さかった。あたいは、一杯のお茶とひと切れのパンをあげた。訪ねてくる人にはかならずなにかふるまってた母ちゃんのまねをして。

でも、帰ってきた父ちゃんは、怒鳴って金貸しを追い出した。それから、あたいをベルトでぶった。金貸しをうちに入れて、食いもんまでやるばかがどこにいるかってね。「やつがなんでうちに来たと思ってる？　返す金なんか、どこをどう振ってもねえ！」父ちゃんはベルトをズボンにもどしながら言った。あたいは母ちゃんの形見のエプロンで顔を覆って泣いた。

　父ちゃんは、税を集める役人が来たときも、どこをどう振ってもねえって言ったけど、口のなかでもごもご言っただけだから、相手には聞こえなかった。役人は、冬と春、収穫を家に運び入れる最後の日にやってきた。なんでわかるのか謎だけど、決まってその日にやってきて、収穫を持ち去った。残された分が、あたいらの食いぶちだ。たいした量じゃない。冬になると、母ちゃんは父ちゃんによく言った。「これが十一月に食べる分。これが十二月……」そう言いながら、春が来るまで食いつなぐための、細かく分けられた穀物の袋をひとつひとつ指さしていった。

　だけど、そんなことをしてくれる母ちゃんはもういない。父ちゃんはその年、仔山羊を町に売りにいった。そして夜遅く、酔っぱらって帰ってきた。あたいらは家のかまどのそばで寝ていた。父ちゃんがステフォンにつまずき、ステフォンが悲鳴をあげたものだから、父ちゃんは怒ってベルトを抜いて振りまわした。あたいらは家から逃げた。母山羊の乳が止まり、食べ物が底をついたのは、そのすぐあとだった。あたいらは春を待ちわびながら、雪を掘り起こしてどんぐりをかき集め、それで飢えをしのいだ。

　つぎの冬に役人が税を集めにきたあと、父ちゃんはひと袋の穀物をかついで町へ行った。あたいと弟たちは、帰ってきた父ちゃんに踏まれないように家畜小屋へ行って、山羊たちといっしょに眠った。でも翌日、父ちゃんはしらふのときに、あたいだけをぶった。帰ってきたとき、夕食がテーブルに出ていなかったからだ。だからつぎの年、あたいは夕食を用意して、父ちゃんが帰ってくるのを家のなかで待った。やがて遠くから、ランタンが小道に沿ってゆうらゆうらと揺れながら近づいてきた。やっぱり父ちゃんは酔っぱらっていた。あたいは温かい料理をテーブルにおくと、家から走り出た。外はもう真っ暗。でも、父ちゃんに見つからないように、ろうそくは持ち出さなかった。

家畜小屋に行くつもりだった。何度も後ろを振り返って、父ちゃんが追いかけてこないことを確かめた。ランタンは揺れながら家のなかに入った。光の洩れるふたつの窓が、まるであたいをさがす父ちゃんの目のように見えた。そのうち――たぶん父ちゃんがランタンをテーブルにおいたから――光が揺れなくなった。助かった……。と思ったのもつかの間、自分がどこを歩いてるのかわからなくなった。まぶしい光を見たあとだから、なんにも見えなかった。でも、家畜小屋へ向かう道からはずれてることはまちがいなかった。足もとは雪。山羊の鳴き声も、うるさいブタの鳴き声も聞こえず、底なしの闇があるだけ。

それでも歩いていれば道沿いの柵にぶつかるだろうと思って、歩きつづけた。両手を前に突き出してたけど、いつまでたっても手応えがない。闇のなかで、ぞくりとした。最初はとにかく怖かった。そのうち寒くてたまらなくなった。そのあとは、猛烈に眠くなった。つま先がしびれていた。木の皮で編んだ靴の隙間から雪が入ってくるんだ。

そのときふいに、前方に明かりが見えた。あたいはその明かりに向かって進んだ。そして気づくと、白い木のそばにいた。冬だっていうのに細い枝には白い葉が茂って、風に鳴っていた。意味までは聞きとれない、人のささやきみたいだった。白い木の向こうに、広い道があった。氷のようになめらかで、きらめいていて……ああ、スターリクの道だ、と気づいた。でも、それがあまりにもきれいで、あたいは寒くて、眠くて、奇妙な気分で……怖さも忘れて、きらめく道に向かって歩きはじめた。

木の根もとに、お墓がならんでいた。それぞれの土まんじゅうの上に平らな石がのせてある。先に死んだ赤ん坊の墓石は、母ちゃんが河原で拾ってきた。母ちゃんと最後に死んだ赤ん坊の墓石は、あたいが拾ってきた。あたいはまだ母ちゃんほど力持ちじゃないから、そのふたつの石はほかの石よりも小さい。あたいは墓石のあいだを通って、きらめく道のほうへ行こうとした。そのとき、一本の枝に、いきなり肩を打ちすえられた。あたいはズドンと転んだ。息が止まるほどびっくりした。風が吹いた。白い葉っぱが人の声のように呼びかけた。家にもどるんだよ、ワンダ、ワ、ン、ダ！

眠気が吹っ飛んだ。恐ろしくてたまらず、あたいは起きあがった。はるか遠くに、ランタンの明かりが洩れる家の窓が見える。そこに向かってひたすら走った。やっとのことで家にもどると、父ちゃんは高いびきで眠っていた。

それから一年後、となりのジェイコブおじさんが、あたいを嫁にくれと父ちゃんに言ってきた。ジェイコブはついでに山羊も一頭ほしいと言った。父ちゃんはかんかんに怒って、ジェイコブを追いはらった。「生娘で、がんじょうで、力仕事もこなす。なのに、山羊一頭までつけて寄こせだと？　とんでもねえ！」

あたいはそれまで以上に働くようになった。父ちゃんの仕事もできるだけ代わってやるようにした。だって、赤ん坊のお墓をいくつもつくったあげくに最後は自分までお墓に入る人生なんて、まっぴらだったから。でも、あたいの背丈は伸び、金色の髪は長くなり、胸も大きくなった。二年のうちに、ふたりの男が嫁取りに来た。あとに来たほうはぜんぜん知らない男で、町の向こう端から、六哩も歩いてきたということだった。あたいを嫁にできるならブタ一頭を贈る、と言った。父ちゃんは働き者のあたいを手放すのが惜しくなっていたから、ブタ一頭じゃだめだ、三頭寄こせ、と言い返した。男はつばをぺっと床に吐き捨てて、家から出ていった。

そうこうしているあいだに、穀物の実りはますます悪くなった。年ごとに春の雪解けが遅くなり、秋の初雪が早くなった。税を集める役人が去ったあと、父ちゃんが酒に使える金なんて、ほとんど残っていなかった。あたいも母ちゃんみたいに食べ物を小分けして隠しておく方法を覚えたから、母ちゃんが死んだ年ほど飢えることはなかったけど、あたいもセルゲイもステフォンも体が大きくなって、それなりに食べないとひもじかった。そしてとうとう、あたいが十六歳になった年、春の収穫のあとに町に出かけた父ちゃんが、酔って不機嫌そうな顔で帰ってきた。ぶたれはしなかったけど、父ちゃんのあたいを見る目は、まるで売りもののブタの重さを頭のなかで量ってるみたいだった。「来週、おれといっしょに市場へ行くんだぞ、いいな?」

翌日、あたいは白い木のところに行った。スターリクの道を見たあの夜以来寄りつかないようにしてたけど、その日は日が高くのぼるのを待って、水汲みに行くと嘘をつき、あの木に向かった。そして、枝の下でひざまずいて祈った。「母ちゃん、お願い! あたいを助けて!」

その二日後、あの金貸しの娘がやってきた。娘は父親そっくりの小枝みたいな体で、髪は濃い茶色、ほおがこけていた。背丈はうちの父ちゃんの肩より低かったけれど、彼女が玄関口に立つと、うちのなかまで長い影が伸びた。彼女は金を返さなければ法に訴えると言った。父ちゃんが怒鳴り散らしても、ぜんぜんひるまなかった。ついに父ちゃんが、金なんかどこをどう振ってもねえって叫んでからっぽの戸棚を示すと、彼女はこう言った。「それでは、あなたの娘さんにうちで働いてもらいます。借金を返す代わりにね」

金貸しの娘が帰っていったあと、あたいはもう一度白い木のところに行った。「ありがとう、母ちゃん！」あたいは林檎を一個、木の根っこのあいだに埋めた。ほんとうは、種まで食べつくしたいほど腹ぺこだったんだけど。見あげると、頭上の枝に、小さな白い花が一輪だけ咲いていた。

つぎの朝、あたいは金貸しの家に行った。ひとりで町に行くのはおっかなかったけど、父ちゃんといっしょに市場に行くよりも、ずっとましだった。それに、町の広場までは行かずにすんだ。その家は町はずれに建っていて、木立を抜けると、すぐに見つかった。そりゃあ大きな家だった。部屋がふたつもあって、床板はまだ新しい木の香りがした。金貸しの奥さんが奥の部屋のベッドで咳いていた。病気なのかもしれない。体がこわばった。咳の音を聞くと、つらい思い出がよみがえるんだよ。

金貸しの娘は、ミリエムといった。その朝、ミリエムはスープの鍋を火にかけていた。湯気といい匂いが家じゅうに満ちて、あたいのからっぽの胃袋が痛いくらいにキュルルと縮んだ。ミリエムはそのあと、パン種を取り出し、それを持って出かけていった。もどってきたのは、夕方だった。靴は汚れ、けわしい顔だった。持ち帰ったのは、かまど屋のかまどから出てきたばかりの濃い茶色のパン、手桶一杯分のミルク、バターの塊。肩から吊るした袋には林檎が入ってた。期待してなかったけど、ミリエムがテーブルにならべた皿のうちの一枚は、なんと、あたい用の皿だった。家族全員が席につくと、金貸しの旦那さんが、パンの前でわけのわかんない変なマジナイを唱えた。それでも、あたいはそのパンを食べた。おいしかった。

一日せいいっぱいがんばったかいあって、あしたも来るようにって言われた。帰りぎわに、金貸しの奥さんがかすれた声であたいを呼びとめた。「あなたの名前を教えてくれる？」ちょっとおろおろしたけど、あたいは自分の名前を言った。「ありがとう、ワンダ。あなたのおかげで、とても助かったわ」

家を出ても、奥さんの声が聞こえてきた。あの子は働き者だから、借金なんてすぐに返してしまうでしょうね――。あたいは窓の外で立ち止まり、聞き耳を立てた。

ミリエムの声が聞こえた。「あのうちの借金は、銀貨六枚なのよ！　あの子の賃金は一日につき銅貨半分。借金をすべて返すのに、四年はかかるわね。賃金が安すぎるなんて言わないでね。うちで夕食まで食べさせてるんだから」

四年間もあのうちで働けるんだ！　あたいは心に羽が生えて、天まで飛んでいけそうなくらいいい気分だった。

3 白いけものを狩ってはならない

春になっても小雪がちらつき、母さんの咳はなかなか止まらなかった。それでもやっと暖かな日が訪れ、母さんの咳もやんだ。温かいスープと蜂蜜と休養も効いたようだ。歌を歌えるまで声がもどると、母さんは言った。「ミリエム、来週は、おじいちゃんのところに行きましょう」母さんは、あたしを仕事から引き離したくてたまらなかったのだ。あたしは家を離れたくなかったけれど、おばあちゃんに会って、母さんの元気になった姿を見せたかったし、孫娘がもう物乞いみたいに祖父母のうちを訪ねなくてもよくなったことを伝えたかった。おばあちゃんの家を訪ねるたびに涙を見るのはもういやだった。

あたしは町をひと回りして、これからヴィスニアに行くけれど、留守のあいだもうちに返済金を届けなければ、利息を増やすことになりますよ、と告げた。ワンダにも、毎日うちに通って、父さんの夕食をつくり、鶏にえさをやり、家と庭を掃除してほしいと頼んだ。ワンダは黙ってうなずいた。

　こうして、あたしと母は、祖父母の家に向かった。今回は御者のオレグを雇い、彼の元気な馬と快適な荷馬車で街道を行った。馬車の荷台にはたっぷりのわらと毛布。馬具にはきれいな音を奏でる鈴。毛皮のマントにくるまっていれば、風の冷たさも気にならなかった。荷馬車を屋敷の前につけると、おばあちゃんが驚いて出てきて、母さんがその両腕に飛びこんだ。母さんは無言のまま、涙を隠すように顔をそらした。「さあ、なかに入って、暖まりなさい」おばあちゃんが言った。

　おばあちゃんは、おじいちゃんの書斎に熱いお湯を持っていってほしいと、あたしに言った。きっと母さんとふたりきりで話がしたかったのだろう。おじいちゃんは、あまりしゃべらない。だいたいいつも、ウウムとうなって、祖母のあつらえた服を着たあたしを上から下まで、いかめしい目つきで見つめるだけだ。そんなとき、祖父の頭に浮かんでいるのは、父さんのことだろうって、なんとなくわかった。もちろん、祖父はそんなこと、おくびにも出さないのだけれど。

　その日の祖父は、もじゃもじゃ眉毛の下からあたしをじろりと見ると、顔をしかめて言った。

「毛皮だって？　いまの季節に？　それに金ボタンか」

　あたしもそれなりに分別がついて、祖父に言い返してはいけないことはわかっていたけれど、母さんが悲しんでいることや、おばあちゃんもどうやら喜んでいないらしいことにいらだっていた。そのうえ、祖父からも非難めいたことばを聞かされ、つい、いらだちをぶつけてしまった。

「あたしがこれを着ちゃいけないの？　父さんが貸したお金で、ほかのだれかがこれを買ったほうがよかったの？」

孫娘からまさかそんなことばが返ってくるとは思わなかったようだ。祖父は、また顔をしかめて尋ねた。「つまり、それは、おまえの父さんが買ったドレスなのかね？」祖父は、祖母からの贈り物だと勘違いしていたようだ。

父に対する愛と忠誠が、あたしに口をつぐませた。目を伏せて、残りのお湯を湯沸かし器に注ぎ、お茶を淹れかえた。書斎を出ていくあたしを祖父は引きとめなかった。けれどもその翌朝、祖父はあたしが父の仕事を引き継いだことをすでに知っていた。そして、だれも喜ばなかったあたしの働きっぷりを、祖父が初めてほめてくれた。

母の姉ふたりは街の裕福な商家へ嫁いでいたから、祖父の事業を引き継いでくれそうな孫はひとりもいなかった。ヴィスニアのような街には、あたしたちの同胞、ユダヤ人がたくさん住んでいるから、金融業やユダヤ教徒用の特別な食べ物を育てる農場経営以外にも、仕事がたくさんある。ユダヤ人の商う品物でも、街の人はどんどん買ってくれるし、壁に囲まれたユダヤ人街の市場はとても繁盛している。

「金貸しなんて、女の子のやることとは思えませんけどね」と、祖母が口をはさむと、祖父はフンと鼻を鳴らした。

「黄金はそれをつかむ手を選ばない。男か女かは関係ないな」祖父はそう言うと、くしゃっと顔を崩して笑った。「おまえには助手が必要だな。手はじめに、ひとり雇うといい。まじめで、裏表がなく、屈強な男か女。もちろん、ユダヤ人の下で働くことをいとわない人物でないといけないが。だれか見つけられそうか?」

「はい」あたしは、うちに通っているワンダのことを考えた。あたしたちの町で、貧しい農家の娘の働き先はそうそうあるわけじゃない。

「それならけっこう。もう自分で集金するのはやめなさい」祖父が言った。「助手を行かせればいい。もし文句があるなら、うちまで来るように言えばいい。机を用意しておいて、おまえは机の奥にすわる。文句を言いにきたお客は、立たせておくんだ」

あたしは、うなずきを返した。家に帰るとき、祖父は革袋に銅貨をぎっしり詰めて渡してくれた。おそらく銀貨五枚ぐらいの価値があった。これを元手に、近隣の金貸しのいない土地に暮らす人々にお金を貸し付ける仕事をはじめるといい、と祖父は言った。家に帰りつくと、留守中にワンダが毎日来ていたかどうかを父に確かめた。父は悲しげにあたしを見つめた。もう何ヵ月もひもじくはないはずなのに、目が落ちくぼみ、やつれているように見える。父は静かにほほえんで言った。「ああ、来る必要はないって言ったのに、あの子は毎日来ていたよ」

あたしは満足して、その日の仕事を終えたワンダを呼びとめた。大男の父親に似て、ワンダは背丈があって、肩幅が広い。がっしりした大きな手には働き者の証のアカギレ。爪は短い。顔はいつも薄汚れていて、金髪がスカーフのなかにたくしこまれている。無口で、のっそりしていて、どことなく牛のようだ。あたしはワンダに言った。「お金の計算をするために、あたしにはもっと時間が必要なの。あなたがあたしに代わって、お金を集めてくれると助かるわ。もし、その仕事を引き受けてくれるなら、賃金を一日に銅貨半分から、銅貨一枚にしてもいいんだけど」

ワンダは、あたしの言うことが理解できないみたいに、長いあいだ突っ立っていた。やがて頭のなかで考えていたことを確かめるように尋ねた。「父ちゃんの借金を返すのが、早くなるってこと？」

「そうよ。借金を返したら、ちゃんと賃金として払うわ」ワンダの反応がじれったくて、あたしの言い方は少しぞんざいになった。でももし、ワンダに集金をまかせられたら、あたしは近隣の村々を回って、新たなお客にお金を貸し付けることができる。祖父から渡された銅貨でひと儲けできるかもしれない。

ワンダは、またしばらく押し黙ったあとで言った。「それはつまり、あたいに、金をくれるってこと？」

「そうよ。どう、やってくれる？」

ワンダがうなずいた。あたしもうなずき返した。握手の手は、差し出さなかった。だれだってユダヤ人とは握手したくないだろうから。差し出した手を無理して握り返されるのもいやだった。もしワンダが約束を守らなければ、賃金を支払わなければいい、それだけのことだ。握手をしようがしまいが関係ない。これ以上望めないほど明快な契約だった。

あたいが金貸しの家に通うようになってから、父ちゃんはますます機嫌が悪い。あたいをどこにも売り飛ばせないし、家の仕事はたまるし、食べ物も足りないからだ。前にも増して怒鳴ったり手を上げたりすることが多くなって、セルゲイとステフォンは、ほとんどの時間を山羊たちと過ごすようになった。あたいは家に帰ると、なるべく父ちゃんを避けて、物音をたてないように眠りについた。

あたいの賃金が上がったことは、父ちゃんに黙ってた。最初は一日につき銅貨半分で、父ちゃんの借金を返しきるのに四年かかるってことだった。だけど賃金が倍になれば、借金は四年の半分で返せることになる。つまり、二年で銀貨六枚の借金が返せる。でも、父ちゃんはいまも四年かかると思ってるから、父ちゃんになにも言わなきゃ、あたいはあとの二年も金貸しの家で働けるってことだ。おまけに、その二年分の賃金は、ぜんぶあたいのものになる。二年働いて、銀貨六枚があたいのものだ！

そんな大金を見たのは、うちに来た医者にきらりと光る二枚が手渡された、あのときだけだった。父ちゃんが酒と博打にあとの四枚を使ってなきゃ、銀貨六枚をまるまる見ることだってできたんだけどね。

他人の家に行って、扉をたたいて、借金を催促することを、あたいは気に病むこともなかった。だって、金を催促してるのはミリエムだし、受け取った金はミリエムの金なんだから。それにいずれは、そのなかから、あたいの賃金が支払われることになる。

家々の玄関に立つと、それぞれのうちのなかのようすが見えた。りっぱな家具やら暖かな暖炉やら……。そういう家じゃ、家族は咳きこんでいなかった。あたいは「金貸しの使いで来ました」と言ってから、その客がいくら返さなきゃならないかを伝えた。数字がまちがっていると言われても、取り合わなかった。何軒かの家で、払えないって言われたけど、そういうときは、ミリエムのところへ行って話をつけてほしいと言った。でないと、法の裁きを受けることになりますよって。そうすると、なんだかんだと家のなかから出してきた。つまり、払えないっていうのは嘘。でもあたいは、嘘をつかれたからって気を悪くすることもなかった。

大きくてじょうぶなバスケットを持っていって、金の代わりに差し出された品物をそのなかに入れた。ミリエムは、だれがなにを出したか、あたいが忘れちまうんじゃないかって心配したけど、あたいは忘れなかった。集めた金の額、いろんな品物のこと、ぜんぶ頭に入れた。ミリエムがそれを黒い表紙の帳簿に書きつけた。太いガチョウの羽根ペンがカリカリと休みなく動いて、紙の上に文字がしるされていった。

そして、市の立つ日に備えて、ミリエムは集めた品物のなかから手放していいものを選り分けた。市の日が来ると、手放していいものをあたいがバスケットに入れて、彼女のあとをついていく。ミリエムはバスケットがからになるまで、品物をなにかと交換したり、売りさばいたりした。布地やくだものやボタンが銅貨に変わり、やがて彼女の財布がいっぱいになる。ときには品物を売るだけじゃなくて、たとえば、農場主から出た十かせの羊毛を借金をかかえた織り屋に渡して、金を返す代わりにそれで布を織ってマントをつくらせ、市場で売った。

市場の一日が終わると、ミリエムは家にもどって、財布の銅貨を床にばらまいた。その銅貨をひとつひとつ重ねて、同じ数になると、紙で巻いてひとまとめにした。重ねた銅貨ひと巻きの長さは、あたいの薬指の長さと同じ。それで銀貨一枚分の価値になる。まとめた銅貨が銀貨に交換されるところをこの目で見たのだから、まちがいない。ミリエムはつぎの市の日、朝早く家を出て、よその町からやってきた商人をさがす。商人がまだ店を準備してるときに声をかけ、銅貨をくるんだ包みを渡す。商人は包みを開いて、銅貨を数え、ミリエムに銀貨一枚を手渡した。

でも、ミリエムは市場で銀貨を使わなかったし、だれかの銅貨と両替することもなかった。銀貨は家に持ち帰って、銅貨と同じように重ねて紙で巻いた。長さは、あたいの小指と同じ。これが金貨一枚の価値をもつ。ミリエムは銀貨の包みを、おじいさんからもらった革袋に入れる。あたいはその革袋を市の立つ日のほかに見たことがなかった。市の立つ日、あたいが金貸しの家に行ったときにはもうその革袋がテーブルの上においてある。そして、あたいが帰るまで、袋はそこにおきっぱなし。ミリエムは隠そうとしない。つまり、あたいの目に触れないところにしまおうとしない。そして、旦那さんと奥さんは、その革袋にはまったくさわろうとしない。

あたいは、ミリエムが金の代わりに渡された品々に、どうして世間と同じ値をつけようとするのか不思議でならなかった。帳面の数字が少しずつ読めるようになると、借金が物で返されたとき、彼女がそれぞれの品にいくらの値をつけたのかわかるようになった。そして、彼女が市場でそれと同じ品物を買うとき、聞き耳を立てた。聞こえてくる値は、彼女が帳面にしるす値とだいたい同じだった。なぜそうするのか知りたかったけれど、あたいはいちいち尋ねなかった。だって、ミリエムはあたいのことを馬か牛ぐらいにしか思ってないからね。無口で、のっそりして、力仕事に向いた娘。ミリエムも旦那さんも奥さんも、きっとそう思ってるんだろう。

金貸し一家は、一日じゅうぺちゃくちゃしゃべってた。とにかく、あたいにはそう見えた。しゃべってるか、歌ってるか、言い合ってるか……。でもぜったいに、怒鳴ったりぶったりしない。奥さんはしょっちゅうミリエムのほおをなでるし、旦那さんは娘の横を通り過ぎるとき、ひたいにキスをする。あたいは、一日の仕事を終えて金貸しの家を出ると、人けのない野原まで来たところで、自分の片手を頭の後ろにおいてみた。あたいの手のひらはいまじゃ大きくて、ぶあつくて、力もある。だから、母ちゃんのあの手を思い出せるんじゃないかって思ったんだ。

　うちに帰っても、待っているのは硬い土のような沈黙だった。冬のあいだ、腹が満たされることは一度もなかった。金貸しの家で夕ごはんが食べられるあたいだって、腹をすかせてた。なにしろ、毎日の仕事に加えて、あの家との行き来のために六哩の道のりを歩くんだから。春になっても、家族はまだみんな腹をすかせてた。あたいは帰り道にキノコを採った。運がよければ、野生のカブや緑の葉が見つかった。でも、そんなにたいした量じゃなかったし、人間が食べられる葉はそんなに多くなかった。食べられない葉は山羊にやった。うちの畑を掘り返して、イモをさがした。まだ若くて小さいイモでも食べた。ただし、イモを細かく切って、小さな芽を残したいちばん小さなかけらをまた土に埋めるのを忘れなかった。朝、家を出る前に、キャベツと水をかまどにかけ、家にもどると、またかまどの火を熾して、イモのかけらや、帰り道で見つけたキノコやなんかを放りこんだ。あたいらは、テーブルを囲んで、うつむいたまま黙って食べた。

　四月になっても、土は冷たく硬く、ライ麦は伸びなかった。ようやく父ちゃんが豆の苗を植えたけど、一週間後にまた雪が降り、苗を全滅させた。

その朝は、目覚めてもまだ夜かと思うほど暗かった。外は石のような灰色の世界で、降りしきる雪でとなりとの境界に立つ柵も見えないほどだった。寝床から起きた父ちゃんが、あたいらをぶって急きたてた。あたいと弟たちは、山羊のところに走った。生まれたばかりの仔山羊が五匹いたんだ。でも、そのうちの一匹はもう死んでいた。残りの仔山羊を、母山羊たちといっしょに、家のなかに入れた。うるさく鳴いたり、毛布を嚙んだり、かまどに突進しようとしたり、もうたいへんな騒ぎだったけど、ちゃんと生きていた。雪がやむと、あたいは死んだ仔山羊をさばき、そのわずかな肉を塩漬けにした。骨でスープをとり、臓物も煮て食べた。この一日だけ、あたいらは腹を満たすことができた。

急に背丈が伸びはじめた上の弟のセルゲイは、きっと割り当ての三倍ぐらいは食べたかったろう。ときどき、こっそり狩りをしているのを、あたいは知っていた。よその家畜を盗めば縛り首の刑だけど、森でけものを追うのも危険だった。あたいらが森で狩っていいのは、印のついたけものだけ。つまり、体のどこかに茶か黒の斑点のあるけものじゃなきゃだめなんだ。でも、そんなけものは、そうそう残っていない。そして、真っ白なけものは、スターリクのものだ。森で真っ白なけものを狩ったらどうなるか、だれもそんなことはしないから、どうなるかはわからない。でも、ただじゃすまないことはわかってる。なんであろうと、スターリクのものは奪っちゃならない。やつらは、こっちの土地に奪いにくるのに、自分たちのものが盗まれることには我慢がならないんだから。

セルゲイはテーブルにつくと、だれとも目を合わせず、自分の割り当てを一気に食べた。あたいと同じ食べ方だった。同じテーブルについている家族より自分のほうがたくさん食べてることをよくわかってる人間の食べ方だ。だから、きっとあの子はこっそり狩りをしてるんだろうって、あたいには察しがついた。でも、やめろとは言わなかった。セルゲイだって、やってはいけないことぐらい知ってるだろうから。

そう、うちは金貸し一家とはちがうんだ。あたいは「愛」ということばについて考えない。愛は、母ちゃんといっしょに土に埋めてしまった。セルゲイとステフォンは、あたいにとって、母ちゃんを病気にした赤ん坊だ。あの子たちは死なずにすんだけど、その分、母ちゃんの仕事が増えた。そしていまでは、それがあたいに押しつけられている。ふたりはよく食べる。あたいは山羊の毛を紡いで、あの子たちの服をつくり、洗濯もしなくちゃならない。そんなわけだから、セルゲイがスターリクに襲われたらどうしようなんて、正直言って、あたいはあまり心配していなかった。スープをとる骨ぐらい持ち帰ってくれって言おうかとさえ考えた。でも、もしみんなでそれを食べて、一家全員が面倒に巻きこまれたらよけいに困るだろうと思って、言うのはやめた。だいいち、セルゲイが砕いてしゃぶりつくした骨なんて、ろくなもんじゃない。

でも、ステフォンはセルゲイを愛してた。母ちゃんが死んだとき、父ちゃんは末っ子のステフォンの世話をあたいにまかせようとした。そのとき、あたいは十一歳で、もう糸を紡ぐことだってできたけど、セルゲイはまだ七歳だった。だけど、あたいはステフォンの世話をセルゲイに押しつけた。そのうちセルゲイも畑仕事ができるくらい大きくなり、ステフォンの面倒を見るのがすっかり板についてきた。セルゲイは畑に出るときも、あたいに弟をまかせようとしなかった。ステフォンはセルゲイ兄ちゃんのあとをついてまわったけど、じゃまはせず、いっしょに水を運び、山羊の世話をした。父ちゃんの機嫌が悪いときには、冬だろうが兄弟でいっしょに家を出て、家畜小屋で山羊たちと体を寄せ合って眠った。セルゲイはときどき弟をたたいたけど、そんなに強くじゃなかった。

そしてあの日、ステフォンがあたいのところにやってきて、セルゲイが病気になったと言った。まだ昼前のことで、あたいは金貸しの家の畑に出て、キャベツを収穫していた。キャベツの玉はまだ小さいけれど、十月のはじめなのに夜のうちに一部が凍りついてしまったから、だめにならないうちにぜんぶ収穫したほうがいいと、ミリエムが決めたのだ。あたいは、家の玄関扉のほうをちらちらと見ていた。もうすぐ扉が開いて、金貸しの奥さんがあたいを食事に呼ぶはずだった。

その朝は、鶏のえさにする、かび臭いパンのひとかけしか食べていなかった。硬いパンをちょっとずつかじり、氷の張った天水桶の冷たい水を飲んで、口のなかでやわらかくした。それだけではぜんぜん足りず、あたいは胃が痛くなるほど腹ぺこだった。ステフォンの声が聞こえたのは、あたいがまた扉のほうを見ていたときだった。「ワンダ！」ステフォンが、塀に寄りかかり、すうっと息を吸いこんでいた。「ワンダ！」一瞬、父さんが小枝の鞭を持ってあらわれたような気がして、あたいはびくっとした。

「なに？」ステフォンが来たことに腹が立った。あの子には、ここにいてほしくない。

「ワンダ、来て」ステフォンがあたいを手招きした。あの子はいつもことばが足りない。ステフォンが話しきらないうちに、セルゲイが察してしまうし、父ちゃんの怒声が家に響いているときは、関わらないように口を閉ざしているからだ。「ワンダ、来て」

「おうちでなにかあったんじゃないの？」金貸しの奥さんが、ショールをはおって玄関口に立っていた。「行きなさい、ワンダ。ミリエムには、わたしが家に帰したって言っておくから」

あたいは家に帰りたくなかった。ステフォンがここへ来たのは、セルゲイになにかあったからだろう。セルゲイを助けるために、自分の食事を棒に振りたくなかった。セルゲイがあたいを助けてくれることなんてないんだから。でも、そんなことを奥さんに言うわけにもいかず、あたいは立ちあがり、黙って畑の外に出た。道を行き、木立のなかに入ると、ステフォンの肩をつかんで揺さぶった。「ここには、二度と来ないで！」腹が立ってしょうがなかった。ステフォンは十歳のわりには体が小さくて、あたいにぐらぐら揺さぶられても、なんにもやり返せないっていうのに。

そんなふうにされても、ステフォンはあたいの手をつかみ、引っ張っていこうとした。しかたなく歩いた。あたいにできるのは、家に帰って、セルゲイが面倒を起こしたらしいって父ちゃんに言うことだけ。でも、それさえやりたくなかった。あたいはセルゲイが好きじゃないけど、セルゲイがあたいのことで父ちゃんに告げ口したことはないし、あたいもセルゲイのことを告げ口しなかった。お互いにずっとそうしてきたんだ。

ステフォンが走りつづけようとするから、あたいもつられて足が速くなった。しばらくなにも考えずに走ってから、立ち止まった。ステフォンも足を止めて、息をととのえると、また走りだした。一時間ほどで、六哩も進んでいた。もうすぐ家にたどり着くというところで、ステフォンが道からはずれて、森のほうに向かった。ぎくりとした。「セルゲイになにがあったの？」あたいはきつく尋ねた。

「兄ちゃんが起きないんだよ」ステフォンが言った。

セルゲイは森の小川の岸辺に横たわっていた。夏場に近くの川が干あがったとき、しかたなく水を汲みにいく小川だ。横向きに地面に寝たセルゲイは、目を開いていて、眠っているようには見えなかった。指先をくちびるに近づけると、息をしているのがわかった。けれど、まったく動かない。片腕を持ちあげてみたけど、重くて、だらりとしてた。あたいは、まわりを見まわした。セルゲイのかたわらに、半分ほど川の水に浸かって、一匹の白いウサギが死んでいた。後ろ足に、山羊の毛を荒く縒った紐が巻きついている。印のないけものだ。小道のそこかしこに霜がおり、小川は岸辺に近いところに氷が張っている。ああ、やっぱりこれはスターリクのしわざだ。スターリクが白いけものを狩ったセルゲイを捕まえて、魂を抜いてしまったにちがいない。

あたいは、つかんでいたセルゲイの片腕を放した。まるで治療を見守るように、ステフォンがあたいを見つめていた。でも、あたいにできることなんかなにもない。町は遠いから、司祭は助けにきてくれないだろう。それに、セルゲイは悪いことだと知りながら盗みをはたらいていたわけだから、神さまがスターリクからセルゲイを救ってくれるとも思えなかった。

あたいは黙って立っていた。ステフォンも黙りこくっていたけど、まだあたいになにかできると信じているような目をしてた。ふいに、心の底に、自分にもできそうなことが思い浮かんだ。でも、やりたくなかった。歯を食いしばり、それ以外のことで試してみるべきことを考えた。セルゲイのほおをぴしゃりとたたいて、起こそうとした。効かないだろうと思ったけど、顔に冷たい水をかけてみた。やっぱり効かなかった。セルゲイは身じろぎひとつしなかった。水が顔をつたって流れ、しずくが目に入り、涙のようにこぼれ落ちた。それでも声ひとつあげない。内側から腐っていく丸太のように、うつろに横たわっているだけだ。

ステフォンはセルゲイを見ていなかった。まばたきもせず、あたいを見つめつづけてた。あたいはステフォンをひっぱたきたかった。小枝の鞭で追いはらいたかった。弟たちが、あたいになにかしてくれた？　あたいが恩に切るようなことを、弟たちはなにかしてくれた？　あたいは立ちあがって、こぶしを握った。「セルゲイの足を持ちな」そのことばが、腐ったドングリみたいに、いやな味を舌に残した。

　セルゲイはそんなに大柄じゃないから、あたいとステフォンとでどうにか運ぶことができた。あたいはセルゲイを背中から起こし、両脇に手を入れて持ちあげた。ステフォンが、セルゲイのかかとを、きゃしゃな肩にのせた。あたいらはセルゲイをかかえてじりじりと進み、森を抜け、うちの畑のはずれに向かった。そう、あの白い木のもとへ。

　そこにたどり着いたとき、あたいの怒りは頂点に達していた。セルゲイの重みを両手で受け取めて後ろ向きに歩いていたから、森のなかで三回も転び、地面から盛りあがった根の上に倒れこみ、凍りかけたぬかるみですべった。石に体を打ちつけ、青あざができた。泥まみれ、毒イチゴの汁まみれになった。また服を洗わなくちゃならない。だけど、怒りはそのせいじゃなかった。あたいは、弟たちに腹を立てていた。弟たち……セルゲイとステフォンと赤ん坊のまま死んだ弟たちが、あたいの母ちゃんを奪った。母ちゃんを弟たちと分け合いたいと思ったことなんて一度もない。弟たちが母ちゃんのためにいったいなにをしたっていうんだろう？

　でも、それを口に出すことはなかった。白い木の根もと、母ちゃんの墓のかたわらにセルゲイをおろし、木のそばに立って言った。「母ちゃん、セルゲイが病気になった」

大気は静かでひんやりしていた。淡い緑色の、どうにか伸びてきたライ麦の畑がずっと先までつづいてる。どんな作物も発育が悪い。遠くにあたいの家が見えて、ひとすじの灰色の煙がまっすぐ空に上がっていく。父ちゃんの姿は見えない。風もないのに、白い木がため息のような音をたて、枝を揺すった。すると突然、幹から一片の樹皮がぴりりと剝がれた。あたいは、その皮をむしり取った。

　それから、ステフォンといっしょに、セルゲイをうちの近くを流れる小川のそばまで運んで、ステフォンに炭と小鍋をうちから取ってくるように言いつけた。あたいは枯れ草や小枝をかき集めて焚き火用の小山をつくり、ステフォンがもどってきたところで、小山に火をつけ、小鍋で木の皮を煮出した。小鍋の水が曇り空のような灰色に変わり、土くさい匂いが立ちのぼった。

　ステフォンとふたりでセルゲイの頭を起こし、樹皮を煮出した汁を飲ませた。飲ませたとたん、セルゲイが夏のハエを払うけもののように全身を震わせた。さらにひと口、またひと口……。セルゲイは寝返りを打って、吐きはじめた。何度も、何度も、薄いピンク色の生肉が湯気を立てて地面に吐き出された。すさまじい臭気に、あたいまで吐きそうになって、あわててセルゲイのそばから離れた。あたいの吐き気がやっとおさまるころ、セルゲイも吐いたもののそばから這って逃れてきた。

　あたいが泣いているセルゲイに水を飲ませているあいだ、ステフォンが兄の吐き出した生肉に土をかけて埋めた。セルゲイはまだしばらくすすり泣いていた。飢えつづけた人のようにやつれて、いちだんと細く見えたけど、魂がもどってきたことはまちがいない。あたいに体を支えられてどうにか立ちあがり、小川に沿って歩き、山羊たちが水を飲む大きな岩のそばまで来た。そのときも山羊たちがそこにいて、あたりの草や土手に茂る木々の葉を食べていた。いちばん古くからいる山羊があたいらのほう近づき、頭をこすりつけてきた。セルゲイが両腕を山羊の首に回し、横腹に頭を押しつけているあいだに、あたいが山羊の乳を小鍋にしぼり、その乳をセルゲイに飲ませた。

セルゲイは小鍋の底の最後のひとしずくまで山羊の乳を飲み干すと、不安げにあたいのほうを見た。父ちゃんはこの山羊の乳の出が悪くなったことを見逃さないだろう。そして、だれが盗んだのかわからなければ、あたいら三人をぶつだろう。それでもあたいはセルゲイの手から小鍋を取りあげ、また乳をしぼり、またセルゲイに渡した。なんでそうしてやったのか、よくわからない。でもとにかくそうしてやったし、翌朝、乳しぼりからもどった父ちゃんが怒鳴りはじめると、あたいは立ちあがって、声を張りあげた。「セルゲイにもっと食べさせなきゃだめだって！」

父ちゃんが目を剝いて、あたいを見た。セルゲイとステフォンも同じようにあたいを見た。あたいだって自分のことながら驚いたよ。一瞬の間があいて、われに返った父ちゃんがあたいを平手打ちにし、生意気な口をきくなって言った。だけど、それで終わり。父ちゃんはまた家を出ていき、セルゲイとステフォンとあたいは半ばお仕置きを待つように突っ立ってたけど、父ちゃんはもどってこなかった。つまり、鞭打ちはなしってこと。

　セルゲイがあたいを見つめ、あたいもセルゲイを見つめ返した。セルゲイはなにも言わなかった。それからすぐに、あたいはスカーフをかぶって仕事に出かけた。服はまだ泥まみれで、ごわごわだったけど、つぎの洗濯の日まで洗ってる時間なんてない。

　その日、まだ陽のあるうちに家に帰ると、セルゲイが家の外に洗い桶を出していた。ステフォンが小川から汲んできた水で洗い桶が満たされた。その水を温める熱湯まで沸かしてあった。これなら洗濯するのもかんたんだ。あたいは洗い桶を見つめたあと、ポケットから三個の卵を取り出し、弟たちに見せた。

　金貸しの奥さんがくれた卵だった。奥さんがあたいん家でなにがあったのか知りたがったので、弟が食べ物にあたって病気になったって言うと、胃が悪いときは新鮮な生卵を飲むのがいちばんよって、その三個の卵をくれたんだ。あたいが一個を食べ、セルゲイが一個と半分を食べ、ステフォンが残り半分を食べた。あたいは服を洗濯し、そのあいだに弟たちがうちの畑から小さなキャベツを収穫した。あたいは洗濯をすませ、夕食の準備に取りかかった。

4 スタークの影

その寒い一年のあいだ、あたしは銀貨の種を蒔きつづけた。その年も春の訪れは遅く、四月でもよく雪が降った。そして夏はまたたく間に過ぎた。近隣の村々からおおぜいの人が、苦しい日々を乗り切るために、あたしのところへお金を借りにやってきた。

そして春が来ると、またヴィスニアに行った。あたしは、おじいちゃんが銅貨をくれたときの革袋に銀貨をぎっしり詰めて持っていった。銀貨はいつでも金貨に替えられるように、一包みが金貨一枚分になるように紙でまとめておいた。金貨は祖父の家の地下金庫にあずけることにした。ヴィスニアの街には堅牢な周壁があるし、厚い壁に囲まれた金庫室なら、スタークの襲撃から守ることができるだろう。祖父は革袋をちらりと見て、重さを量るように手のひらにのせた。とくになにも言わなかったけれど、おじいちゃんが孫娘を誇らしく思っているのがわかった。

おじいちゃんとおばあちゃんは、それまであたしたちが滞在しているときに、親戚以外のお客を招こうとはしなかった。ようやくそれに気づいたのは、突然、おおぜいの人たちがお茶や食事に招かれ、屋敷のなかがろうそくの光や衣ずれの音や笑い声であふれるようになったからだった。あたしは、それまで滞在したあいだに会った人をぜんぶ合わせたよりもたくさんの人に、その二週間で紹介された。以前からなんとなく、祖父は街の有力者なのだろうと思っていたけれど、街の人に会えば会うほど、それを確信できた。祖父はみんなから、ラビ〔ユダヤ教の聖職者〕からでさえ、尊敬を込めて「モシェルの大旦那」と呼ばれていた。おじいちゃんと街の人々は、テーブルを囲んで、ユダヤ人街の政治について議論した。彼らはいろんな決定権をもっているようだった。たいていの場合、議論が重ねられて、ひとつの結論にまとまった。

どうして以前はお客が招かれなかったのか、その理由がよくわからなかった。お客たちはみんな親切で、あたしに会えたことを喜んでくれた。「あらまあ、ほんとにこの娘がミリエムちゃんなの？」アイディン夫人がほほえんで、あたしのほおを両手で包んだ。夫人は祖父の友人の奥さんということだったが、以前会ったときの記憶がない。たぶん、うんと幼いときだったのだろう。「こんなに大きくなって！　あなたの結婚式でダンスを踊る日もそう遠くはないでしょうね」それを聞いて、祖母は口を固く結んだ。母さんもあまりうれしくなさそうだった。母は居間の片隅で背を丸め、父の質素なリネンのシャツを縫いつづけた。お客が来ても、あたりさわりなく挨拶するだけで、おしゃべりの輪に加わろうとはしなかった。わが家にいるときには、どんな人たちにも親切だったのに……。その人たちのせいでうちの食糧が底をつき、その人たちが自分の家には母を招き入れなかったとしても、母は親切にしていたというのに……。

あたしはとうとう、なぜお客を招くようになったのかと祖父に尋ねた。「絹の財布と見せかけ、ブタの耳を売るわけにはいかないからな」祖父はきっぱりと言った。「おまえの父さんには、おまえが結婚するとき、持参金を用意するだけの甲斐性がない。しかし、この家に客として来る人たちは、わたしの孫娘にそれなりの持参金を期待するだろう。わたしは、おまえの母さんが結婚するとき、これから先、金はいっさい出さないと言い渡した。まあ、そういうわけにもいかなかったがな」

なぜ祖父の裕福な友人たちがこの屋敷に招かれなかったのか、あたしはやっとその理由を知った。なぜ、祖父は、祖母があたしにドレスを買いあたえるのを喜ばなかったのか。なぜ毛皮や金ボタンをあしらったドレスだと――あれを祖母が買ったというのは祖父の誤解だったが――なおさら喜べなかったのかを理解した。祖父は、粉ひきの娘を着飾らせて、お姫さまに仕立てるつもりはなかったのだ。そんなごまかしに引っかかるような愚かな男に孫娘を嫁がせるつもりはなかった。あるいは、真実を知ったとたん契約を破って逃げ出すような薄情な男にも――。

それを知っても、怒りは湧いてこなかった。それどころか、冷徹で厳しい考えをもつ祖父のことがいっそう好きになった。お客を招いてくれるようになったことを、革袋の銅貨を銀貨に替えて返した孫娘を自慢してくれることを誇らしく思った。お客たちから値踏みするような目で見られても、あたしは胸を張っていられる。それだけの自尊心が自分にあることをうれしく思った。

怒りが湧いたとすれば、むしろ母さんに対してだった。あたしたちが祖父母の家を去る前夜に、母の姉たちがふたたび家族連れで食事に招かれた。十二人が食卓につき、幼い子どもたちが中庭でにぎやかに遊んでいた。あたしのとなりには、いとこのバシアがすわっていた。あたしより一歳年上のきれいな娘で、女らしいふっくらした腕とつややかな褐色の髪に、真珠の耳飾りと首飾りがよく似合い、落ちついて上品な雰囲気をかもしだしていた。

バシアはひと月ほど前に結婚仲介人のところへ行き、お互いに気に入る結婚相手を見つけたということだった。そんな話をバシアの母親がしているあいだ、彼女はほほえみながら目を伏せていた。そのお相手であるアイザックは、バシアの父と同じように腕の立つ宝石職人だった。バシアの手はなめらかでやわらかそうで、力仕事を一度もしたことがないのは一目瞭然だった。ドレスも仕立てがよくて、花々と小鳥をあしらった美しい刺繍がほどこされていた。

それでも、彼女をうらやましいと思わなかった。いまならほしいと思えば、あたしだって自分のお金で刺繍入りのドレスを買える。仕事があることがありがたかった。なのに母さんは、あたしの体をぎゅっと引き寄せた。まるで、バシアを見てはいけない、バシアの人生を、彼女がもっているものを、あたしはなにひとつほしがってはいけないとでも言いたげに。

翌日、あたしと母は家路についた。そりは深い森を縫って、凍った雪の上を軽快に走った。春だというのに肌寒かったけれど、毛皮の外套を着こみ、スカートの下にはペティコートを三枚もはいて、三枚の毛布にくるまっていたから、とても快適だった。でも、母の顔には悲しみが張りついていた。あたしたちはずっと口をきかなかった。とうとうあたしのほうが暗い森と母の沈黙の重みに耐えかねて、自分の憤りをぶちまけた。「あたしたち、貧乏でおなかをすかせていたほうがよかったの？」

母は両腕であたしを包み、ひたいにキスをした。「ミリエム、かわいいミリエム、わたしはただ、つらいだけなの」母は泣きながら言った。

「つらい？　寒いより暖かいことがつらいの？　お金があって楽できることがつらいの？　銀を金に変えられる娘をもつことがつらいの？」あたしは母の腕から逃れようとした。

「わたしがつらいのは……そんな暮らしを手に入れるために、あなたが氷のように冷たく凍りついていくのを見ていることなの」母さんはそう言った。あたしは黙って、外套の前をかき合わせた。御者のオレグが馬たちにしきりと声をかけ、急かしていた。銀色にきらめくものが、そう、スタークの道が木の間にちらちらと見えはじめたからだ。馬たちが速度を上げても、スターリクの道は途切れもせず遠ざかりもせず、あたしたちと併走するように、木々を縫ってどこまでもつづいていた。肌を引き裂くような寒風が吹きつけてきた。でも、あたしはいっこうに気にしなかった。あたしの心は、この風よりも、外気よりも、さらに冷えきっていたからだ。

帰宅した翌朝、ワンダがいつもより遅れて仕事にやってきた。息を切らし、汗ばんだ赤い顔をしているのに、スカートには凍った雪が張りついていた。まるで野原を突っ切ってきたみたいな恰好だった。「スターリクが、あの森にいる」ワンダは目を伏せたまま言った。両親といっしょに外に出てみると、わが家から歩いて千歩もない、そう遠くない森の木立のなかに、スターリクの道が見えた。

スターリクの道が町の近くにあらわれるなんて、そんな話は聞いたこともなかった。この町は周壁で守られていないが、スターリクに狙われるような富もない。税はたいてい穀物か羊毛で収められていたし、金のある者は周壁のある大きな街まで行って、銀貨を金貨に替えて地下金庫にあずけた。そう、いまのあたしみたいに。もちろん、この町にも黄金の首飾りや指輪をもっている人はいるけれど、スターリクたちが目抜き通りの家を軒なみ襲ったとしても、金の装身具で小箱ひとついっぱいにできないだろう。

ひどく冷たい風が森から吹いていた。地面にひざまずいて手を差し出すなら、遠くから巨人が息を吹きかけるような、地を這う冷気が感じられたことだろう。大気に松の枝が折れるときのような濃密な匂いが混じっていた。森はまだ雪に埋もれているが、そのせいだけとは思えない、とてつもない寒波が押し寄せていた。振り返って町のほうに目をやれば、あたしたち一家と同じように、それぞれの家の庭からスターリクの道を見つめる人々の姿があった。ガヴェリテ夫人と目が合ったけれど、夫人はこれがあたしたち一家のせいだとでも言わんばかりに顔をしかめ、そそくさと家のなかに入ってしまった。

しかし、それ以上なにかが起きるわけでもなかった。それぞれの家に朝の仕事があったので、ひとりまたひとりと扉の奥に消えた。スターリクの道が目の前になければ、人はそれについて考えない。あたしは帳簿を開き、留守にした二週間のあいだにワンダが集めたお金や品物を点検した。ワンダは鶏にえさをやって卵を集める日課のために、硬くなったパンと穀物を入れたかごをかかえて外に出ていった。母さんがようやく外仕事から手を引いてくれて、あたしはほっとしていた。母はいま、暖炉のそばのテーブルで、夕食にするイモの皮を剝いている。ほおに少しだけ赤みがさし、去年の冬よりも少しだけ体の丸みがもどった。帳簿に首っ引きのあたしを悲しげに見つめる母の視線に気づいても、もう気にしないでいようと自分に言い聞かせた。

ワンダがしるした帳簿の数字はきちんとしていて、計算のまちがいもなかった。集金も確実にやっている。ヴィスニアにいたとき、祖父はあたしの助手について知りたがり、彼女は善良かどうかと尋ねた。あたしがワンダにいずれ賃金を払うと約束したことを伝えると、賢いやり方だとほめてくれた。「小銭を集めさせるだけというのはよくないな。それ以外の仕事をいっさい任せないようでは、金をごまかすようになりやすい」祖父はそう言った。「おまえの財産が増えれば、自分の財産もいっしょに増えていくと、おまえの助手が思えるようにしてやりなさい」

あたしの財産が増えていくかどうかについては、まだ心もとないところがあった。ぜんぶで十四枚の金貨が祖父の堅牢な地下金庫にあずけてあったが、そのすべてが、あたしが金貸し業で儲けたお金というわけじゃない。そのうちの多くは、ようやく手もとにもどってきた母の持参金だった。

父は結婚して早々に、母の持参金をお客に貸しつけてしまった。あたしが生まれるころには、そのほとんどが他人のふところに入り、ろくに返済されなかったので、近隣の村までふくめて、そこらじゅうの人がうちに借金があるというありさまだった。彼らは借金で家や納屋を修理し、牝牛や穀物の種を買った。結婚式を挙げ、子どもをもうけた。その一方、うちでは母さんがおなかをすかせ、返済を求めた父さんは他人の家の庭先から追いはらわれていた。あたしは貸したお金の全額とそれにつく利子を、ことごとく返してもらうつもりでいた。

けれども、たやすく回収できるお金はとっくに回収していたし、父がお金を貸した人たちのなかには、亡くなった人も行方知れずの人もいた。そのうえ近頃では、返済のほぼ半分が、品物やら労働やらで支払われるようになっている。それを換金するのもひと苦労だ。わが家に足りないものはもうそんなにないし、鶏もこれ以上飼うことができない。山羊や羊を借金のかたに差し出す人もいたけれど、うちでは世話できそうになく、売りさばくのもたいへんだった。だからあたしは物で受け取って市場で売ったときには、手数料として銅貨一枚をもらうことにした。でも、これがいんちきだと非難されてしまう。物を売りさばくために手間と時間をかけているのは、このあたしだというのに。

借金を踏みたおされないように、新たにお金を貸すときには、返してくれそうな人を選んで貸すようにした。それも、ちびちびと用心深く。でも結局、同じようにちびちびと用心深く返済されるので、貸したお金がすべてもどってくるまで、いったい何度、返済が滞ることになるか知れたものではなかった。

そんな状態とはいえ、ワンダのきちんとした集金と帳簿の付け方を見ていると、将来ではなく、いまからでも、お金を渡していいんじゃないかと思えてきた。一日の賃金銅貨一枚のうち、銅貨半分を父親の借金の返済にあて、銅貨半分を実際に彼女に手渡す賃金とする。現金を手にすれば、ワンダも彼女の父親も、お金を稼いでいるという実感がもてるだろう。手渡す銅貨半分は、借金の返済分には入れないでおこう。

頭のなかでそう決めて、ワンダには仕事のあとで伝えようと考えていたところに、玄関扉を勢いよくあける音がした。ワンダがあわてふためき、胸にはまだ穀物の入ったかごをかかえて飛びこんできた。「あいつらが、この家の外まで来た！」

あたしはびっくりして立ちあがった。あいつらってなに？　めったなことでは驚かないワンダの顔が引きつり、血の気が失せていた。

「わたしが見てこよう」父さんがそう言って、暖炉の火かき棒を握りしめた。

「泥棒……？」母さんが声をひそめて言った。すぐに思い浮かんだのは、もし泥棒なら、地下金庫にお金をあずけておいてよかった、ということだった。でも、母といっしょに父のあとを追って家をひと回りしても、変わったところはなにもなかった。家の裏手では、えさをまだもらえない鶏たちが不平がましく騒いでいる。ワンダがなにかの痕跡を指さした。彼女の指さす先にあるのは、泥棒の足跡とはほど遠いものだった。

ひづめの跡が、いくつも、新しく降った雪の上にうっすらと残されていた。凍った根雪を踏み抜いていないのに、けっして小さくはなく、馬のひづめと同じぐらいの大きさだった。ただ馬とちがうのは、先がふたつに割れているところ。そう、鹿のひづめだ。ただし、尖端がぎざぎざして、かぎ爪みたいになっている。

そのひづめの跡は、わが家の外壁のすぐそばまで来ていた。そこでだれかが雪の上におりて、窓から家のなかをのぞいたようだ。そのだれかさんは、つま先が長くてとがったブーツをはいていた。

いったい、どういうこと？　奇妙だけれど、いたずらのようにも思えた。幼いころに、集落の少年たちからときどき石を投げられた。そのうちのだれかが、あたしたちを怖がらせようと家に忍び寄り、こんな足跡をわざと残したのだろうか。あるいは、もっと悪意に満ちた目的が……？　たとえば、略奪するための口実をさがそうとしていたとか……。それを口に出そうとして、はっと気づいた。この奇妙な足跡がだれかの細工だとしたら、その当人の足跡はどこ？　凍った根雪を踏み抜かずに歩くことなんて、できるはずがない。

もしかしたら、屋根から身を乗り出して棒かなにかで足跡をつけた？　でも、屋根に人がのぼった形跡はない。そのうえ、鹿のひづめのような足跡は、わが家の庭を通って、さらに先まで……森の入り口までつづき、木立のなかに消えていた。その方角を目でたどると、木の間を透かして、あのきらめく銀色の道が見えた。

あたしはことばを失った。母さんも父さんも黙ってしまった。あたしたちは森の方角を、あのきらめく道を見つめるしかなかった。ただひとり、ワンダだけがためらいもなく言った。「スターリクだよ。スターリクがここまで来たんだ」

そうは言っても、鶏たちのいる庭をうろつき、わが家を窓からのぞくなんて、スターリクに似つかわしくなかった。ためしに身をかがめて、窓から家のなかをのぞいてみた。あたし用のせまいベッドが窓辺にあり、その向こうには鍋をかけた暖炉と、母への贈り物として父がつくった食器棚、そして食品棚と穀物袋……それぐらいしか見えない。どうして、わが家みたいにごくふつうの質素な家をのぞく必要があったのだろう？　不可解さが増すばかりだ。あたしは背すじを伸ばし、もう一度、奇妙な足跡を見つめた。この世界を支離滅裂なものにするのをやめてくれないか、いっそ消えてくれないかという、むなしい期待をいだきながら。

　そのとき突然、父さんが火かき棒を振りあげ、足跡を打ちすえてぐちゃぐちゃにした。さらに、ひづめの跡に沿って火かき棒を引きずり、森の入り口までゆっくりと歩いていった。父はまた雪をかきまわしながらもどってくると、あたしと母に近づいて言った。「このことは、だれにも話すんじゃないぞ。こんなものは、近所の子どものいたずらだ。ワンダ、もういいから、仕事にもどれ」

　あたしは思わず父さんを見つめ返した。父がこんなきつい口調になるのを初めて聞いた。なぜ父さんは、こんなことを言い出したのだろう？　ワンダはためらい、足跡のあったところをしばらく見つめていたけれど、思い直したように、ぐちゃぐちゃになった雪をゆっくりとまたぎ、鶏の群れのほうに歩いていった。母がショールの前をかき合わせ、口を固く結んで、あたしのそばに立っていた。母は、あたしのほうを向いて言った。「家にもどりましょう、ミリエム。イモの皮剝きを手伝ってちょうだい」

あたしたちは家に入った。扉を閉めるとき、母は町の広場に向かう道のほうをちらりとうかがった。みんな日々の仕事にもどっていて、あたしたちを見ている人はいなかった。

父があたしのベッドを乗り越えて窓辺へ行き、たきぎから選んだ一本の細長い枝で窓の大きさを測り、ナイフの刻み目で枝に印をつけた。父が外に出ていくと、あたしは母のほうに目をやった。母は庭を掃いているワンダの背中を窓から見つめていた。

「ミリエム」と、母が言った。「若い青年がうちにいたら、父さんも助かるんじゃないかしら。ワンダの弟に、夜だけ来てもらいましょうよ、ちゃんと賃金を払って」

「このうちで眠るだけなのに、賃金を払うの？　スターリクがたったひとりで来たって、かないっこないわよ」思わず笑ってしまった。ばかげてる。なにをしたって、スターリクには太刀打ちできっこない。どうして、あの足跡をだれかのいたずらだなんて思ったのだろう？　夢から覚めたような気分だった。

でも、母はきっぱりと言った。「もうそんな話はやめなさい。二度と話さないで。スターリクのことは、だれにも話してはいけない。この町のだれにも……」母さんは変なことを言うものだ、とあたしは思った。あのきらめく道が森にあるかぎり、この町の人たちはスターリクのうわさをするだろう。それに、あしたは市が立つ日だ。あたしがそれを言うと、母は「市に行くのはやめなさい」と言った。ヴィスニアから持ち帰った、市で売りたい品物があったので、どうしても行きたいと言い張ると、母はあたしの両肩をぎゅっとつかんだ。「ミリエム、いい？ ワンダの弟に、夜はここに来てもらうようにして。お金をちゃんと払えば、ワンダはスターリクがうちに来たことを黙っててくれるわ。あなたも、だれにも言っちゃだめよ」

あたしがそれ以上言うのをやめると、母は声をひそめて言った。「二年前だったわ、ミナスクに近い三つの町を、スターリクの一団がつづけざまに襲ったの。三つとも、この町よりも小さな町だった。それでもスターリクは、教会や金持ちの家々を焼き払い、どんな小さな黄金も見逃さずに奪いつくしたと聞いているわ。でもね、彼らはユダヤ人が多く暮らすヤズダ村だけは襲わなかった。ヤズダ村は通り道にあったのに……。だからそのあと、ヤズダ村のユダヤ人たちはスターリクと取引をしたにちがいない、といううわさが流れたの。そしていま、ヤズダ村にユダヤ人はひとりも住んでいない。どういうことかわかるわね、ミリエム？ スターリクがうちに来たなんて、ぜったいに、だれにも、言ってはいけない」

そう、今回の一件は、小鬼のしわざでも、不思議な魔法でも、ばかげたいたずらでもないのだ。やっとそれが実感できた。「明日は、市場に行くわ」母がなにか言う前に、あたしはつづけた。「あたしが市場に行かなかったら、かえって怪しまれる。明日は、仕入れてきた二着のドレスを、ヴィスニアで最新流行のドレスを売りにいくわ」

母は、ためらいながらもうなずき、あたしの頭をなで、ほおを両手で包んだ。それから、あたしたちはテーブルにつき、残りのイモの皮を剝いた。外からワンダが薪を割る音が聞こえてくる。しばらくすると、父が木の枝を両手いっぱいにかかえて帰ってきた。その午前中、父は暖炉のそばで枝を削って頑丈な格子をつくり、家の窓枠に釘で打ちつけた。

「ねえ、あなた。わたしたちで考えたことなんだけど、ワンダの弟を雇って、この家に泊まってもらうというのはどうかしら」作業をしている父に向かって、母が編み物から目を上げないで言った。

「うむ、それは助かるな」父は賛成した。「家に金があると、なにかと心配なことが増える。若者が家にいてくれるなら、ありがたい。わたしも、もう若くはないからな」

「もしかしたら、うちで山羊も飼えるわね」あたしは言った。「ワンダの弟なら、きっと山羊の世話もしてくれると思うわ」

昼近くになって、ミリエムがあたいに言った。「ねえ、ワンダ。夜にこの家を守ってくれて、ついでに山羊の世話もしてくれる男の働き手をさがしているの。あなたの弟にそれをまかせたいのだけど、やってくれそうかしら」

あたいはすぐに返事しなかった。正直なところ、断ってしまいたかった。ミリエムが出かけているニ週間のあいだ、あたいはたったひとりで、ミリエムに代わって帳簿をつけた。毎日集金に出かけ、日によってちがう家々を回り、もどってくると、金貸しの旦那さんと自分のために夕食をつくった。

夕食のあとはテーブルについて、少しふるえる手でそうっと帳簿を開く。革表紙はとてもやわらかくて、表紙にはさまれた幾枚もの薄い紙に、文字と数字がびっしりと書きつらねてあった。あたいは一枚一枚、ていねいにページをめくって、その日訪ねた家々をさがした。ミリエムは、一軒ごとに一ページを使い、それぞれにちがう数字を割り当てていた。数字のとなりには、その家の住人の名前。あたいは自分のペンをインクに浸し、ペン先をぬぐい、また浸し、とてもゆっくりと、できるだけきちんと、新しい数字をしるしていった。そしてふたたび帳簿を閉じると、ペンをきれいにして、インクといっしょに棚にもどす。それをぜんぶひとりでやった。

去年の夏、長くなった夕方の時間を利用して、ミリエムが数字の書き方を教えてくれた。彼女は食事のあと、あたいを外へ連れ出し、枝を使って地面の上に何度も数字を書いた。数字の書き方だけじゃなく、新しい数字をつくる方法まで教えてくれた。つまり、ふたつの数を合わせて新しい数にするやり方とか、ある数からべつの数を取りのぞいて新しい数にするやり方とか。小さな数なら、あたいだって指や石を使って合わせたり減らしたりできたけど、大きな数字になるとお手上げだったのだ。ついでに、百枚の銅貨が銀貨一枚になって、銀貨二十枚が金貨一枚になるってことも教わった。

最初は、数字がおっかなかった。五日目にやっと枝を取り、ミリエムが地面に書いた数字をなぞった。彼女が当たり前にやってることが、あたいにはまるで魔法のようだった。だからいまだって少しおっかない。最初は地面に枝で書き、つぎは使い古しのペンを持ち、炭と水を混ぜ合わせたインクを使って書き、そしてとうとう、ミリエムのペンを借りて、古紙の文字の隙間にびっしりと書いた。

こうして冬が来るころには、ミリエムが留守をするあいだだけ、あたいが帳簿をつけるようになった。つづられた文字を読むやり方も覚えていった。それぞれのページに書かれた人の名が、声に出して読めるようになった。その名を小さくつぶやきながら、つづりに指で触れて、どの文字がどんな音を出すのかを確かめていく。まちがうと、ミリエムが正しい読み方を教えてくれた。ミリエムは、たくさんの魔法を教えてくれた。あたいはいつまでも、この魔法を独り占めにしておきたかった。

だから一年前なら、弟を雇いたいと言われても、すぐに断っていただろう。だけど、去年の春、スターリクにやられたセルゲイを助けて以来、あたいが遅く帰ると、弟は食事を出してくれるようになった。ステフォンといっしょに茂みや敷きわらに落ちた山羊の毛を集めてくれたから、あたいはそれを紡いで、長い冬のあいだ仕事に通うときにはおるショールを編むことができた。いつのまにか、セルゲイはやっぱりあたいの弟だ、と思えるようになっていた。

それでも、ミリエムの申し出を断りたくなったのは、セルゲイには秘密を守りきれないんじゃないかと心配したからだった。もしセルゲイがうっかり父ちゃんにばらしちまったら、いったいどうなるんだろう？　あまりに大きな秘密を、あたいはひとりでかかえこんできた。毎晩、手のなかで冷たく光る六枚の銀貨のことを考えた。頭のなかで銅貨をためて、それが一枚、また一枚と銀貨に替わっていくところを想像しながら眠りについた。

しばらく考えてから、あたいはミリエムに尋ねた。「弟が働けば、借金をもっと早く返せるってこと？」

「そうよ」と、ミリエム。「あなたと弟に、一日につき銅貨二枚の賃金を払うわ。その半分、一日につき銅貨一枚を借金の返済分とする。つまり、あなたがたに手渡す賃金は、ふたりで一日につき銅貨一枚よ。さあ、これが、きょうの分」

ミリエムがそう言って、ぴかぴかの銅貨を取り出し、あたいの手のひらにのせた。申し出を断らなかった褒美のように……。あたいは銅貨を見おろし、それをぎゅっと握りしめた。「セルゲイに話してみるよ」

父ちゃんに聞かれるとまずいので、あたいはセルゲイを木立まで連れ出し、声をひそめてミリエムからの申し出を伝えた。セルゲイは半信半疑だった。「その家で眠るだけ？　なのに、金をくれるって？　その家にいて、山羊にえさをやるだけで……なんで？」

「泥棒が心配らしいよ」あたいはそう答えたけど、これはほんとじゃないな、と心のなかで思った。だけど、いったいなにがほんとだったのかも、だんだん思い出せなくなっていた。

あたいはかごをかかえて立ちあがり、鶏たちにえさをやるふりをして歩きまわった。でもそうすることで、きのうの朝の記憶がよみがってきた。そう、きのうの朝も、あたいはかごをかかえて、金貸しの家の外に出た。そして人目につかず鶏たちもいない家の角で、鶏のえさにする硬くなったパンをかじった。それから角を回って、あの足跡を見つけたんだ。「スターリクだ」つぶやいた瞬間、口のなかが冷たくなった。「スターリクがここに来た……」

もし、ミリエムがあの銅貨をあたいの手のひらにのせなかったら、あたいとセルゲイはまったくちがった結論を出していたかもしれない。スターリクが窓からのぞくような家に毎日通うなんて、正気の沙汰じゃない。でもセルゲイがあたいの手のひらの銅貨を見つめ、あたいもそれを見つめた。セルゲイが尋ねた。「一日につき銅貨一枚もらえるって？」

「ふたりで銅貨二枚の賃金だけど、一日につき銅貨一枚を返すから、持って帰れるのは一日につきふたりで銅貨一枚ってことになるね」

「これ、姉ちゃんが取っていいよ」セルゲイは、少し間をおいて言った。「つぎのは、おれがもらうから」

あたいは、白い木のところに行って、どうすればいいか訊いてみよう、とは言わなかった。あたいは父ちゃんの気持ちになった。行っちゃだめだよ。行ったが最後、災いが起こるんだからねって、母ちゃんから言われたくなかった。そりゃあたいだって、面倒なことになるのはわかってた。だけど、もし仕事をやめたら、どうなるかもわかってた。父ちゃんにあの足跡を見つけた話をしたら、そんな悪魔の家には金輪際行くなって言うだろう。そしてそのあと、あたいを市場で山羊二頭と引き替えに売り飛ばすだろう。女房は頑丈なのがいちばん、頭のなかに数字なんか入っていなくてけっこうって男のもとへ。そんな男にとっちゃ、あたいには銀貨六枚の価値もないんだよ。

だから、あたいは父ちゃんに、金貸しの家が山羊の世話をする男手をさがしてる、もしセルゲイが夜のあいだだけあの家にいたら、借金を返し終わるのが早くなるって言った。父ちゃんは顔をしかめて、セルゲイに言った。「夜が明けて山羊の面倒を見たら、すぐに帰ってくるんだぞ。で、借金は何年で返せるって？」

セルゲイがちらっとあたいを見たから、あたいが答えた。「三年だよ」

父ちゃんに殴られるのは覚悟のうえだった。この、ろくに勘定もできねぇばかが、ってね。でも、父ちゃんは怒鳴りもせずに、ううっとうなっただけだった。「血も涙もねえ、あの守銭奴の金貸しに言ってやれ！　うちの山羊からこれ以上乳はしぼりとれねえんだからな」

小娘め」それからセルゲイのほうを向いて言った。「朝めしも食わせなきゃ仕事はしねぇって、

　こうしてあたいらは三年間、金貸しの家で働けることになった。ふたり合わせて、最初は一日につき銅貨一枚、借金を返し終わったあとは、一日につき銅貨二枚の稼ぎになる。あたいとセルゲイは、家の裏手でがっちりと手を握り合った。セルゲイが声をひそめて尋ねた。「金がたまったら、なにを買う？」

　あたいは答えに詰まった。稼いだ金でなにかを買うなんて考えてもみなかった。あたいはただ、金を手にできるなんて、それだけですごいと思ってた。

　セルゲイが言った。「でも、金を使ったら、父ちゃんにばれちまう。父ちゃんはどうせ、ぜんぶ寄こせって言い出すに決まってら」

　あたいはそこまで考えていなかった。最初に考えたのは、これですぐには市場へ連れていかれずにすむってことだった。あたいが毎日銅貨を家に持ち帰れば、父ちゃんは喜んであたいを金貸しの家で働かせるだろうって、そう考えたんだ。でも、やっと気づいた。そんなことをしたら、稼いだ金をぜんぶ父ちゃんに取られちまう。ぴかぴかの銅貨がぜんぶ父ちゃんのところに行く。父ちゃんはきっと町へ行って、酒を飲んで、博打を打って……働かなくなるだろう。そして毎日、上機嫌……。「いやだよ、そんなの」そう言った瞬間、胃がきゅーっと縮まった。「父ちゃんには、

ぜったいに渡さない」

だけど、どうしたらいい？　あたいは、はっと思いついて言った。「隠そう。どこかに隠そうよ。三年間働いて、稼いだ金を使わなきゃ、ひとりにつき銀貨十枚がたまる。ふたり分を合わせれば銀貨二十枚、金貨一枚だ。ステフォンも連れて、この家から三人で逃げ出そう」

だけどいったい、どこへ逃げればいい？　いや、それだけの金があれば、どこへだって逃げられる。なんだって、できる。セルゲイがうなずいた。あたいとおんなじことを考えてたにちがいない。セルゲイのほうから尋ねた。「どこに隠す？」

こうして結局、あたいらは白い木のところまで行った。母ちゃんの墓石の下に小さなくぼみをつくり、そこに一枚の銅貨をおいて、また墓石でふさいだ。「母ちゃん、これを守って。あたいらのために守って」と語りかけると、そのあとなにが起きるかを見とどけることもなく、あたいらは、あわててそこから遠ざかった。セルゲイだって、こんなことはやめときなって、母ちゃんに言われたくなかったんだろう。

その夜、セルゲイは食事のあと、ぼろ布であたいが編んだ、耳まで覆う帽子をかぶって、町に向かった。あたいは家の外で、弟の後ろ姿を見送った。スターリクの道がまだ森のなかできらめいていた。その光はランプではなくて、曇り空でまたたく星のようで、目でとらえようとすると見えなくなるくせに、目をそらしても、視界の隅っこでチラチラと光った。セルゲイは、スターリクの道からせいいっぱい距離をおいて歩いてた。魂を抜かれたあの日以来、森のなかに入ることさえいやがっている。村道を歩くときも、森から遠いほうのへりを歩く。村道はもうだいたい土が固まっているのに、へりだけは雪が残って、歩くのに骨が折れるんだけど。そのうち、セルゲイの姿は闇に呑みこまれて見えなくなった。

つぎの朝、あたいが町に向かうときも、雪の上にはまだセルゲイの足跡が残ってた。道のまんなかを歩いてくれりゃよかったのに……。その足跡がどこかでふっつり途切れるのを見たくなかった。だけど、そんなことは起こらず、セルゲイの足跡をたどっていくと、ミリエムの家に着いた。セルゲイはまだ家にいて、木の実の香りのするそば粥を食べていた。うちではもう朝食を食べられなくなっていたから、あたいの腹がぐうと鳴った。

「ひと晩じゅう、物音ひとつしなかったよ」と、セルゲイがあたいに言った。あたいは鶏のえさを入れたかごを持って、外に出た。かごのなかには、けっこう大きなパンの切れ端が入ってた。パンのまんなかは、まだけっこうやわらかい。あたいはそれを食べてから、鶏小屋に近づいた。でも鶏たちはいつものように小屋から出てこなかった。

ゆっくりと鶏小屋に近づいた。そのまわりに足跡があった。鹿のひづめみたいだ。でも鹿より大きくて、かぎ爪のようなものがついている。鶏小屋のてっぺんにある小さな窓が、きのう閉めたはずなのに、あいていた。身をかがめて窓のなかをのぞき、手を差し入れた。鶏たちは身を寄せ合い、うずくまっていた。羽がたくさん散らばってる。小さい卵が三つ。三つとも取り出すと、一個だけ灰色の卵があった。炉のなかの灰のように、白っぽい灰色だ。

あたいは、得体の知れない卵を森に向かって力いっぱい放り投げた。あとはひづめの跡を消して、なにも見なかったことにすればいい。弟がスターリクを追いはらえなかったからって、もう来なくていいと言われては困る。たぶん、そのときはあたいもお払い箱だろうから。でも雪をならしてしまえば、あたいだってまたスターリクのことを忘れてしまうかもしれない。あたいは足跡を掃いてしまうつもりで、ほうきを取りにいった。

ほうきは、家の壁に立てかけてあった。それを手に取ろうとして、新しい足跡に気づいた。今度はブーツの足跡だ。たくさんあった。つまり、スターリクがこの家の裏手まで来てたってこと。あの先のとんがったブーツの足跡が、壁に沿って三回も行ったり来たりしてた。なんてことだ。スターリクは、またしても金貸し一家のようすをうかがってたんだ。

5　銀を金に変える娘

ワンダの弟の名前はセルゲイ。若者というよりは、まだ男の子だった。背が高くて肩幅もあるのに、妙におどおどして、太い骨が手首やひじから飛び出しそうなほど痩せていた。飢えた馬のようだった。セルゲイは夕方に到着するといちばんに、目を伏せたまま、夕食と朝食付きという彼の父親、ゴーレクの要求をあたしたちに告げた。

ゴーレクにとってそれが切実な問題だということは、セルゲイが食卓についてすぐにわかった。食べるときだけ狼になるのだ。食べ物の高値がつづいているのに、こんなに食べられては、二倍の賃金を払っているようなものだった。だけど、それもしょうがない。母さんがお替わりのパンとバターを差し出しても、あたしは黙っていた。両親はあたしのベッドをふたりの寝室に運び入れ、セルゲイに二枚の毛布をあたえ、ベッドのあった場所で眠るようにと言った。

その夜、あたしは目を覚ました。真夜中に、玄関扉を開くきしんだ音がして、身を切るような風が吹きこんできた。父さんが居間にいて、セルゲイが足踏みをして靴から雪を落とす音が聞こえた。セルゲイが父さんに言った。「どこもかしこも静かですよ」「セルゲイが外を見張っててくれるわ」

「眠りなさい、ミリエム」母さんがささやいた。

朝が来るまで、それから二度、目を覚ました。どちらのときも、セルゲイが外に出ていく音がして、冷たい空気が流れこんできた。でも、あたしはすぐに目をつぶった。結局、なにごともなく一夜が過ぎた。朝になって家族全員が起き出し、朝食のそば粥を用意した。セルゲイは外にいて、山羊用の柵囲いをつくるために地面に杭を打ちつけていた。スターリクの道は、あいかわらず森のなかにあった。でも、窓から見るかぎり、前より少し遠ざかっているようだった。どんよりと曇った寒い日で、日が射してもいないのに、スターリクの道はあいかわらずきらめいている。村の少年たちが、集落のはずれにあるわが家を通り越して森に近づき、度胸試しのようにスターリクの道に向かって石を投げたり、たがいに小突き合ったりしていた。彼らの騒がしい声が家のなかまで聞こえてくる。

セルゲイがまだ食卓についているときに、ワンダが到着し、鶏にえさをやるため、すぐに外に出ていった。しばらくすると、えさのかごをほとんどからにしてもどってきたけれど、鶏小屋から持ち帰った卵は二個だけだった。九羽もめんどりがいるのに、けさは卵が二個しかない。ワンダが卵を入れたかごをテーブルにおいたので、あたしも両親もそれを見つめた。どちらの卵も小さくて、殻の色が真っ白だった。ワンダが出し抜けに言った。「家の裏に、きのうよりたくさん足跡がある」

あたしたちは外に出て、その足跡を見つめた。きのうと同じだとすぐにわかった。それなのに、見るまではそれがどんなふうだったのかぼんやりとしか憶えておらず、奇妙な足跡がそこにあったことさえ忘れかけていた。つま先が長くとがったブーツの主は、寝室の外壁に沿って、行ったり来たりを三度もくり返していた。ひづめがふたつに割れたけものは、鶏小屋のそばにいたようだ。鶏小屋に侵入する穴をさがすキツネのように、そこらじゅうに足跡を残していた。めんどりたちが、こんもりとした羽根の山のようにひと固まりになっていた。

「おれ、ちゃんと見張ってた。嘘じゃないって！」セルゲイが言った。

「気にするな、セルゲイ」父さんが言った。

ワンダがほうきで掃いて足跡を消し、あたしたちは二個の卵を捨てた。家にもどるとき、母さんが腕を伸ばし、あたしの肩を抱き寄せた。

セルゲイは、彼の父親の畑仕事を手伝うために家に帰っていった。ワンダは掃除をしたあと、水汲みにいった。忘れてしまいたかったけれど、あの足跡のことはもう二度と、あたしの頭から離れていきそうになかった。

それでも、ワンダがもどってくると、「さあ、市場に行くわよ」と言った。まるでなにごともなかったかのように、ごくふつうの市の日のように、ショールをはおって、出かける準備をした。外に出ても、森に背を向けていた。足もとに冷たい風が吹きつけ、足の指が丸まっても、風上を振り返って、そこにまだ銀色にきらめくスターリクの道があるかどうかを確かめるようなことはしなかった。

ヴィスニアで仕入れてきた小間物をバスケットに詰めて、二着のドレスといっしょにワンダに持たせた。ヴィスニアでは、母のドレスを一着買いたかったのだが、母が頑として承知しないので、意地になって自分用だと言ってドレスを二着も買ってしまった。毛織物で仕立てた暖かくて美しいドレスで、赤い地に深い緑と青の大きな花柄が裾から上へと広がっていた。あたしは最初に仕立屋のマリアの店に行き、そのドレスの裾を見せて言った。「ねえ、見て。ヴィスニアでは、この柄が最新流行なの」

あたしのまわりにたちまち女たちが群がった。彼女らは、ほかのどんなうわさ話も寄せつけない頼もしい壁になってくれるだろう。だれだって、スターリクの道よりも、最新流行の柄はなにかという話題に心がときめくものだ。ほんとうはみんな、あの道のことなんか忘れてしまいたいと思っている。ましてや、市が立つ町の広場からスターリクの道は見えないのだから。

マリアはすぐに、いくらならこのドレスを売るかと訊いてきた。あたしはすぐには答えなかった。まわりには六人の女がいて、獲物を狙うカラスのようにあたしを見つめていた。ほんの一瞬、この二着のドレスをここで安く売ってしまおうかという考えが頭をかすめた。でも、胸のなかにわだかまる不安があたしを捕らえて放さなかった。もし、だれかがこのあと、スタークの道のことをしゃべりはじめたらどうなるの？　あの道がどんなにうちから近いところにあるかという話をはじめてしまったら……。父さんの気持ちがいまになってわかる。

あたしは深く息を吸いこんでから言った。「この二着を売るかどうかは、まだ決められないわ。見てのとおり、とても手の込んだドレスなの。ヴィスニアでも指折りの職人が、嫁入り支度のドレスとして縫いあげたものなのよ。高い値がついてたし、ヴィスニアから持ち帰る手間もあったわ。どちらも、金貨一枚より安い値では売れないわ」

その日一日、あたしは広場のひとつの場所からずっと動かなかった。女たちがやってきては、金貨一枚の値のついたドレスを見て、その刺繍やデザインやあざやかな色合いについてほめそやした。あるいは縫い目を調べて、うなずきを返した。

あたしはもったいぶって、どんなに完璧な仕上がりか、どんなに上等な糸で細かく縫ってあるかを説明した。そうしながら、ドレスを見にきた客に、ヴィスニアで仕入れてきたほかの小間物を売った。こまごまとした装身具は、こっちまで贅沢な輝きを放ちはじめたかのように、期待以上によく売れた。そして日の暮れかかるころ、税官吏の男がやってきた。召使いに買い物をまかせず自分で市場を歩くのが好きらしく、これまでもときどき顔を見たことがあった。彼は、娘の嫁入り支度にと、二枚の金貨で二着のドレスを買いとった。
それぞれ銀貨一枚で仕入れたドレスを、金貨一枚で売った。あたしはこの途方もない勝利に酔い、胸をはずませて、でも同時に、説明のつかない不安にさいなまれながら、わが家にもどった。あたしが金貨二枚をテーブルにおくと、父さんと母さんは黙りこんでしまった。あたしはつづけて、小間物を売って稼いだ銀貨三枚とたくさんの銅貨もテーブルに出した。父がようやく聞きとれるくらいの小さなため息をついて言った。「なるほど。わたしの娘はほんとうに、銀を金に変えることができるんだな」父は、少し困ったように片手をあたしの頭におき、一回だけなでた。娘の商才を誇らしく思うというより、悲しんでいるように。

　熱い怒りの涙がこぼれそうになった。でも、奥歯を噛みしめ、金貨を革袋におさめた。それから、母に糖蜜漬けのサクランボの壺を手渡した。おみやげに市場で買ったものだった。夕食のあと、母が濃いお茶を淹れ、サクランボをガラスの皿によそって、銀のスプーンを添えた。このガラスの皿と銀のスプーンは、母が結婚のときに持ってきたティーセット一式のなかの最後の残りだ。あとの大半は、数年前、食べものが底をついたときに市場で売ってしまった。あたしたちはお茶のなかにサクランボを落とし、熱くて甘いお茶を飲んだ。暖まったサクランボのやわらかな実を味わい、舌で慎重に種を取り出し、スプーンに移した。

　ワンダが食卓を片づけ、帰宅しようと頭にスカーフをかぶっているとき、ふいに手を止め、顔を上げた。部屋のなかが急に暗くなった。窓から外を見ると、雪が降りだしていた。玄関扉をあけて外を見た。村の集落のほうにある隣家が見えないほど激しい降りになっていた。その反対方向にあるスターリクの道は、雪のなかでも、前にも増してきらめいていた。一瞬、木立のなかでなにか動くものを見たような気がした。

母さんが言った。「こんな天気じゃ、家に帰るのは無理だわ。雪がやむまでうちにいなさいな」

ワンダが一歩さがって、かなり力を込めて風を押し返すように玄関扉を閉めた。

雪は降りつづいた。夜が訪れても雪の勢いがおとろえることはなく、ワンダと父が外に出て、鶏たちが雪に埋もれてしまわないように、鶏小屋の屋根や周囲から雪を払いのけた。そして、鶏小屋の鶏たちのように、あたしたちも家のなかで身を寄せ合った。暖炉の奥には夕食のシチューの残りがまだおいてあるのに、シチューの匂いは家のなかからすっかり消えていた。さっきまではイモが焼けるくらい、暖炉の灰は熱かったのに……。空気が冷えきって、鼻のなかがひりひりした。もはや温かいものや生きているものの匂いが感じとれず、土くれや腐った葉の匂いすらしなかった。あたしは帳簿づけや縫い物で気をまぎらわそうとしたけれど、なにをやっても集中できなかった。ろうそくの明かりも、テーブルの上くらいしか照らせないほど暗かった。

「やれやれ、じっとしているだけでは気が滅入るな」とうとう父が言った。あたしたちは毛皮の外套やショールや毛布にくるまって、黙ってすわっているだけだった。「いっしょに歌おう」

あたしたちが歌うのを聴いていたワンダが、いきなり尋ねた。「この歌は、なにかの魔法？」

父が歌うのをやめた。母がきっぱりと答えた。「いいえ、ワンダ、魔法じゃないわ。これは、神を讃える聖歌なの」

「そう」ワンダはそう言ったきり、黙ってしまった。あたしたちが沈黙していると、またワンダが言った。「それで、やつらを追いはらうんだね？」

しばらく間があって、父が低い声で言った。「さあ、どうかな、ワンダ。神はわれわれをこの地上の苦しみから救ってはくださらない。そしてスターリクは、善人も悪人も同じように苦しめる。まあ、病気や悲しみのようなものだ」

父さんは記憶をたよりに、聖書の「ヨブ記」を語りはじめた。でも、あたしは、ヨブが辛酸を舐める物語を聴かされるたびに、いたたまれない気持ちになる。もちろん、その結末が好きならべつだろうけど、あたしは好きになれない。でもこの日、父がこの物語を最後まで語ることはなかった。すべての家族を奪われたヨブが神の不公平を嘆くところで、玄関扉にゴンッとなにかが当たったのだ。太い棍棒で扉を突くような、重い音だった。あたしたちは跳びあがるほど驚き、父は話を止めた。みんな黙ったまま、玄関扉を見つめた。しばらく沈黙がつづいたあと、父が言った。「セルゲイ、入ってくればいいじゃないか」

父が立ちあがり、ドアに向かった。あたしは、やめて、と叫びそうになった。やめて、父さん、あけちゃだめ――。ワンダが毛布をわしづかみにして引き寄せた。彼女の横幅のある顔に警戒心がみなぎっている。そう、ワンダも自分の弟が来たとは思っていない。父も、そうは思っていない。その証拠に、玄関扉に向かう前に暖炉の火かき棒をつかんでいた。父は扉に近づき、左手を伸ばして扉を一気に内側へ引きあけ、右手の火かき棒を振り上げた。

でも、そこにはだれも立っていなかった。風さえも吹きこんでこなかった。雪は降りだしたときと同じように唐突にやみ、いつもと同じ夜の闇が広がっていた。最後の雪のひとひらふたひらが家の暖炉の明かりに浮かび、玄関口に落ちた。あたしは振り返って、格子を打ちつけられた窓から森の方角を見た。スターリクの道が消えていた。

「どうしたの、ヨーゼフ？」母が声をかけた。

父はまだ玄関口にいて、下にあるなにかを見おろしていた。あたしは毛布をのけて立ちあがり、父に近づいた。もうそんなに寒くなかった。ショールだけで充分なくらいだ。でも、わが家の玄関前の小道にはひざの高さまでふたたび雪が積もっていた。庇がついた古い石敷きの玄関口も、雪で覆われていた。先が割れたひづめの跡が家の裏手のほうから家の前までつづき、つま先が長くとがったブーツの足跡が、玄関の前に残されていた。玄関口のまんなかの雪面に、なにかがふんわりとのっている。口を閉じられた小さな白い革袋だった。

父があたりを見まわした。雪はもうやんでいるから、近所のすべての家が見えた。どの家も雪のなかからこんもりと生えた白いマッシュルームみたいで、雪の積もった窓から黄色い明かりが洩れていた。道に人影はないけれど、外を見ているあいだに、家々のなかのひとつの凍った窓が子どもの手でこすられて、窓ガラスに透明な円ができた。父がすかさず身をかがめて、白い革袋をつかんだ。父がそれを持って家に入ると、あたしはすぐに玄関扉を閉めた。

父が革袋をテーブルにおいた。全員がテーブルのまわりに集まって、まじまじと革袋を見た。それがいまにも家を焼きつくしてしまいそうな灼熱の石炭であるかのように。その袋は白い革製だったけれど、その白さはあたしの知っているどんな染め方ともちがっていた。いや、染めたというより、もとから白かったように見える。袋には縫い目も継ぎ目も見あたらない。だれもさわろうとしないので、とうとうあたしが、袋の口の白い絹のひもをほどいて、中身を取り出した。小さな銀貨が六枚。薄くて、平らで、まんまるい銀貨が革袋からこぼれ、鈴のような澄んだ音をたてて、テーブルに落ちた。家のなかは暖炉の火で温もっているのに、六枚の銀貨は、月光に照らされているように寒々と輝いていた。

「こんな贈り物をくれるとは、なんとも心やさしいことだな」父さんが乾いた声で言った。スターリクがそんなことをするはずがないのは、父さんだってよくわかっているだろうに……。

妖精が贈り物をくれるという話なら、ときどき聞くことがあった。あたしのおばあちゃんも、そのまたおばあちゃんから聞いた話をときどき話してくれた。おばあちゃんのおばあちゃんがまだ小さな女の子で、エルクーツという西の国に住んでいたときのこと、ある日、寝室の窓辺に、一匹のキツネが血を流して倒れていた。犬にやられたのかもしれないと思い、彼女はキツネを家のなかに入れて傷を手当てし、水をあたえた。キツネはその水をぴちゃぴちゃと飲んだあと、人間のことばで言った。「あなたは、わたしを救ってくださいました。このご恩はいつかかならずお返しします」そして、また窓から出ていった。やがて、彼女は大きくなり、自分の子どもを育てるようになった。そしてある日、カリカリと台所の扉をかく音がして、彼女が扉をあけると、あのキツネがいた。キツネが言った。「家族とこの家にあるお金をぜんぶ持って、地下室に隠れてください」

彼女はキツネの言うとおりにした。地下室に隠れるやいなや、外で怒号が飛び交い、男たちが家になだれこんできた。男たちは家族の頭上で家具を倒し、物を壊した。煙の臭いが地下室に流れこんできた。でもどういうわけか、男たちは地下室につづく扉を発見できず、煙も火も下までおりてくることはなかった。

ようやく夜になって、一家が地下室から這い出すと、家もシナゴーグ〔ユダヤ教の礼拝所〕も、通りの両側の家々もぜんぶ焼け落ちていた。一家はわずかな財産を手に町のはずれまで逃げ、東の国へ荷馬車を走らせてくれる男を雇った。こうして、おばあちゃんのそのまたおばあちゃんの一家は、ヴィスニアの街にたどり着いた。ヴィスニア公は、お金さえ出せば、ユダヤ人にも門戸を開いてくれたからだ。

　でもそれは、べつの国でのお話だ。スターリクについて、そんな話は聞いたことがない。この地方には、こんな話が伝わっている。あるとき、見たこともない白いけものが、農夫の納屋に迷いこんできた。そのけものの背には、傷ついたスターリクの騎士がぐったりとまたがっていた。恐怖におびえながらも、農夫とその妻は、騎士を母屋に運びこみ、傷の手当てをした。ほどなく、騎士は意識を取りもどす。しかしその瞬間、剣を取り、農夫たちに斬りかかった。騎士は足を引きずりながら外に出ると、白いけものにふたたびまたがり、体からはまだ血をしたたらせながら、森のなかに消えた。農夫とその妻が殺されてしまったにもかかわらず、なぜこの話がいまに伝わっているかというと、この家には子どもがふたりいて、母親からこう言い渡されていたからだった。納屋の干し草置き場に隠れているように、スターリクの騎士が家から去るまで、ぜったいに出てきてはならない、と。

　だからあたしたちは、スターリクが銀貨の入ったお財布を贈り物としてくれるほど心やさしくないことをよく知っている。なぜこれをスターリクが残していったのか、さっぱりわからない。けれども、その白い革袋はテーブルの上にあって、あたしたちには解読できない暗号のように、六枚の銀貨が輝いている。突然、母さんがはっと息を呑み、あたしを見つめて低い声で言った。

「ミリエム、これを金貨に変えるように、あなたに求めているんじゃないかしら……」

父さんがどすんと椅子に腰を落とし、両手で顔を覆った。でもこれは、父さんのせいじゃない。これは、あたし自身の失敗なのだ。思い当たることがあった。そう、あのヴィスニアからの帰り道、深い森のなかをそりで行くとき、自分のことを「銀を金に変えられる娘」だと言った。スターリクはいつだろうが、虎視眈々と黄金を求めているというのに……。

「あの金庫室から金貨を持ち出すしかないわね」と、母が言った。「少なくとも、わたしたちはそれを持ってるわ」

「明日、またヴィスニアに行くわ」あたしはそう言ったあと、暗い庭に出た。新しく降り積もった雪を手に取り、握りつぶした。雪はすでに硬く凍っていた。でもこれなら、そりの旅には好都合だ。革袋のなかには六枚の銀貨がある。前にヴィスニアを去るとき、地下の金庫室にあずけた金貨はぜんぶで十四枚だった。あたしには、御者のオレグを雇って、そりでヴィスニアに引き返し、祖父の屋敷の金庫から金貨六枚を取ってくることができる。稼いだお金で、自分と家族の身を守ることが……。

ワンダがショールをはおって外に出てきた。市場から連れ帰った山羊にえさをやるためだった。セルゲイが来なかったのは、あの吹雪なら当然だ。ワンダにとっても、家に歩いて帰るには遅すぎる時刻だった。彼女はあたしをちらりと見てから、家畜小屋のほうに行った。やがてもどってくると、唐突に尋ねた。「やつらに金貨をやるつもりなの？」

「いいえ」あたしはきっぱりと答えた。ワンダに、というより、森のなかにひそんでいるかもしれないスタークに向かって。「いいえ。求められたのは、銀を金に変えること。ならば、それをやってみせるまでだわ」

6 異界の銀と公爵令嬢

つぎの朝、ミリエムはスターリクの革袋を持ってオレグの家に行き、ヴィスニアまでそりを出すように頼んだ。あたいに帳簿づけや集金を頼んでいる暇もなかった。奥さんが家の門の前で娘を見送り、そりが見えなくなっても、ショールを肩に巻きつけたまま、長いあいだそこに立ちつくしてた。

あたいはもう、指図されなくても、だいじょうぶ。その日もバスケットをさげて集金に行った。月の六日目だから、町の家々を回る日だ。借金取りのあたいを歓迎する人なんかひとりもいないけど、酒屋のカイユスだけはときどきにっこり笑いかけてきた。親しくなる気もないのに、親しいふりをしてみせるだけなんだけどね。

あたいがミリエムのもとで働きはじめたころ、カイユスはいつもクルプニク酒の大瓶で借金を返してた。ミリエムはそれをいやがった。カイユスが同じクルプニク酒を市場で毎週売ってるからだ。とくに冬場は薬罐で温めた酒をカップに注いで売るものだから、カイユスのほうばっかり売れて、ミリエムのほうは商売あがったり。しかたなく、ミリエムは街道のずっと先にある宿屋と交渉し、大瓶十本を売りさばいた。でも結局、瓶を届ける運賃をミリエムが払わされるはめになって、うんざりしてた。

その後、カイユスはできの悪い酒をあたいに渡した。外から見ただけじゃわからなかった。ミリエムは瓶の封印の匂いを嗅ぎ、コルク栓をあけた。腐った葉っぱの臭いが立ちのぼった。ミリエムは怖い顔で瓶をにらみつけていたけど、その瓶を残りの瓶と分けて家の隅においておくように言うだけで、カイユスに文句をつけに行きはしなかった。その後の二ヵ月間、カイユスはできそこないの酒を二度寄こした。三度目のとき、とうとうミリエムは三本の瓶をあたいに渡し、これをカイユスに突き返して、三度も売り物にならない瓶を寄こすとはひどすぎる、今後いっさいクルプニク酒で返済するのは認めない、と彼に言い渡すようにと言った。それ以来、カイユスはしぶしぶ銅貨で借金を返すようになって、あたいに笑いかけることもなくなった。

でも、なぜかこの日は笑いかけてきた。「暖まっていきなよ！」もうそんなに寒くもないのに、そう言った。「しばらく待ってもらわなきゃ。いちばん上のせがれが、新しい酒をリュドミラさんの店に届けにいったんだ。そのうち代金を持ってもどってくるだろうよ」カイユスはクルプニク酒のグラスまで差し出した。いつもなら、金は用意されているから、あたいを家に招き入れることもないんだけどね。「ミリエムはまた新しいドレスをヴィスニアに仕入れにいったのかい？　なんとも商売上手だな！　そのうえ、留守をしても、頼もしいあんたが店を守ってくれるんだから、言うことなしだよ」

「それはどうも」あたいはおとなしく答えて、グラスをおろした。「このクルプニク、おいしいです」もしかして、この男はあたいに取り入って、きょうの返済を値切ろうとしているんじゃないかって思った。実際に値切りはじめる人たちもいる。なんで、あたいがそれに応じると思えるんだろう？　あたいがミリエムに少ない金額を渡して、これだけしか返せないらしいと嘘をついたところで、ミリエムはその少ない返済額を帳簿に書きこむだけ。返されなかった分は、つぎの集金にまわされる。もちろん、ちゃんと払ったのにあたいが盗んだって言い張ることもできるだろうけど、そんな罠にはめられるために、あたいがわざわざ手を貸すと思えるのが不思議だよ。

「ミリエムは目端がきくからなあ」カイユスがつづけた。「助けになる働き者の娘を見つけるのもお手のものだ。あんたは、ただ美人なだけじゃないからな！　おっと、ルカスが帰ってきたぞ」

カイユスの息子が、からっぽの木箱を持って、家に入ってきた。セルゲイより少し年上だと思うが、背丈はあたいや弟ほど高くない。でも、顔は丸くて、肉づきがいい。食べるものに困ることはないんだろう。カイユスの息子は、あたいを頭からつま先までじろじろ見た。

カイユスが言った。「この娘に、銅貨を七枚やってくれ。金貸しのところに持ち帰ってもらうから」ルカスが銅貨を七枚数えて、あたいの手にのせた。決められた返済分に上乗せされている。「商売繁盛でね」カイユスが片目をつぶってみせた。「この寒い天気のおかげさ！　腹を温めるものをみんなほしがってる。まあ、あんたの家の畑には厳しい天気だろうがな。そういえば、あんたの父さんをこのところ町で見かけないな」

「ええ、まあ」あたいは、つぎになにを言われるかと警戒した。父ちゃんが町にやってこないのは、酒を買うほど金に余裕がないからだ。

「ほら、これを」カイユスが、クルプニク酒の新しい小瓶を差し出した。いつも彼が市場で売ってるやつで、空瓶を返せば小銭がもらえることになっていた。あたいは酒瓶を見つめるだけで、受け取らなかった。なんのため？　あたいはもう金を受け取ってるのに……。

カイユスは小瓶をあたいに押しつけようとした。「あんたの父さんへの贈り物だ。瓶を返すのはいつだっていい」

「ありがとう、旦那さん」あたいは、しかたなく礼を言った。ほんとうは父ちゃんに酒なんか渡したくない。父ちゃんは酔っぱらって、あたいらをぶつだろう。でも、渡さなかったとしても、ろくなことにはならない。父ちゃんがつぎに町へ来たとき、カイユスは礼を言われるのを期待するだろう。それで、酒を渡さなかったことがばれて、そのときこそ、こっぴどくぶたれることになる。あたいは酒瓶をバスケットにしまった。

　ほかの家では、だれもクルプニク酒を飲んでいけとは言わなかった。仕立屋のマリアだけ、金を払ったあとに、あたいに話しかけてきた。「ミリエムが、ヴィスニアへまたドレスを仕入れに行ったって？」この日、彼女が返済したのは銅貨一枚きりだった。「遠い道のりで運賃がかかるし、上等なドレスなんだろう？　そんなもんが、また売れるのかね？」

「新しいドレスを仕入れてくるのかどうかはわかりませんよ、奥さん」

「ふふん、どうぞお好きに。どうせ売れっこないんだから」マリアは捨てぜりふを吐いて、あたいの顔の前でぴしゃりと戸を閉めた。

　あたいは金貸しの家にもどると、街で受け取った金や品物をバスケットから出した。お客のひとりが、卵を産まなくなって鍋に放りこまれる寸前の老いた鶏で借金を返した。「マンデルスタムの奥さん、これ、きょう料理しますか？」あたいはミリエムの母さんに尋ねた。「なんなら首絞めて、羽根むしっときますけど」

　縫い物をしてた奥さんが顔を上げ、失くし物でもさがすみたいに、部屋のなかを見まわした。

「ミリエムはどこなの？」ぜんぶ忘れてしまったみたいに尋ね、首を振ってまた言った。「あらまあ、ばかね、忘れてしまうなんて。あの子は新しいドレスを仕入れに、ヴィスニアに行ったのだったわね」

「ええ、ヴィスニアへ、また、ドレスを仕入れに……」あたいは確かめるようにゆっくりと言った。なんだかおかしい。でも……それが、ヴィスニアへ行った理由だった……はず。ほかの人たちだって、そう思ってる。

「そうね、食べるものがまだたくさんあるから、鶏はまたにしましょう」奥さんが言った。「ほかの鶏といっしょにしておいて。もどってきたら、夕食よ」

あたいは老いためんどりを鶏小屋に運び、なかに押し入れた。それから立ちあがって、家の裏手の雪をながめた。雪の吹きだまりがあって、まだまっさらで、壁に立てかけたほうきが半分雪に埋もれている。ほうき……そうだ、あのほうきを使って、あたいはスターリクの足跡を消した！　そう、スターリクがきのうの夜、この家に来たんだ。そして、銀貨の入った革袋を残して去った。ミリエムに、これを金貨に変えてみせろと言わんばかりに……。ぞくっと悪寒が走った。ああ、忘れてしまわなきゃ……そう思いながら、また家のなかにもどった。

夕食がすんでしまえば、あたいは自分の家にもどるしかなかった。父ちゃんは怒ってるだろう。きのうの猛吹雪で家に帰れず、父ちゃんの夕食を用意できなかったから。あたいは帰るのを引き延ばそうと、床を掃き、鶏小屋をまた見にいき、あらゆることを帳簿にしるした。

きのうの夜は、セルゲイのために用意されていたわら布団で眠った。料理もできる煖炉のおかげで、居間は暖かくて心地よかった。パン生地やシチューや蜂蜜やそば粥の匂いがした。あたいの家に、そんな匂いはしない。マンデルスタムの奥さんが夕食のとき、ギジスさんが返済金代わりに差し出した牛乳を、大きな手桶からカップに注いでくれた。きのうはセルゲイが来なかったのに、二日分の賃金として銅貨を二枚くれた。そのうえ、パンとバターと卵をつつんで、あたいのバスケットに入れてくれた。

「セルゲイは夕食も朝食も食べていないでしょうからね」奥さんは言った。あたいはショールをはおり、奥さんの親切をずっしりと腕に感じながら帰り道をたどった。

家に入る前に木立を抜けて白い木まで行って、その根もとに奥さんからもらった包みを隠した。墓石を持ちあげ、あたいの銅貨とセルゲイの銅貨の上に、一枚ずつまた銅貨を重ねた。それを終えてから家にもどった。家ではステフォンが鍋のなかで固まってしまった粥をかきまわそうとやっきになっていた。ステフォンの顔には赤い痣があった。体を動かすときには痛そうに顔をしかめ、あたいを見あげて泣きそうな顔をした。たぶん、きのうの夜、夕食がうまくつくれなくて、父ちゃんにぶたれたんだろう。「すわって休んでおいで」あたいは弟に言った。「あとでいいものあげるよ」

粥を水で薄め、キャベツを放りこんだところで、父ちゃんが怒りながら畑から帰ってきた。戸口で長靴を脱ぎながら、あんなみみっちい、すぐやむような雪ごときで町にとどまるやつがあるか、と怒鳴った。あたいを帰さなかったのだから、その分の賃金を借金から棒引きしろ、というのが父ちゃんの言い分だった。

「そう伝えておくよ」と答え、父ちゃんが家のなかに入ってくる前に、キャベツの皿をすばやくテーブルにおいた。「酒屋の旦那さんが父ちゃんに贈り物だって」あたいは、クルプニク酒の瓶をテーブルにおいた。どのみち父ちゃんは酔っ払うんだから、せめていまぶたれないために、これを利用したほうがいい。

「カイユスが贈り物とはどういうことだ？」父ちゃんはそう言って、疑わしげに匂いを嗅いでから、瓶の栓をあけた。でも栓をあけると、すぐにごくりごくりと喉を鳴らし、キャベツと粥を半分も食べきらないうちに、ぜんぶ飲んでしまった。あたいと弟たちは、目を伏せたまま、それぞれの割り当てをかきこんだ。「これからたきぎを採ってくるよ。きのう家にいなかったから、たきぎが足りないみたい」と、あたいは言った。

父ちゃんは、行くなとは言わなかった。あたいといっしょにうまく家を抜け出したセルゲイとステフォンを、白い木まで連れていった。奥さんにもらった包みはまだそこにあって、凍りついてもいなかった。三人で分け合って食べた。弟たちがたきぎを集めるのを手伝ってくれた。そのあと、セルゲイは町に向かった。あたいとステフォンはたきぎの山に背中をあずけ、寒さをしのぐためにくっつき合った。家のなかでは、父ちゃんが歌をがなりたてていた。

ふいに歌がやみ、父ちゃんが叫んだ。「ばか娘、どこまで行きやがった！」まだなにかぶつぶつ言ってたけど、あたいは返事をしなかった。「火が消えかけてるぞ！」かなり長い時間がたって、ようやく父ちゃんが寝床に入り、大いびきがはじまった。あたいとステフォンは冷えきっていた。足音を忍ばせて家に入り、消えかけた火を長持ちさせるように火を灰で囲った。どうにか朝までもちそうだった。朝食にするそば粥の鍋を火にかけた。ステフォンに粥の扱い方を教えておいたから、つぎから困ることはないだろう。寝床にもぐりこむと、すぐに眠りに落ちた。

朝が来ると、父ちゃんは、たきぎを採りに行ったきりもどってこなかったという理由で、あたいをベルトで六回もぶった。火はひと晩じゅう消えなかったし、朝食もつくってあったのに……。たぶん、前の晩にぶたなかったという、ただそれだけの理由でぶってるんだ。だけど、父ちゃんはひどい頭痛で、おまけに腹をすかせてた。だから、ステフォンが湯気を上げるそば粥の大きな椀をテーブルにおくと、あたいをぶつのをやめて、すぐにすわって食べはじめた。あたいは涙をぬぐい、怒りをおさえ、粥を食べるために父ちゃんのとなりにすわった。

夜の遅い時刻に、オレグのそりでヴィスニアに着いた。その夜は祖父の家で眠り、翌朝早く、ユダヤ人街にある市場へ行った。人に訊いてまわり、ようやく宝石職人、アイザックの店を見つ

けた。アイザックは、あたしのいとこ、バシアの婚約者だ。眼鏡をかけた美しい青年で、無骨だけれど器用な指と、きれいな歯ならび、褐色の美しい髪をもち、あごひげは仕事のじゃまにならない程度に切り揃えてあった。

あたしが店に入ったとき、アイザックは小さな金床の上に身をかがめ、小さな道具を使って、みごとな正確さで銀の円盤を打ち出していた。あたしはしばらくのあいだ、立ったまま彼の仕事ぶりをながめていた。やがて彼は小さなため息をついて、「なにか？」と尋ねた。煩わしいので立ち去ってほしいけれど、ついにあきらめた、という感じだ。あたしは、白い革袋をあけて、彼の作業台に敷かれた黒い布の上に六枚の銀貨をおいた。

「うちでは買い取りはやってないんだ」彼は、銀貨をほとんど見ることもなく、作業にもどろうとしたが、心もち眉をひそめ、もう一度振り向いた。一枚の銀貨をつまみ、間近でじっと見る。ひっくり返してまた見つめ、親指と人さし指の腹でこすって感触を確かめた。銀貨を布の上におろすと、あたしを見つめて訊いた。「これを、どこで？」

「信じてもらえないかもしれないけれど、これはスターリクの銀なの」と、答えた。「これでなにかつくれないかしら、腕輪とか指輪とか」

「それより、これをぜんぶ、ぼくが買い取るっていうのはどう？」

「それは無理」

「これで指輪をつくると、工賃は金貨二枚になる」アイザックはここでひと息入れた。「でも、ぼくにぜんぶ売ると、きみには金貨五枚が手に入る。どう？」

心臓が飛び出しそうになった。金貨五枚？　つまり、これでなにかをつくれば、もっと高い値で売れることが彼にはわかっているのだ。でもここで買い取り値を吊りあげるつもりはなかった。

「あたしは、これを六枚の金貨に変えて、スターリクに渡さなければならないの」そこから話を切り出した。「だから、指輪をつくってもらうとしたら、工賃は金貨一枚しか払えない。でも、こういうのはどうかしら。つくった指輪を、あなたがだれかに売る。いくらで売れたとしても、その儲けからスターリクに渡す金貨六枚を引いた分を、あたしとあなたで山分けするのよ。それでどう？」あたしは正直に自分の望みを伝えた。宝飾品を売るのは、あたしよりアイザックのほうがうまいに決まっている。「あたしは、バシアのいとこのミリエムよ」これまで伏せていた正体を明かした。

「ははあ、なるほど」アイザックは、ふたたび六枚の銀貨に視線をおろし、指先でその小山をくずした。契約成立のしるしだった。あたしが受付台の奥にある椅子に腰かけると、彼はさっそく作業を開始した。まずは宝石店街の中心にある職人共有の小さな炉で銀貨を熔かし、それを鉄製の頑丈な型に流し入れた。その銀が冷えきらないうちに、革製の指サックをつけて型から取り出し、その表面に繊細な模様を彫りはじめた。木の葉と枝を組み合わせた美しい模様だった。

指輪が仕上がるまで、それほど長くはかからなかった。銀は熔けやすく、冷えるのも早い。銀専用の彫刻刀の刃先で容易に模様を刻むこともできる。アイザックは作業を終えると、指輪を黒い布の上に静かにおいた。あたしたちはしばらくのあいだ、ことばもなく見つめていた。銀の指輪は、昼の光のなかでも冷ややかに輝いていた。不思議なことに、彫られた模様が揺れ動くように見えるので、いつまでも見入ってしまう。

「公爵なら、買ってくれるかもしれないな」と、アイザックが言い、見習いの少年をヴィスニアの中心街に走らせた。しばらくすると、少年が公爵の従者を連れてもどってきた。公爵の従者は、背が高くて、居丈高で、ベルベット地に金ひもの刺繍をほどこした豪華な服をまとっていた。ことばと表情のひとつひとつに、なんの用だろうが、それによって本来の自分の重要な仕事が中断させられてははなはだ迷惑している、という主張が感じられた。でも指輪をひと目見ただけで、彼は口をつぐみ、それを手のひらにのせた。煩わしげな表情はもうどこにもなかった。

公爵の従者は、その指輪を金貨十枚の値で買い取ると、ふた付きの箱に指輪をおさめ、両手で箱を捧げて立ち去った。このとき、アイザックの手のひらには十枚の金貨がのっていた。けれども、あたしたちはただ、去っていく従者の後ろ姿をぽかんと見つめることしかできなかった。まるで箱のなかの指輪があたしたちの目玉を糸で引いているかのようだった。その目立ついでたちのために、従者がにぎやかな市場通りの人混みにまぎれることはなかったが、とうとうユダヤ人街の門をくぐったところで見えなくなった。指輪の呪縛からやっと解かれて、あたしたちはスターリク銀の指輪の代金、十枚の金貨に目を落とした。

あたしは、そのうちの六枚を白い革袋に入れた。アイザックの取り分は、金貨二枚だ。これなら充分な結婚資金になるだろう。残り二枚があたしの取り分で、意気揚々と祖父の家にもどり、その二枚を祖父に差し出した。地下金庫に、すでにあずけた金貨といっしょに、この新たな二枚も保管してもらうつもりだった。祖父はとても満足そうだったけれど、少し苦い笑みを浮かべて、人さし指であたしのひたいに触れた。「なんとも賢い孫娘だ」そう言ってふたたび、困っているような、満足しているような、どちらとも言えない笑みを浮かべた。

「いまから家に帰るなんて、遅すぎますよ！」昼食のあと、外套を着ようとするあたしに、おばあちゃんが咎めるように言った。きょうは金曜日。安息日〔ユダヤ教では金曜日の日没から土曜日の日没まで、厳格に仕事が禁じられる〕が日没からはじまる。

「そりを飛ばせば、日が落ちるまでに家に着けるわ」あたしは言った。「それに、そりを走らせるのは、あたしじゃなくて、御者のオレグよ」

オレグには、借金の返済の一回分として、ひと晩この街で待つように頼んであった。そのほうが、そりを出してくれる御者をヴィスニアで雇うよりも安くあがるからだ。オレグは、祖父の屋敷のうまやに彼の馬と泊まっていたが、料金を上乗せしないかぎり、長居はしたくなさそうだった。そして、いまを逃せば、安息日が終わる明日の日没まで、ここを発つことはできなくなる。もっとも、スターリクには安息日なんて関係ない話だろうし、そもそもあたしには、銀貨から金貨に変えたお金を、どうやってスターリクにもどせばよいかもわかっていない。玄関口に革袋をおけば、またスターリクがやってきて、持ち去るのだろうか……。

「だいじょうぶだ、日暮れまでには帰りつける」祖父のひと言で出発が決まった。あたしは、オレグのそりに乗りこんだ。

硬く凍った雪道の旅は快適だった。荷台にはあたしひとりだけなので、馬は軽やかな早足で進んだ。木立に入ると暗くなるけれど、日はまだ空にある。すでにパヴィスの近くまで来ており、この分なら日没前に帰り着けるだろう。ところが、ふいに馬が速度を落とし、そのうち歩きはじめ、ついには止まってしまった。馬は動かないまま、熱い息を鼻から噴き、警戒するように両耳を立てた。疲れて休みたいのだろうか。でも、オレグは馬に話しかけようとも、馬をふたたび走らせようともしなかった。

「どうして止まったの?」尋ねてみたが、答えはなかった。見れば、オレグは眠るように御者席に沈みこんでいる。背後で寒風が巻き起こり、そりを這いのぼって、皮膚を粟立たせた。雪の上に背後から青い影が伸びてくるのが見えた。息が小さな雲になって、顔のまわりにただよった。ザクッザクッと凍った雪面を割る音がする。なにか大きな生きものが後ろから近づいてくる。あたしはごくりとつばを呑み、外套の裾をつかんで引き寄せると、自分のなかにある真冬のように冷ややかな勇気をぜんぶ奮い起こして、後ろを振り返った。

　そこには、牡鹿にまたがったひとりの男がいた。初めて見るスターリクだった。最初はそんなに奇妙とも恐ろしいとも思わなかった。でも見つめつづけているうちに、その顔がゆっくりと人間とは似て非なるものへと変わっていった。氷やガラスから削り出されたような鋭い顔だち、銀のナイフのような目。少年のようにひげはないが、顔つきはおとなの男のものだ。背がとても高くて、近づいて鹿の上からあたしを見おろす姿は、ヴィスニアの街広場にそそりたつ大理石像のようだった。白い髪が一本の長い三つ編みに結われている。服はすべて、彼の革袋と同じ正体のわからない白い革で仕立てられていた。牡鹿は馬よりも大きくて、頭には先が十二又にも分かれた枝角がはえていて、その枝ごとにしずく形のガラス飾りがさがっている。牡鹿が赤い舌を出して鼻を舐めると、狼のように鋭い歯列がのぞいた。

　怖じ気づいて、すくんでしまえればよかったのに……。でもあたしは、彼が放つ冷気に外套の襟をかき合わせ、もう一方の手で白い革袋を差し出していた。

　彼は一瞬動きをとめた。それから、なにかに興味をもった鳥のように小首をかしげ、青みがかった銀の瞳であたしを見おろした。手袋をはめた手が伸びてきて、白い革袋をつかむ。彼は袋の口をあけ、手のひらのくぼみに六枚の金貨を落とした。沈黙のなかで、金貨の触れ合う音がやけに大きく響いた。

彼の手のなかにある六枚の金貨は、これまでとはまったくちがって見えた。それらは彼の手袋の異様な冷たい白さを跳ね返すように、陽光のような暖かくてまぶしい黄金の輝きを放っていた。彼はそれを見おろした。その顔に驚きと同時に、憂いのようなものが浮かんだ。あたしがこれをやりとげたことを哀れんでいるかのように……。彼は金貨を袋にもどし、黄金の陽光をさえぎるように、ひもをきつく引いて袋の口を閉じてから、丈長の白い外套のふところにしまった。

スターリクの道が、彼の後方に、森を貫く太い光のすじとなってどこまでもつづいていた。彼は牡鹿の鼻先を輝く道のほうに向けた。あたしに対してひと言もない――あたしがおびえながら苦しみながら手にした金貨を受け取るのを、当然の権利だとでも思っているのだろうか。怒りが込みあげ、あたしは沈黙する壁に石を投げるように、彼の背中に向かって叫んだ。「つぎは、もっとゆっくりやらせてもらうわよ。これからもあなたが、銀を金に変えることをあたしに望むならね！」

彼が振り向いて、あたしを見つめた。声が飛んできたことに驚いているように見えたが、つぎの瞬間には、鋭い枝角をもった牡鹿がスターリクの道に踏み出していた。またたく間に彼の姿が消えた。オレグがぶるっと胴震いして目覚め、寒さに震えながら舌を鳴らし、馬に出発の合図を送った。そりがふたたび走りだす。

あたしも震えながら毛布のなかにもぐりこんだ。大気が急に冷たくなった。白い革袋を差し出した手がしびれるほど冷えきっていた。あたしは手袋を脱いで、指先を温めようと脇に差し入れ、あまりの冷たさに体をよじった。羽根のように軽い雪が降りはじめ、家に帰り着くまでずっとつづいた。

その銀の指輪の存在に気づいたのは、お父さまがいらだたしげに、指でワインのゴブレットを弾いたときだった。ゴブレットに当たった指輪が、鈴のような音を響かせた。わたしは週に一度、父に命じられ、おもてなしの晩餐の席につく。父が言うには、上品な集いにおける行儀作法に磨きをかけるため。もっとも、付き添いのマグレータに言わせれば、お嬢さまの行儀作法にこれ以上磨きをかける必要などございません、ということだけれど……。まあ、父の真意がなんにせよ、確実に言えるのは、わたしが晩餐の席につくことを父は少しも楽しんでいないということだ。

わたしを見るたびに、父の顔が不満でくもる。心のなかでこう思っているのだろう。この娘がもっと器量がよくて、もっと社交上手で、もっと魅力的だったらよかったのに……。ああ、残念ながら、それは無理！　けれどもいま、父にとって動かせるコマは、このわたししかいない。異母弟たちはまだ幼くて、乳母に世話されているから、わたしのような劣ったコマでも、なまけさせておくわけにはいかないのだ。

そんなわけで、わたしは淑女らしく晩餐の席につく。マグレータは、以前にひと悶着あって、このような社交の場に出ることを許されていない。テーブルを囲むのは、父が招いた騎士、ボヤール〔ロシアやスラブ圏諸国における支配階級〕、旅の途中の男爵……。わたしは目を伏せて、軍隊や税や国境や政治の話に耳を傾け、この屋敷の二階にある自分のせまい居場所から天国ほども遠く離れた、大きな広い世界をのぞき見る。いつかは大きな世界に足を踏み入れるチャンスが、こんな自分にもあると思えたらいいのに、と心のなかでため息をつきながら。

義母のガリナは、そのような大きな世界を知っている人だ。彼女は笑みをたたえ、両腕を開き、お客を出迎える。それぞれのお客の格とプライドに見合ったもてなし方を心得ていて、お客として招かれるときも、高貴な人々をわが家に招くときも、つねに父のとなりにいて、その美しさと宝石のきらびやかさで人目を引きつける。そのうえ、めぼしい人物の土地や財産についての情報を、その妻や姉妹や娘たちから聞き出し、夜な夜な、父に耳打ちするのだ。父は、義母の言うことには熱心に耳を傾ける。わたしもそんなふうに話を聞いてもらえたら、どんなにいいだろう。

けれども、父のいらだちがわたしの願いを打ち砕く。わたしは、生まれたときから、父にとって失望の種だ。母がわたしを授かるまで、長い月日がかかりすぎた。その後、時をおかず待望の男児が生まれたけれど、ひどい難産だったので、結局、母も弟も死んでしまった。それから父が再婚相手を見つけて身を落ちつけるまで、さらに数年が過ぎた。その再婚相手、つまりわたしの義母となったガリナは、その後ふたりの男児を産んだ。でも彼女にも、これがせいいっぱいだった。だからいま、父にとって、結婚による立身出世をあてにできる子は、わたしと幼いふたりの弟しかいない。父の仲間——つまり前皇帝の権勢を支えた人々——には、結婚適齢期の令嬢や子息がおおぜいいるというのに、令嬢たちの花婿として異母弟は幼すぎるし、子息たちはわたしよりもっと美しくて優雅な妻を、あるいは、美しくなかったとしても、それを補って余りある資産をもつ妻を求めている。父はそこまでわたしに持参金を投じるつもりはないだろう。

わたしがまだ幼く、引く手あまたの花嫁候補になれるかもしれない見込みがあったころには、父からどんな本を読んで教養を積んでいるか、きびしく尋ねられたものだった。リトヴァス皇国のすべての貴族の家名を下位から順にそらで言えるように求められたこともあった。けれども最近では、そんなふうにかまわれることもない。わたしに勉強を教えていた家庭教師は、いまは上の弟に読み書きを教えている。そしてわたしには、階下の本棚からこっそり抜き取らないかぎり、本を読む機会もなくなった。にもかかわらず、晩餐の席に父の気をそらしてくれるおもしろいお客がいないとき、父はわたしの沈黙や、痩せて青白い顔にいらだって、眉根を寄せて、ゴブレットをコンコンと指で弾くのだ。

けれども今夜、テーブルにお客はいない。皇帝がまもなくこの街を訪れるので、そのときの出費に備えて、しばらくはだれも晩餐に招かないことになっている。父はできるかぎり出費を抑えるつもりだろうが、それでも皇帝がわが家に滞在すれば相応のお金が出ていくことになる。わたしへの風当たりが強くなっているのは、そのせいもあるのだろう。お金をかけたところで、こんな娘では元を取れないと、近頃ますます痛感しているようだ。ただし、たとえわたしが器量よしの娘だったとしても、借金をしてまで皇帝陛下を豪勢にもてなすようなことはしないだろう。父は、皇帝の前で釣り餌のように自分の娘を泳がせて、世間の物笑いになるほど世事にうといわけではない。

皇帝は、どんなに器量よしだろうと、たんなる貴族の娘とはまず結婚しないだろう。皇帝が結婚する相手は、長らくウーリシュ公の令嬢ヴァシリアだと見なされていた。ヴァシリアもわたしと同じように器量よしではないが、ヴァシリアの父親はなんといっても、三都市を治めて、一万の兵士を養い、大きな岩塩坑をかかえるウーリシュ公だ。だからヴァシリアは、美しくなくても皇后になれる。皇帝はとっくにヴァシリアと結婚していてもおかしくなかった。でもどうやらあともう少し、臣下の貴族たちに期待をもたせておきたいらしい。ウーリシュ公のプライドをからかうという危険なゲームを楽しみながら、一方で、花嫁さがしを口実に諸国を旅して、諸公の支出を増やしながら、驕奢な暮らしに浸っていたいのだ。

とはいえ、まがりなりにも適齢期の娘がいれば、父親の出費は増える。わたしは父にとって、分不相応な出費を強いる存在だ。ふつうなら、皇后になるのは無理だとしても、皇帝の廷臣のひとりが息子か甥っ子の花嫁候補として考えてくれるはずなのだが、わたしではそれすら期待できそうにない。

正直なところ、自分が、若くて美しくて残酷な皇帝から注目されるような存在でなくてよかったと思っている。でもせめて、どこかのだれかが求婚してくれるぐらいの器量と魅力があればよかった……。持参金さえあれば、だれかが結婚してくれるかもしれないが、相手がどんなに父からしぼり取ろうとしても、父はお金を出し渋ることだろう。わたしにとっては、結婚こそが、この息苦しい牢獄から抜け出す唯一の方法なのに……。父のいらだちは、そうはならないわたしのみじめな人生を思い知らせてくれる。

けれど、銀の指輪がゴブレットに当たって鈴のような音をたてたとき、わたしは冷ややかな銀の輝きに打たれ、父がいらだっていることも忘れてしまった。わたしはまぼろしを見ていた。明かりの灯る窓辺と、窓をかすめて降りしきる雪。木々の葉が霜できらきら光る初冬の日に、静かな庭に立っているところ……。父から叱責の声が飛んでくるまで、話しかけられていることにも気づかなかった。「イリーナ、聞いているのか？」

わたしは正直に答えた。「お父さま、どうかお許しを。お父さまの指輪に見入っておりました。

その指輪には魔力が宿っているのでしょうね」

魔力もまた、わたしの実母が父を失望させた一因だったと思う。母に魔力があったからではなく、母に期待された魔力が備わっていなかったことが、父を失望させた。母の曾祖母は、真冬の夜にスターリクの騎士に家を襲われ、夫を殺され、スターリクの子をみごもった。曾祖母が産んだ男児は、銀の髪と銀の瞳をもち、猛吹雪のなかでも平気で歩くことができたという。彼の触れるものはみな冷たくなった。彼の子、つまりわたしの祖父も銀の髪だったが、親と同じ魔力はもっていなかった。父が母との結婚を決めたことに、この家系の伝説はおおいに影響していたにちがいない。母の瞳は淡い青で、ひと房の銀髪がひたいから後ろに向かって流れていたそうだ。けれども、母に魔力はなかった。母のなかのスターリクの血の証は、その容貌にのみあらわれていた。そして、わたしにはそれすらもない。わたしの髪はごくふつうの茶色で、父と同じ茶色の瞳。寒ければ、ほかの人と同じように身を震わせる。にもかかわらず、父の指輪を目にしたとき、わたしには雪のまぼろしが見えた。

父は、わたしの問いかけには答えず、指輪を見おろした。父には小さすぎる指輪なので、人さし指の途中までしか入っていない。父はそのまま食事をつづけたが、そのあいだに何度も指輪をさすっていた。しばらくすると、父が言った。「いつもとはちがう職人がつくった。それだけのことだ」そのきっぱりとした口調は、これ以上この指輪についてなにも話したくないと告げていた。おそらく父は、指輪に魔力があることを知らなかったのだろう。そして、いまも、それがあるかどうかわからないのだろう。自分の知らないことをだれかが知っていることを、父は心よく思わない。

わたしもそれ以上はなにも言わず、目を伏せて、指輪に気を取られないように意識して父の話に耳を傾けた。父はにべもない口調で、皇帝の滞在中にわたしがすべきことを告げた。それは、なにもしないでいることだった。つまり、仮病を使って二階に引きこもり、下にはおりてこないこと。そうすれば、妻のガリナのために、三着のドレスを新調できる――。父は指輪について言い足すことも、先刻のわたしの不注意を責めることもなかった。皇帝の滞在中に蚊帳の外におかれることはうれしいが、もし父がわたしを適齢期の娘としてお披露目したいと本気で考えているのなら、新しい三着のドレスは、ガリナではなく、わたしにこそ必要なものではないだろうか。

その夜、わたしは窓辺にろうそくを灯し、舞い落ちる雪を見つめていた。マグレータが髪の手入れをしてくれた。まずは彼女が腰につけた袋に入れている銀の櫛で、毛先から根もとまで、髪のもつれをていねいにほぐす。それからブラシを手にとり、根もとからしゅっしゅっと梳かしていく。毛先にたどりつくまで、十七回、梳かす場所を変える。その回数はわたしの歳と同じで、誕生日を迎えるたびに数が増えてきた。マグレータが庭を慈しむように髪の手入れをしてくれたので、わたしの髪はすでに背丈よりも長い。だから、わたしが窓辺の椅子にすわっていても、毛先にブラシをかけるマグレータは暖炉のそばにおいた椅子にすわっている。「ねえ、マグレータ。お父さまは、お母さまを愛していたのかしら？」

　わたしの問いかけに驚いたマグレータが、髪を梳かす手を止めた。わたしが生まれる以前、マグレータが母に仕えていたことは知っていたけれど、こんなことを尋ねるのは初めてだった。あまりに幼いときに母を亡くしたので、母はずっと昔に亡くなったご先祖さまのような存在だった。母について父がわたしに語る手厳しいことばから理解できるのは、母と結婚したことが父にとっては失敗だったということだけ。それ以上のことは、知りたがることさえ禁じられていた。

「もちろんですとも、イリーナさま。もちろん、愛しておいででした」それは真実ではないかもしれないが、マグレータは一瞬の躊躇もなく言った。つまり、彼女自身はそれを信じているということだ。「花嫁に持参金がなくても、公爵はお母さまと結婚なさいました」マグレータがさらに言ったので、今度はわたしが驚いて振り向いた。父からそんな話は聞いたことがないし、想像したことすらなかった。

「お父さまのお話しぶりからは、お母さまを愛していたようには聞こえなかったわ」わたしは本音を洩らした。マグレータは、今度はためらってから言った。「それは、ガリナさまのお考えかもしれませんよ」

　マグレータはそれ以上言わなかったが、わたしには理解できた。父は愛という釣り針にかかった魚だったが、逃れてしまえば、最初の釣り針のことなどすぐに忘れてしまったのだ。義母のガリナはどっさりと持参金をもって父と結婚した。彼女が持ちこんだ、わたしの背丈よりも大きな、金貨で満杯の収納箱は、この屋敷の地下庫にしまわれている。父は二度目の結婚では、愛という釣り針にかからなかった。母には父をいっとき虜にするだけの魔力はあったが、それ以上の魔力はそなわっていなかった。おそらく、それもあって、父は母に対してなおさら失望したのだろう。

その夜、わたしは銀の指輪の夢を見た。ひとりの女性がその指輪をはめているというだけの夢だったが、女性のひたいの上からひと房の銀髪がこぼれていた。その髪の色に指輪がよく似合っていた。夢のなかのことなので顔ははっきりわからなかったが、彼女はわたしに背を向けると、白と銀の木々が茂る森に去っていった。目覚めたとき、最初に思ったのは、母よりむしろ指輪のことだった。わたしは銀の指輪に触れたい、それを指にはめてみたいと思った。

マグレータはいつも、わたしが父の目につかないように計らってくれる。そのために寒い日でも、体を鍛えるためと言って、庭園の端まで連れ出されることがよくあった。指輪の夢から目覚めた朝は、庭園のなかでもとりわけ古い一角に向かった。母屋から遠く離れたそこには、打ち捨てられた礼拝堂があった。葉の落ちた蔓植物に半ばうずもれ、灰色の板壁はところどころが腐り、小雪の降りだした空に彫刻をほどこされた尖塔が、棘のように突き立っていた。マグレータは下から心配そうな声をあげたけれど、わたしは階段をきしませながら鐘楼までのぼり、円窓から外をのぞいた。ここからは、庭園の石壁の向こうにある、父が毎日兵士らの訓練を行う大きな中庭が見おろせるのだ。

父はその訓練を日課とし、もう若くはないけれど、けっしてなまけることはなかった。父はもともとは公爵の家柄ではなく、ボヤールの出身で、ずいぶん昔のことになるが、現皇帝の父君の臣下として、たった一日の戦いで三人の騎士を倒し、ヴィスニアの街の周壁を壊して、街を陥落させた。父はいまもおかかえ騎士たちの訓練を監督し、農民の頑強な息子たちを集めて、街を守る兵士に育てている。なかには、あえて息子を父のもとへ送りこむ王族や大公もいる。父ならりっぱな戦士に鍛えあげて返すことを承知しているからだ。

父はおそらく指輪をはずしているだろうと思っていた。もしそうなら、指輪は書斎のどこかに、机の上かどこかにあるだろう。すでに計画は立っていた。マグレータはわたしを書斎に入らせたがらないだろうから、彼女を書斎のとなりにある図書室に誘い出し、本棚のあいだで迷子にして、そのあいだにわたしだけ書斎に入ればいい。一瞬だけなら、あの指輪を自分の指にはめることができるかもしれない。

けれども、指輪は書斎に残されてはいなかった。わたしが中庭を見おろしたとき、兵士らは父の掛け声に合わせて武術訓練をしており、いつもなら厚い革手袋か金属の籠手に隠されている父の手が剝き出しになっていた。父は背中でゆるく腕を重ね、左手で右手首を握っていた。暗い灰色の空から雪が降っているというのに、遠く離れたまるで別世界のようなその場所で、父の指にはめられた銀の指輪が、まるで日を浴びているかのように燦然と輝いていた。

家に帰り着いたあとも、あのスターリクの男はあたしの頭のなかにときどきもどってきた。しょっちゅうというわけじゃない。ひとりでいるときや、片手間仕事をするとき、ふいに一瞬だけ、記憶がよみがえる。鶏の世話をするために家の裏手に行ったとき、そこにあの男の足跡があったことを思い出し、いまは雪面が乱されていないことにほっとした。薄暗い早朝、庭の小屋で山羊にえさをやっているとき、闇に沈んだ小屋の隅に長い熊手が立てかけてあるのを見て、暗い木立を背景にした彼の姿を、三つ編みにされた白い髪を、冷ややかな笑みを思い出した。

お茶を淹れる水を求めて雪を外に取りにいき、手がかじかんだときも、もしあの男がもどってきたら、とふいに考えた。そう考えたら、怒りが込みあげた。怒るほうが恐れるよりも、まだましな気分だった。それでも雪を入れたバケツを持って家に入り、暖炉の前に立ったとき、あれ、なんでこんなに怒っているんだっけ、と自問した。母さんが不思議そうにあたしを見つめていた。

母は、なにひとつスターリクについて尋ねなかった。尋ねるのは、祖父母は元気だったかとか、よい旅だったかとか。あたしがヴィスニアに行ったほんとうの理由を忘れてしまったみたいだった。あの不思議なスターリク銀は――あの白い革袋さえも――もう手もとにない。あたしはユダヤ人街の市場に行ったことも、アイザックに銀の加工を頼んだことも憶えているのに、アイザックのつくった指輪がどんなだったか、はっきりと思い出せなくなっていた。

それでも毎朝、家の裏手のようすを確かめに行くぐらいには記憶が残っていた。月曜日、あたしがまだ家の裏手にいるとき、ワンダが鶏にえさをやるために外に出てきた。ワンダはあたしに近づくと、しばらく乱されていない平らな雪面を見おろしていたあと、唐突に言った。「てことは、あいつにくれてやったんだね？　それで、あいつはもう来ないんだね？」

一瞬、あいつってだれのこと？　と尋ね返しそうになったけど、はっと記憶がよみがえり、こぶしを握りしめた。「ええ、そうよ、くれてやったわ」と、あたしは答えた。ワンダがこっくりうなずいた。あたしに言えるのはそれだけだ、とよくわかっているように。つまり、あいつはまた来るかもしれないし、来ないかもしれない。あたしには知るよしもない。

やがて市の立つ日になり、手もとにはヴィスニアから持ち帰った、最新流行の刺繍をほどこした何枚かのエプロンがあったので、市場へ持っていった。先日売った二着のドレスがまがいものだと思われるのも困るけれど、ドレスではなくエプロンなので、金貨一枚より安い値をつけたところ、すぐに売り切れた。ヴィスニアで仕入れてきたハンカチーフも売りつくした。

田舎の農場から出てきた女性が、すぐにもヴィスニアに行って、自分の紡ぐ糸を高く売ってくれないかと頼んできた。以前は、安く買いたたくか高値で売りつけようとするとき以外に、あたしと取引したがる人なんていなかった。その農場の女性は、以前なら、自分が市場まで来られないときには、御者のオレグかペトロフを雇って、紡ぎ糸を町まで届けさせていた。けれどもこの数年は厳冬が長くつづくため、羊や山羊の毛が大量に採れて、紡ぎ糸の値が下がっている。彼女の実入りも少なくなっているはずだった。

彼女の紡ぐ糸は、ほかのところの糸より品質がよく、密でやわらかだった。毛をよく洗い、よく梳き、ていねいに紡いである。指先で糸の撚りを確かめているとき、あたしは祖父の話を思い出した。祖父は、春が来たら、川を下って商品を南へ送るために船を手配すると話していた。その荷詰め用のわらの代わりに毛の紡ぎ糸を使い、目的地に着いたら荷の商品といっしょに売ってはどうだろう。ここほど寒くない土地なら、きっとよい値がつくはずだ。

「見本がほしいわ。つぎにヴィスニアに行くとき、それを持っていくようにするわ。そうすれば、紡ぎ糸の値もだいたいわかるはずよ」いまはそこまでしか言えない。「あなたは、いくらなら売るつもり？」女性はそのときは三袋分しか持っていなかったけれど、周囲の人たちがあたしたちの話を聞いていた。紡ぎ糸を売って暮らしの足しにしたい人も、それを生業としている人も、この市場にはたくさんいるはずだ。みんな紡ぎ糸が値下がりして困っている。ヴィスニアからまたもどってきたとき、この市場で彼女によい買い値を伝えれば、周囲で聞いていた人たちがそれを広めてくれるだろう。そうすれば黙っていても、あたしのもとにはさらに紡ぎ糸が集まることになる。

その日、市場から家にもどるころには、またヴィスニアへ行って品物を仕入れたい、取引もしたいという気持ちになっていた。あたしは新しい三頭の山羊も引き連れていた。その山羊を買えたのも、山羊や羊の毛が値下がりしているからだった。あたしの頭のなかには、新たな計画もあった。紡ぎ糸で儲けたお金で祖父に頼んで、南の国からドレスを買ってきてもらおう。異国情緒のただようドレスなら、ヴィスニアやこの町の市場で人気が出るのではないだろうか。

その晩は、鶏の丸焼きが脂でつやつやのニンジンといっしょに食卓にのぼった。今回ばかりは母さんも毒を扱うようなつらそうな顔で料理を取り分けはしなかった。食事を終えてワンダが帰っていくと、両親とあたしは暖炉のそばに落ちついた。父は、あたしがヴィスニアで買ったばかりの聖書を読んでいた。母は上等な絹糸でレースを編んでいた。そのレースはいつかウェディングドレスに使われるのかもしれない。暖炉の金色の炎が両親の顔を温かくやさしく照らすのを見たとき、あたしには、この世界がおだやかで幸せであることが実感できた。自分には行き着けないと思っていた場所に、ようやくたどり着けたような気さえした。

玄関扉をたたく音がしたのは、まさにそのときだった。強い力が生みだす重いノックの音。

「あたしが出るわ」と言い、縫い物をおろして立ちあがった。あたしが立ちあがっても、両親は視線を上げることもなかった。妙な感じがして、あたしは動きを止めた。それでも両親はあたしのほうを見なかった。母は小さくハミングしながら、かぎ針を動かしていた。あたしはゆっくりと玄関に近づき、扉を引いた。あのスターリクの男が玄関口に、この世の冬という冬を背にして立っていた。窓越しに見る夜空は静かなのに、彼の背後には雪が逆巻いていた。

　スターリクの男は、新たな革袋をあたしに突き出した。鎖がこすれて鳴るような音がした。男は軒を吹き抜ける風のような、高い声で言った。「今度は三日間あたえよう。三日たったら、これを取りにもどってくる」

　あたしは革袋を見つめた。大きくて、ずっしりと重そうだ。その袋に入った銀貨を金貨に変えるには、地下金庫にあずけた金貨をぜんぶ使ったところで、ぜんぜん足りない。冷たい雪が吹きつけ、ほおに当たって溶け、ショールに散った。黙って受け入れることを考えた。恐ろしくて、頭を垂れたままだった。そう、あたしは恐ろしかった。男のブーツには拍車がつき、指には氷の塊のような大きな宝石が輝いていた。彼の背後から、雪嵐で命を落としたすべての人の悲鳴が聞こえるような気がした。

　でも、あたしはそれよりもっと恐ろしいものを知っていた。蔑まれること、貶められること、ばかにされ、つけこまれることだ。あたしはあごを上げて、せいいっぱい冷ややかに尋ねた。

「ではそのお返しに、あなたは、なにをくれるの？」

男の目が見開き、瞳からあらゆる色が消えた。雪嵐が金切り声をあげ、雪と氷の冷気が槍となってあたしの顔に飛んできた。無数の棘に刺されたように、ほおが痛かった。あたしは男に殴られるのだと思った。そう、いかにも殴りたいという顔をしていた。だが、男はそうする代わりに言った。「三たびだ、人間の乙女よ」その声には歌うような抑揚があった。「三たび、銀を金に変えよ。さもなくば、おまえを氷の柱に変える」

あたしはもう半ば氷になっているような気がした。指先は冷えきり、しびれた肉の下で骨が悲鳴をあげていた。あまりの寒さに震えさえ止まった。「けれど、もし……？」あたしは男に先をうながした。声も震えてはいなかった。

男は高らかに残忍な笑い声をあげた。「けれど、もし、うまくやりおおせたら、おまえをわたしの妃にしてやろう」からかうようにそう言うと、男は革袋をあたしの足もとに落とした。大きな音がした。つぎに革袋から目を上げたとき、男はすでに消えていた。家のなかから母のもったりとした大儀そうな声がした。「ミリエムや、なぜ扉をあけておくの？　寒いじゃないの」

7 鏡を通り抜けて

スターリクが残していった革袋は、前の袋の十倍は重く、なかには輝く銀貨がぎっしり入っていた。あたしは取り出した銀貨を数えるために塔のように積みあげていった。そうすることで、心を落ちつけようとした。

「親子三人でこの町から出ていきましょう」と、母さんが言った。あたしは、スターリク王の脅しや約束についてなにも話さなかったけれど、母さんにとっては、異界の王がやってきて金貨を要求することがそもそも災いなのだった。

「ヴィスニアの父のところに行けばいいわ。いいえ、ほかのどこだってかまわない」母さんはそう言ったけれど、よい考えだとは思えなかった。いったい、どれくらい遠くまで行けば、冬から逃れられるのだろう？　スターリク王の手の届かない国がここから千哩先にあるとしても、ひとつ国境を越えようとするたびに賄賂を要求されるだろう。

それに行き着く先がどこだろうと、新しいすみかを自力で見つけなきゃならない。その土地でどんな扱いを受けるかもわからない。よその国でユダヤ人の同胞がどんなひどい目に遭ったかは充分に伝え聞いている。借金を踏みたおし、財産を没収したがる王さまや司教もいるはずだ。大叔父のひとりは、温暖な国の生まれで、実家の塀で囲まれた庭にはオレンジの木が植えられていた。でもいま、大叔父の家族がたいせつに育てたそのオレンジの木から実をもいでいるのは、縁もゆかりもない他人だ。大伯父一家はこの国まで逃れられただけでも幸運だった。

たとえ温暖な国にいても、永遠に安全でいられるとはかぎらない。ある日、一陣の風とともに気温が急降下し、夜になると霜が家のなかまで入りこんでくる。あの男はどこであろうと、約束を果たすためにやってくる。あたしが必死に逃げまわったところで、最後にはあいつがやってきて、氷の柱となったあたしを人けのない玄関口に残して去っていくだろう。

銀貨の塔はぜんぶで六つになった。塔ひとつで銀貨十枚。あたしはそれをぜんぶ革袋にもどした。そのころにはワンダの弟のセルゲイがやってきたので、彼を御者のオレグのところへ遣いにやり、あたしをそりで迎えにきて、今夜じゅうにヴィスニアに連れていくよう頼んだ。「ヴィスニアまで行って、土曜の夜にもどってこられるなら、借金を銀貨一枚分棒引きすると伝えて」これまでの倍の運賃を払うのは惜しいけれど、すぐにもヴィスニアに向かう必要があった。スターリクは三日間待つと言ったが、それはつまり金曜日の日没までに仕事を片づけなくてはならないということだ。あいつが、安息日だからと言って期日を延ばしてくれるとは思えない。

ヴィスニアに着いた翌朝、市場にあるアイザックの店に行った。店の前であたしを認めたとたん、彼は勢いこんで尋ねた。「あの銀はもっとあるかい？」それから顔を赤らめ、挨拶した。

「おっと、わが店にようこそ」

「ええ、あるわよ」あたしは、黒いベルベットの上に袋の銀貨をあけた。アイザックはまだ開店の準備をしているところだった。「今度はこれを金貨六十枚にして返さなければならないの」

彼は渇望に顔をほてらせ、手のひらで銀貨をまぜ返し、「おかしいな、記憶が飛んでる……」と、ひとりごとのように言った。それからようやくあたしの言ったことを理解したように、こちらに目を向けて言った。「仕事を引き受けるからには、ぼくにも儲けさせてくれるだろうね？」

「指輪を十個つくって、ひとつ金貨十枚で売れれば、充分な儲けが出るわ」

「売りさばけないよ」

「売り切れるわよ、きっと」公爵が異界の銀でつくらせた指輪を持っていれば、この街の裕福な男女がこぞって同じ指輪を求めるのではないだろうか。

アイザックは気むずかしげに銀貨を見つめ、その山を指でくずして、ため息をついた。「首飾りはどうだろう。試してみる価値はある」

「十個の指輪を売りさばくのは、どうしても無理？」あたしはなにか考えちがいをしていたのだろうか。

「ぼくは、首飾りをつくりたい」アイザックは言った。手堅いやり方ではないかもしれないけれど、彼は自分の腕前を生かして名を上げるような作品をつくりたいのだろう。あたしにしてみれば、スターリクに金貨を渡して難を逃れられるなら、銀がなにに姿を変えようがかまわなかった。

「安息日までに終わらせなければならないの」

アイザックがうめいた。「また、そんなむちゃを！」

「ねえ見て。できそうな気がしてこない？」あたしは銀貨を手で示して言った。彼がこの誘惑にあらがえないことはわかっていた。

アイザックが作業に没頭しているあいだ、あたしはそばにいて、店に来た客を丁重に追い返す役目を引き受けた。彼はだれかと話したり、じゃまされたりするのをいやがった。店に来るほとんどの客が、忙しそうでいらだった召使いたちだった。なかには注文した品を早く仕上げさせようと、あたしを怒鳴ったり脅したりする人もいたけれど、どんな態度をとられても、あたしは冷ややかに言い返した。「匠アイザックの仕事ぶりをごらんください。あなたの旦那さまも奥さまも、きっと、このご依頼主さまのじゃまをするようなことは望まれないはずですよ。お名前を明かすわけにはいきませんが、このような作品をお求めになる方だということでお察しください」

あたしはひらりと手を返して、彼らの視線を作業台に向けた。アイザックの手もとで銀が日差しを浴びて輝いていた。客たちはその冷たい輝きにしばし見入って立ちつくし、そのあとは前のように食ってかかることもなく立ち去った。

アイザックは日が落ちるまで休みなく働き、翌日も夜明けとともに作業を再開した。彼はつねに何枚かの銀貨を作業台の隅においていた。そうすることで、逃げていきそうになる記憶をとどめようとしているのかもしれなかった。あたしも自分の記憶のために一枚残しておきたくなったが、たとえそうしたところで、なんの役にも立たないだろう。昼になり、アイザックがため息をつき、最後に残った一枚の銀貨を熔かし、作品に繊細な仕上げの装飾をほどこした。「終わった……」彼はそう言うと、できあがった首飾りを両手にのせた。彼の大きな手から首飾りの両端がつららのように垂れさがった。あたしたちはしばらく無言で、うっとりと首飾りを見つめていた。

「公爵に遣いを送る？」と、あたしは尋ねた。

アイザックは首を振り、作業台の下から箱を取り出した。彫刻のほどこされた四角い木箱で、黒いベルベットで内張りされている。彼はそのなかにそっと首飾りをおさめた。「いいや、今回はぼくが行くよ。きみも来るかい？」

あたしたちは連れだってユダヤ人街の門を抜け、ヴィスニアの街の大通りを歩いた。街のこの区域を歩くのは初めてだった。街の周壁に近い家々はみすぼらしかったが、アイザックに導かれてより広い通りに出ると、美しい宝飾品のような窓のある灰色の石造りの大きな教会があった。その教会を過ぎると、貴族の邸宅が建ちならぶ一角があらわれた。錬鉄製のフェンスのライオンや身をくねらせるドラゴンの模様に目を奪われた。石壁には蔓に実る果物や花が浮き彫りになった装飾。あたしにはりっぱな祖父がいる、祖父の家の地下金庫に金貨をあずけている——そう自分に言い聞かせて胸を張ろうとしたけれど、雪を払われた広い階段をのぼっていくときには、ここに来るのがひとりきりでなくてほんとうによかったと心の底から思っていた。

　アイザックが召使いのひとりに話しかけた。あたしたちは小部屋に通され、そこで待つことになった。お茶も出てこなければ、すわる椅子さえもなく、男の召使いが、あたしたちを監視するように立っていた。でも、それがかえってよかった。召使いの無礼な態度に腹を立てているかぎり、自分がみじめになることも、口をあけてなにかに見とれてしまうこともなかったからだ。

　長く待たされてようやく、前にアイザックの店に来た従者があらわれ、あたしたちに用件を尋ねた。アイザックが箱を掲げて、首飾りを見せた。従者は首飾りを見おろし、「なかなかけっこう」と言い、また出ていった。今度も長く待たされたが、またあらわれた従者は、あたしたちについてくるようにと言った。

　あたしたちは屋敷の裏手の階段を上がり、廊下に出た。見たこともないような贅沢な廊下だった。左右の壁には色あざやかなタペストリーが飾られ、床には美しい模様の絨毯が敷かれて足音を消していた。あたしたちは廊下を抜け、それ以上に豪華な居間に通された。贅をこらした服と金鎖を身につけた男が、ベルベット張りの大きな椅子に腰かけ、書きものをしていた。その左手の人さし指にスターリク銀でこしらえた指輪があった。男は指輪が消えていないかどうか確かめるように、何度も指輪を親指でこすっていた。「よろしい。見せてもらおう」男がペンをおろして言った。

「公爵閣下、こちらにございます」アイザックが頭を垂れて男に挨拶し、首飾りを見せた。

公爵が箱のなかをのぞきこんだ。表情は変えなかったが、指で首飾りにそっと触れ、繊細なレースのような銀の鎖をわずかに動かした。息を深く吸いこみ、鼻から出して言った。「これにいくらの値をつける？」

「恐れ入りますが、金貨百五十枚より安い値ではお売りできません」

「ばかを言うな」公爵はうなるように言った。あたしはくちびるを噛んだ。いくらなんでも金貨百五十枚は吹っかけすぎだ。

「お求めいただけない場合は、また熔かして指輪にするしかありません」アイザックが申し訳なさそうに両腕を広げた。巧みな取引だった。公爵は自分と同じ指輪を他人がもつことをいやがるだろう。

「この銀はどこで手に入れた？」公爵が尋ねた。「ふつうのしろものではないな」

アイザックが答えに窮して、あたしを見つめた。公爵がアイザックの視線を追って、あたしに尋ねる。「言ってみなさい」

あたしはひざを折ってお辞儀をしてから言った。「あたしが受け取りました……とあるスターリクから。それを金貨に変えるよう求められたのです」

信じてもらえるかどうか不安だった。公爵の視線を重りのようにずっしりと感じた。けれど公爵は、ばかばかしいとも嘘をつくなとも言わず、ふたたび首飾りに視線をもどした。そして、低くうなった。「なるほど、その金貨をわたしのふところから出させようというわけか。ならば訊くが、この銀はもっと手に入るのか？」

それはまさにあたしが気にかけていたことだった。スターリクの王は、つぎにはもっとたくさんの銀貨を持ってくるのではないだろうか。最初が六枚、今回が六十枚……つぎは六百枚？　六百枚の金貨をどこからどう都合すればいいのだろう？　あたしはごくりとつばを呑んだ。「はい。おそらく……おそらくはもっとたくさん」

「ふうむ」公爵はふたたび首飾りをつらつらとながめ、片手でベルを鳴らした。すぐにあの従者があらわれ、「イリーナを呼んでくれ」という公爵の命令に一礼を返した。

しばらくすると、ひとりの娘が扉口にあらわれた。たぶんあたしと同じ年頃で、ほっそりとして、しとやかな印象だった。グレーの毛織物で仕立てられた高襟のドレスを着て、頭にグレーの薄い絹のベールをかぶり、後ろに長く垂らしていた。背後にひかえた付き添いは老年の婦人で、あたしを見て眉をひそめ、アイザックを見るとさらに眉間のしわが深くなった。

　イリーナと呼ばれた娘は目を伏せたまま、ひざを折ってお辞儀をした。公爵が立ちあがり、首飾りを彼女の首にあてがい、両腕をうなじに回して金具を留めた。そこから三歩さがって、娘を見る。彼女はことさら美女ではなかった。はっきり言えば十人並みの容姿で、つややかな長い髪だけが特別に美しかった。けれども、その美しい髪が、首飾りをした彼女にとっては、もはや目立つものではなくなっていた。とにかくそこにいるすべての人の目がイリーナに釘付けになった。冬そのものが彼女の首もとを飾っているようだった。白銀のきらめきが灰色のベールにも、黒っぽい瞳にも宿っていた。彼女は、壁にかかる鏡を見つめていた。

「まあ、イリーナさま……」付き添いの婦人が感嘆の声を洩らした。

　公爵がうなずき、娘から目をそらすことなく言った。「宝石屋よ、おまえは運がいい。この首飾りには金貨百枚を支払おう。そしてつぎには、同じ銀で皇后にふさわしい冠をつくってくれ。娘の嫁入り支度になるようなものを。それを娘の頭に飾ることができたら、そのときは、今回の十倍、金貨千枚の値をつけることにする」

「お嬢さま、公爵さまがお呼びです」メイドが言い、ひざを折ってお辞儀した。義母に対するときのような丁重なふるまいだった。灰色の上品なドレスを着たメイドがわたしを呼びにきたことは、それだけで大きな意味があった。彼女は家具を磨くことを許された上級メイドだ。皿を洗い、床を磨き、火の番をする娘、つまり壊されて困るような高価な物がおかれていないわたしの部屋を掃除する下働きのメイドとはちがう。

「さあ、お急ぎください」マグレータが、裁縫の手を止めて、わたしの髪を軽く直した。二日前に三つ編みを頭に巻きつけるようにマグレータが結ってくれたのだが、時間があれば最初から結い直したいと彼女は思っているにちがいない。けれども首を振り、わたしのエプロンをはずし、靴とドレスの裾にブラシをあてるだけで我慢した。彼女がそうするあいだ、わたしは自分にはもう来ないかもしれないと思っていたチャンスについて考えていた。

お父さまが昼のさなか、書斎にわざわざわたしを呼びつける理由――今夜晩餐を共にするというのに、それでも呼びつける理由――は、ひとつしか考えられない。つまり、ついにどこかのだれかがわたしとの結婚を求め、その話がかなり進んだということだ。嫁入りの持参金について話がついたか、本気の交渉がつづいているのか、そのどちらかにちがいない。もっとも、前に父と食事したときには、そんな話はいっさい出ず、耳打ちをされることすらなかったのだけれど。

でも急ぐにはそれなりの理由があるのだろう。皇帝の訪問による出費が避けられないのなら、せめてわたしの結婚費用を節約したいと、父は考えているのかもしれない。もし皇帝の訪問に合わせて、皇帝とその臣下たちを娘の結婚式に招待するなら、呼ばれたお客は結婚を祝う贈り物を持参するしかない。おそらく、その高価な贈り物の値打ちも考慮されて、持参金と嫁入り支度についての交渉が進んでいるのだろう。

そのような結婚を、わたしが心から喜べるはずがない。もちろん、どこかの屋敷の女主人になれるのならありがたい。それよりみじめな将来はいくらでも想像できるから。でも、こんなに急いで、それも父の都合だけで話が進んでいくなんて……。こんなふうにわたしと結婚したがる相手は、自分に都合よく結婚という契約を利用するだけだから、相手が若い娘のかたちをした粘土の塊だって気にしないだろう。父に評価されないわたしを、結婚相手が妻として評価してくれるとはとても思えない。

わたしの切なる望みは、結婚を申し込んできただれかが、父に忠誠を誓った裕福で野心もあるボヤールで、ほどほどのお金と贈り物を提供して公爵の娘と結婚し、この公爵領における地位を高めたいと考えていること。そして、その野心を叶えるためにわたしを尊重してくれること。けれども、そんな花婿候補に思い当たる人はいない。極寒の冬がつづいたこの七年間、父の配下にいるボヤールたちは、出世や権力への接近よりも、暮らしを維持することに汲々としている。そんな状況で、わざわざ高くつく花嫁をほしがるものだろうか。

そんな人ではまず夫として期待できないだろう。もしかしたら、父は同等の家柄の若い妻を望めないような貴族を見つけたのかもしれない。ふつうの父親なら娘を嫁がせるのをためらうような不快な男。あるいは、嫁いだ娘になにが起ころうと、たいして文句も言わない親を熱心にさがしてきた男。

それでもわたしは階下におりていった。選ぶ余地はなかった。いっしょに階段をおりていくマグレータは震えだしそうだった。彼女も、わたしに結婚話がもちあがったことを予感している。でも災いが起こるまで悪いほうに考えるのを好まないたちなので、いまこのときも、わたしにとって幸せな結婚を夢見ている。ないがしろにされた娘とともに最上階のせまい部屋に押しこめられた現実から目をそらし、この家の亡き女主人の乳母をかつて務めていた老女でありつづけたいのだ。わたしはマグレータの期待に水を差すようなことを言わなかったが、心のなかで、これから会う男性の前で結婚話を破談にさせるようなふるまいをしてみたらどうだろうと考えていた。父は激怒するだろうが、やってみる価値はある。これくらいしかできないなんて、あまりにもみじめだけれど。

けれども父の書斎の扉が開いたとき、そこで待っていたのは花婿候補ではなかった。花婿候補の代理人とおぼしき人もいなかった。いたのは、ふたりのユダヤ人。男と女。ふたりとも痩せて、髪は褐色で、黒っぽい瞳だった。男のほうが箱をかかえていた。そして、箱のなかには冬が満ちていた。それを見た瞬間、わたしの頭のなかにあったすべてが消えた。黒のベルベットの上で冷ややかな輝きを放つ銀の首飾り、それ以外のことはなにも考えられなくなった。自分が窓辺にいて、庭を見ている幻が浮かんだ。またしてもあの庭……。ほおに感じる冬の息吹。わたしの指の下でガラス窓に広がっていく白い霜……。手を伸ばして触れたくてたまらないなにか……。

わたしは手を伸ばし、首飾りのほうにふらふらと歩いていきそうになった。それをこらえて両手でグレーのドレスのスカートをつかみ、ひざを折って挨拶した。なんとか目を伏せていた。でも身を起こすと、ふたたび箱のほうを見ずにはいられなかった。なにも考えられなかった。父が箱から首飾りを取り出すときも、頭のなかは真っ白だった。父がそれを持って近づいてきたので、わたしは驚いて視線を上げた。なにかのまちがいではないのか。父がこれをわたしにあたえようなんて考えるはずがない。けれども父がいらだつようすを見せたので、わたしは一瞬とまどったものの、ゆっくりと身を返し、頭をさげ、父が首飾りを留めやすい姿勢をとった。

部屋のなかはよく暖められていた。暖炉の火が勢いよく燃えて、最上階のわたしのせまい部屋とは比べものにならないくらい暖かだった。それでも、その金属は肌に冷たかった。冷たくてすがすがしい。暑い日に濡れた手をほおに当てたときのような、生き返る感じがした。わたしはふたたび体を返した。父がわたしを見つめている。居間にいるすべての人の視線がわたしに集まっていた。

「まあ、イリーナさま」マグレータがため息のような声を洩らした。わたしは指先で首飾りの繊細な鎖をなぞった。皮膚の上にしばらくおいても、それは冷たいままだった。わたしは鏡に映る自分を見た。鏡のなかのわたしは父の書斎ではなく、冬の暗い森のなかに立っていた。頭上には薄灰色の空が広がり、降ってくる雪が肌に感じられた。

時を忘れて立ちつくし、かぐわしい冷気を胸いっぱい吸いこんだ。切り落としたばかりの松の枝の、降りつづく雪の、深い森の、すべてが混じり合った濃密な香りが渦巻いていた。突然、遠くから父の声が聞こえて、われに返った。父がユダヤ人に約束していた――嫁入り支度の冠をつくれば金貨千枚をあたえる、と。すると、わたしの勘は当たっていたことになる。つまり、父には花婿候補の心づもりがあった。そして、この結婚話をとても急いでいる、ということだ。

当然とはいえ、父は首飾りをつけたままにはさせなかった。ユダヤ人たちが去ると、わたしを手招きし、じろりと見た。それからわたしのうなじに手を回して首飾りをはずし、また箱におさめた。そしてふたたび、わたしをじっと見つめた。首飾りをつけていないときの娘がどんなだったかを確かめるように。

父は首を振ると、たんたんと言った。「皇帝陛下が翌々週、ここへおいでになる。ダンスの練習をしておくように。その日まで毎晩わたしと食事をすること――。そうだ、着るものも確認しておくように」最後はマグレータへの指示だった。「新しいドレスが三着必要だな」

わたしはお辞儀をし、マグレータとともに最上階の部屋にもどった。落ちつく木がなくて大騒ぎする小鳥たちのように、不安がマグレータのまわりを飛びまわっていた。「手伝ってくれるメイドを見つけなければなりませんわ」マグレータが編み針と糸を手にして言った。いつも手を動かしていないと安心できないたちなのだ。「やらなければならないことが多すぎます！　なんにも用意ができておりませんもの。お嬢さまの結婚用収納箱は、まだ半分も中身がありません！　ああ、ドレスも三着つくらなければ！」

「そのようね。女中がしらに早めに相談したほうがいいかもしれないわ」

「ああ、そうです、そのとおり」マグレータはそう言って飛び出していき、ひとりきりになったわたしは、暖炉のそばで縫い物を再開した。嫁入り支度のひとつ、刺繍をほどこした白い部屋着を縫っているのだ。

首都コロンの宮殿にいる皇帝とは、一度だけ、ことばを交わしたことがある。七年前、皇帝の父である先代皇帝とその長男がつづけて亡くなった。そのとき、新皇帝の戴冠式に出席する父に同行し、わたしはコロンを訪れた。父は新皇帝に、より厳密に言うなら、新皇帝の摂政を務めるドミティア大公に忠誠を誓う必要があった。わたしが皇帝ミルナティウスを初めて見たのは、大司教が単調な声で戴冠式を執りおこなっている聖堂だった。

しかしそのときは、彼にそれほど関心をもっていなかった。儀式は退屈だったし、きゅうくつな暑苦しい服に疲れて、わたしは義母ガリナの横でうとうとと舟を漕いでいた。とがったもので突かれた気がして、はっと目覚め、弾かれたように立ちあがったのは、まさにミルナティウスに王冠が授けられようという瞬間だった。新皇帝を讃える歓呼がいっせいに沸き起こった。

しかし戴冠式がすむと、ミルナティウスはそれほど注目されなくなった。皇帝と同じテーブルについた名だたる君主や貴族たちは、彼よりむしろドミティア大公に取り入ることに熱心だった。そんなわけでミルナティウスはひとりきりで宮殿を抜け出して庭園にいた。わたしもそのときたまたま庭園で遊んでいたのだ。ミルナティウスは、小さな弓矢でリスを射っていた。仕留めるたびに、リスの死骸に近づき、満足げに見おろした。狩りのうまい少年の誇らしげなようすとは少し感じがちがった。彼は刺さった矢をわざと揺らし、リスの体が痙攣するのをうっとりとながめていた。

やがて彼は、その行為を憤然と見ているわたしに気づいた。わたしはまだ幼くて、警戒するということを知らなかった。「なぜ、そんなふうにぼくを見つめる？」ミルナティウスが言った。

「命がまだいくらかこの小さな体にとどまっているだけさ。魔法でもなんでもないぞ」

　ミルナティウスなら、魔法かそうでないかのちがいをよく知っているはずだった。なぜなら、彼の母親は魔女なのだから。その悪名高き魔女は、皇后を亡くした先代皇帝を誘惑した。もちろん、皇帝と魔女の結婚を喜ぶものはだれひとりいなかったが、ふたりは子をもうけた。それがミルナティウスだった。皇帝と出会ってからわずか五年後、魔女はわが子を世継ぎにするため、亡き皇后の息子を殺害しようとした罪に問われ、火刑に処せられた。しかし皮肉にも、その後、皇帝とその長男が熱病でつづけてこの世を去り、魔女の息子が皇帝の座につくことになったのだ。魔女であるからといって賢いわけではないのです、とマグレータはよく言ったものだった。

　あのころのわたしは、幼いうえに、怖いもの知らずだった。少年とはいえ、皇帝となった人を前にして、わたしは言った。「もう殺したのでしょ？　これ以上いじめないで」うまく言えなかったけれど、とにかく、小さな亡骸をいじりまわして楽しむことが許せなかった。

　ミルナティウスの美しい緑の瞳をもつ目が、怒りで鋭く細くなった。彼は弓矢を構え、わたしを狙った。一瞬にして死ぬかもしれないことは、幼いわたしにも理解できた。逃げたかったが、体が凍りついてしまい、心臓の鼓動さえ止まりそうだった。突然、ミルナティウスが高らかに笑いながら弓をおろし、嘲るように言った。「リスの女神さま、万歳！」彼は深く一礼をして立ち去った。その週は同じ庭園のどこで遊んでも、リスの死体に出くわした。それはたいてい庭師の目につかない庭の隅にあった。わたしの遊んでいた毬が転がっていった先に、マグレータとかくれんぼをしてしゃがみこんだ茂みに、まるでわたしを待っていたかのように腹を裂かれたリスの死骸があった。

わたしは、彼の罪を告発しようと考えた。わたしの証言は信じてもらえるはずだった。ミルナティウスの異様な美しさが、魔女の息子という出自が、すでに彼について、よからぬうわさを流していた。わたしはいちばんに、マグレータに打ち明けた。彼女はわたしから話を洗いざらい聞き出すと、厄介事はそれをつくる人のところにやってくるものですよ、と言った。つまり、リスと同じ目に遭わないように、これ以上事を荒立ててはならない、と。その日からコロンを去る日まで、マグレータはわたしを部屋の外に出さず、糸紡ぎで退屈をまぎらわさせた。食事もあわただしくすませ、すぐに部屋に引きこもるようにした。

あれ以来、わたしたちはこの件について話していないが、マグレータはわたしよりよく憶えているはずだ。四年前、皇帝の摂政を務めていたドミティア大公が亡くなったとき、その盛大な葬儀に参列するため、わたしたちはふたたび首都コロンを訪れた。若きミルナティウス帝は、今後は摂政をおかないことを宣言し、葬儀に集まった諸公たちに皇帝への忠誠をあらためて誓わせた。

そのときも、わたしたちはコロンに二週間滞在した。そのあいだ、マグレータはわたしにぴったりと付き添い、まだ女のしるしを見ていないにもかかわらず、わたしが顔を隠すベールなしで部屋から出ることを許さなかった。わたしの食事はすべて、彼女が部屋まで運びこんだ。ミルナティウスは、その葬儀の喪主だった。十六歳。背丈も伸びてよりいっそうおとなっぽく、美しくなっていた。黒い髪、異国人のような浅黒い肌、白くて美しい歯ならびに、宝石のように輝く淡い緑の瞳がよく映えていた。王冠をいただき、金色のマントをはおったさまは、教会の聖人像のようだった。わたしは薄いベール越しに、わずかに紗のかかった彼の姿を見つめていた。やがて彼がこちらに顔を向けたので、すばやく目を伏せた。わたしは小柄で、なおかつ諸公の娘たちのなかでも三列目の目立たない席にいたので、気づかれずにすんだはずだった。

けれどもいまから二週間後には、その皇帝がこの屋敷に父を訪ねてくる。今回ばかりは逃げも隠れもできない。父は豪華な正餐や森のイノシシ狩りではなく、三日間にわたって饗宴をもよおす計画を立てている。軽業師や手品師や踊り手たちを呼んで、皇帝と廷臣たちを楽しませる。そして、わたしのために新しい三着のドレスが注文された。その饗宴は、わたしのお披露目もかねているのだ。父は、皇帝を落とそうと試みるだけの価値はあると思っているようだ。魔力を宿した銀の指輪と首飾りと冠をつけた娘を釣り餌として皇帝の前に泳がせようとしている。

わたしは窓ガラスに映りこむ自分を見つめた。首飾りをつけたわたしに、父の目はなにを見たのだろう？　現実主義者の父をしてこれはチャンスかもしれないと思わせたものは、なんだったのだろう？　わたしにはわからない。あの首飾りを身につけたとき、鏡のなかの世界に見とれて、自分自身の姿をよく見ていなかった。父は愚かな人ではないからと自分に言い聞かせてみても、慰めにはならなかった。

わたしは縫い物をやめて窓辺に立ち、冷たい石壁に触れた。マグレータは部屋にもどってきても、まだしゃべりつづけ、甘いお茶のカップをわたしの手に押しつけた。わたしの好物のポピーシードのケーキもあった。料理長にうまく言って都合させたにちがいない。いつもはこんなよい扱いを受けてはいない。メイドがひとりマグレータのあとにつき、暖炉にくべる特別な薪を部屋に運び入れた。わたしを窓辺から暖炉のそばにもどそうとするマグレータに感謝を伝えたが、わたしは暖まりたくなかった。あの首飾りをもう一度身につけ、あの冷たさを肌で感じたかった。それがたとえ破滅をもたらすものだとしても、あの首飾りをつけて、あの鏡のなかの世界へ、どこまでもつづく深い冬の森へと入っていきたかった。

オレグのそりに乗りこんで家路についたのは、土曜日の日が暮れたあとだった。祖父の金庫室には、新たに二十枚の金貨をあずけてきた。そして手もとには、スターリクの白い革袋。金貨六十枚を入れた袋は、革が張りつめるほどふくらんでいる。そりが森に入ると、肩が緊張でこわばった。いつスターリクが目の前にあらわれてもおかしくなかったからだ。やがて深い森のなかを走っているとき、馬が速度をゆるめ、そのうち歩きはじめ、ついに黒々とした枝の下で完全に止まってしまった。

あたしはウサギのように耳を澄まし、あたりを見まわし、あの男があらわれる兆しをさがした。けれど、なにも見つからなかった。馬が足踏みしながら、鼻から白い息を噴いた。オレグは倒れこんでいなかったが、鞭を下におろしていた。

「なにか聞こえたの？」あたしはオレグに尋ねたが、かすれた声しか出せなかった。オレグは答えなかった。無言のまま御者席からおり、外套の下からナイフを取り出し、あたしに近づいてきた。ああ、魔法のほかにも警戒しなければならないものがあったのに……。あたしは毛布やわらの山を、オレグのほうに押し出した。けれど、それはあまりにも頼りない盾だった。

あたしはそりから飛びおりた。オレグが近づいてくるほうとは反対側に。「やめて……」やっと声が出た。「オレグ、やめて！」重いスカートに雪がまとわりついた。オレグが馬車を回りこんでくる。「オレグ、お願い……」オレグの顔はぴくりとも動かず、どんな冬よりも冷ややかだった。「これはあたしの金貨じゃないの！」彼のほうに革袋を差し出しながらも、懸命に訴える。「あたしのものじゃないの。これを、またもどさなきゃならないの――」

オレグは立ち止まらない。「もちろん、おまえのものじゃないさ」彼はうなるような声で言った。「おまえのものであるはずないだろう。このハゲタカ、守銭奴の小娘。正直な働き者から金を奪いやがって」彼の口から出てくることば、そのすべてに、あたしは聞き覚えがあった。またしても、あの物語だ。少しだけちがうところはあるけれど、オレグは自分が悪事をはたらいているとは考えたくないから、自分には奪う権利があると思いこみたいから、金貸しを悪者にする物語にしがみつく。なにを言っても、彼は聞く耳をもたないだろう。オレグはあたしの死体を狼にあたえ、金貨を外套に忍ばせて家に帰り、あたしが森のなかで迷子になったと町の人々に言いわけするのだろう。

あたしは、革袋をどさりと落とした。スカートを両手でしっかりとつかみ、腰近くまで積もった雪に足を取られながら後退した。オレグが突進してきた。身をかわそうとして、後ろに倒れた。あたしの重みで堅い雪面が割れて、雪の下に隠れていた茂みの枝がほおを引っかいた。起きあがれない。オレグはあたしを見おろすように立っていた。一方の手にナイフ。もう一方の手が伸びてきて、あたしの喉をつかむ。が、唐突に動きが止まり、オレグの両腕がだらりと垂れた。

オレグがあたしに哀れみをかけたわけではなかった。すさまじい冷気が彼を襲い、くちびるがみるみる青くなり、白い霜が濃いあごひげを覆った。あたしは震えながら立ちあがった。スターリク王が、オレグの後ろに立ち、飼い主が犬を制するように、片手でオレグの首を後ろからつかんでいた。

一瞬ののち、スターリク王が片手を離した。あたしと彼のあいだに、魂を抜かれたような、血の気のないオレグが立っていた。オレグはそのまま身を返すと、ふらふらと歩いて、そりの御者席にもどった。スターリク王は、オレグが離れていくのを見ていなかった。自分のしたことなど気にするようすもなく、あたしを見つめていた。その目が、オレグのナイフのように光っている。体が震えて、吐き気が込みあげた。涙がまつげに凍りつき、目をふさいだ。あたしはまばたきして目をしっかり開き、手をきつくこぶしに握った。それでどうにか震えが止まった。あたしは身をかがめ、深い雪のなかから革袋を拾いあげ、それを突き出した。

スターリク王があたしに近づき、それを受け取った。革袋の中身をすべて出すようなことはしなかった。そうするには中身が多すぎる。彼は袋から金貨をつかみとり、指を開いて金貨をこぼした。金貨が澄んだ音をたてて袋のなかに落ちた。彼の白い革手袋をした指と指のあいだに、最後の一枚の金貨が残り、陽光のような輝きを放った。彼は眉をひそめて金貨を、それからあたしを見つめた。

「金貨はぜんぶで六十枚あるわ」早鐘のような鼓動が少しおさまった。そうでなければ、あたしの心臓は破裂していただろう。

「これだけは約束しておこう」と、彼が口を開いた。「わたしを失望させれば、おまえは氷の柱になる。しかし、うまくやりとげれば、結婚の誓約と王妃の冠をあたえられる」彼は確かにそう言った。まるで本気であるかのよう、と同時に、自分のことばに自分で怒っているかのように。

ほんとうは、金貨を手に入れるより、あたしを氷の柱に変えたいのかもしれない……。「人間の乙女よ、家に帰るがいい。いずれまた、会う日が来るだろう」

あたしは絶望的な気分で、そりのほうを見た。オレグが凍りついた顔で御者席にすわっている。彼のそりには乗りたくなかった。でも、家まで歩くのは無理だ。近くの村でそりを手配できるかもしれないが、その村までさえ歩き着けないだろう。オレグは、そりを街道からはずれた場所まで走らせていた。ここがどこなのかもわからない。込みあげる怒りとともに振り返ったが、スタークリク王はすでに消えていた。あたしはひとり、雪で重くしなった松の枝の下にいた。そこにあるのは静寂と、雪の上の足跡。そして、雪の吹きだまりに、子どもが遊びでつくったようなくぼみ。あたしが倒れたときの体の輪郭がそこに写し取られていた。

立ちつくしていると、雪が降りだした。このままつづきそうな激しい降りが、あたしの背中を押した。あたしは用心深くそりに近づき、乗りこんだ。オレグは無言のまま鞭を使い、馬を出発させた。そりは街道には向かわず、森のなかへ、さらに奥深い森のなかへと進んだ。オレグに声をかけようかどうか迷った。答えが返ってきたら、震えあがるのではないか。いや、答えがなくても怖い。いっそ、このそりから飛びおりようか……。

ふいに木々が途絶えて、目の前に白い道があらわれた。氷の板のように平らで、ほのかに輝いている。そりの板がガタンと音をたて、つぎの瞬間には、白い道の上を飛ぶように走っていた。

静寂の世界で、重い蹄鉄を打ち込まれた馬のひづめがひたすら氷を蹴りつづける。まわりにそそり立つ木々の幹は白く、枝は白い葉を茂らせていた。あたしたちの土地の森では、樹木がここまで高く育つことはなく、冬には葉を落とす。木立のなかに白い鳥と白いリスの姿が見えた。そりの鈴の音が高く涼やかに響き、不思議な調べを奏でていた。

　あたしは後ろを振り返らなかった。この道のはじまりを見てしまいそうで怖かったから。毛布を引き寄せ、目を固く閉じた。そのうち雪面がバリバリと砕ける音がして、目をあけると、そりはすでにわが家の門の前にいた。あたしは這い出るようにそりからおり、ひたすら走り、玄関扉にたどり着いたところで、ようやく振り返った。走る必要などなかった。そりはすでにわが家から遠ざかり、オレグはあたしのほうを振り返ろうとさえしなかった。

8 スターリク王と皇帝ミルナティウス

「ねえ、ワンダ」と、ミリエムがあたいを呼んだ。彼女がヴィスニアから帰ってきた翌朝だった。「これをオレグの家に届けてくれる？　ヴィスニアとの往復に、銀貨一枚分を払うと約束していたの」彼女は、銀貨一枚分を借金から差し引くと書かれた証書を見せた。けれど、あたいと目を合わせようとしなかった。あごの裏とほおに引っかき傷がある。枝かなにかでこすったか、なにかの爪痕か、いったいどっちなんだろう？

「行ってきます」あたいは領収書を持ち、ショールを引っかけた。ところが小道を進んで角を曲がりオレグの家まで来ると、いつもとようすがちがった。あたいは足を止めて、道の反対側からようすをうかがった。ふたりの男が、オレグの骸を家から運び出し、教会まで運んでいこうとしてる。一瞬だけ、顔が見えた。オレグは目を見開いて宙をにらんでた。くちびるが青黒かった。オレグの奥さんが馬小屋のそばにしゃがみこんでいた。近所の人たちが集まってきてた。料理をよそった覆い付きの皿を持ってる人もけっこういる。そのうちのひとりが、あたいの前で足を止めた。ヴァルダという女だ。あたいが集金をはじめたころ、まだ少し借金を残してたから何度か会ったことがある。最後の支払いは三羽のめんどりだった。そのヴァルダが棘のある声で言った。

「あんた、なにがほしくてこの家に来たのさ。屍の肉かい？」

　酒屋のカイユスもクルプニク酒の湯気を上げるジャグをかかえて、妻と息子といっしょに来てた。「まあまあ、奥さん。きょうは日曜日だ。ワンダは集金に来たんじゃないよ」

　あたいは、すかさず言った。「ミリエムが、ヴィスニアにそりを出した代金、銀貨一枚分を借金から引くって、オレグに約束したんだ。その証書を持ってきたんだよ」

「ほらな」と、カイユスがヴァルダに言った。ヴァルダはカイユスをにらみつけ、つぎにあたいをにらんだ。

「銀貨一枚だってさ！」ヴァルダが、声を張りあげる。「オレグの子どもらを飢えさせ、ユダヤ人の財布をふとらせたあげくに、哀れな妻にかけるお情けがそれっぽっちかい。寄こしな、あたしが渡すよ！　あんたじゃだめ」

「では、どうぞ」あたいは証書をヴァルダに差し出した。ミリエムのところにもどると、オレグが死んだことを知らせた。馬小屋で死んで、発見されたときには白目を剝いて凍りついていたこと、そりはしまわれて馬もいつもどおりだったことなども。

ミリエムはあたいの話を聞き終えても、まだ黙っていた。あたいはしばらく突っ立っていたけど、ずっとそこにいてもしかたがないから言った。「山羊にえさをやってくる」それしかやることを思いつけなかった。ミリエムは黙ってうなずいた。

つぎの日、あたいは東の道に進んで、町へ集金に行った。町にはもう、うわさが流れてた。みんな、あたいにほんとうかと尋ね、そうだと答えると、悲しそうな顔をした。オレグは気前のいい大男で、酒場では友人によくビールやウォッカをおごってた。自分の家のたきぎを集めるときには、近所に住むおばあさんにも届けるのを忘れなかった。父ちゃんだって、家に帰ってオレグの死を伝えると、おおっと声をあげて残念がった。オレグの骸は火曜日に埋葬された。葬儀の参加者のなかで、一度も泣かなかったのは、オレグの奥さんひとりだけだったそうだ。

みんながみんな、オレグの死を話題にしたけど、だれひとり、スターリクのしわざだとは言わなかった。心臓が破れたらしいぜ、と、だれかが首を振って言った。そうか、残念だが、頑強な大男にもそんなことが起きるんだな……。もちろん、真冬のさなかに骸がカチカチに凍ってたことは不思議でもなんでもない。

あたいはだれともこれについて話すつもりはなかったけど、上の弟のセルゲイだけはべつだった。そのとき、あたいとセルゲイは、町へ向かう道に立っていた。月が静かな森を照らし、セルゲイは金貸しの家に行こうとしてた。ミリエムは、もう来なくていいとは言わなかった。セルゲイじゃスターリクに太刀打ちできるわけがないってわかってるだろうに……。

ミリエムは、あいかわらず、あたいらに一日につき銅貨一枚を払いつづけてた。セルゲイは、山羊の世話をするために来てるんだと自分に言い聞かせ、スターリクのことを考えないようにしてたのかもしれない。金貸しの家に通いつづけ、晩と朝に食事を食べさせてもらってた。あたいらは仕事からもどると、家に入る前に白い木のそばに銅貨を埋めた。

「あんた、憶えてる？」あたいが尋ねても、セルゲイは黙ってた。森のなかでセルゲイの身に起きたことについて、口に出すのは初めてだった。

話したくないという弟の気持ちが、あたいにはわかってた。でも、あたいはあんたの味方だし、あんたから聞いたことをべらべらしゃべるわけがない、と言うと、とうとう、弟は話しはじめた。

「ウサギの肉をさばいてた。そしたら、やつが大きなけものにまたがって、木立から出てきたんだ。そして、こう言った。『森はわたしが支配する、わたしの領土だ、おまえは盗人だ』。それから……」セルゲイは口をつぐんだ。妙にうつろな顔になり、首を振る。忘れてしまったのか、思い出したくないのか……。

「そいつが乗ってたけものは、ひづめが割れてたんじゃない？　そいつは、つま先の長い靴をはいてなかった？」あたいが尋ねると、セルゲイはこくりとうなずいた。

そうか、やっぱり同じやつだ。そして、そいつはただのスターリクじゃない。スターリクの王だ。嘘をついてるんじゃなけりゃ、そいつは、あの森すべてを支配する王だ。あの森は北の海岸までつづいてるんだって、市場で聞いたことがある。その森を支配するスターリク王が、金貨を求めてミリエムのところにやってきた。もし金貨を差し出さなければ、あの庭にミリエムの骸が転がることになるんだ。そして、骸のまわりには、あの先のとがった靴の足跡が……。

そうなると、もう借金を返さなくてよくなるかもしれない。ミリエムが死んだって聞いたら、父ちゃんは、これで返済はおしまいだって言い出すだろう。マンデルスタムの旦那さんが来ようが追い返す気まんまんで。いや、そうする必要さえないかもしれない。娘を亡くした金貸しの奥さんは泣き暮らすだろうけど、悲しんでいるときでも、あの人なら、あたいのことも気づかってくれる。奥さんはあたいに、もう借金は返さなくていい、あなたたちは充分働いたから、って言う……。それでも、あそこで働きつづけたかったら、金貸し一家から賃金をもらってることを父ちゃんに打ち明けなくちゃいけないってことだ。

でも、打ち明けたが最後、父ちゃんはあたいらが稼いだ金をふんだくる。毎晩町で呑んだくれ、酔っぱらって帰り、賃金を取りあげ、めしを出せって、あたいをぶつ。そんなことが、ずうっとつづくことになるんだ。

「賃金をもらってること、父ちゃんに話したほうがいいかな。ただし、額は少なめにして」あたいはセルゲイに言ってみたけど、弟はいやそうな顔をした。弟の気持ちもわかった。いまなら、父ちゃんは、あたいらをみじんも疑ってない。そりゃそうだろう。借金の返済のために働かせてる人間に賃金を払おうだなんて、どこのだれがそんな親切を思いつくかっていう話だよ。

だけど、賃金をもらってると知ったら、父ちゃんはあたいらを金貸しの家で働かせつづけようとするだろう。もちろん、あたいらが賃金の額をごまかしてないか疑って、金貸しの家まで行って、いくら払ってるのか尋ねるはずだ。マンデルスタムの旦那さんなら正直に言っちまうだろう。こっちだって、嘘をついてほしいなんて頼めるわけがない。頼んだとしても、旦那さんは悲しそうな目をして、父親に嘘をつかなきゃならない子らと、助けられない自分を哀れむだけだ。

そして、賃金のごまかしを知った父ちゃんは、これまでにいくらもらったんだと、あたいらを問いつめる。どこかに金を隠してるって、当然考えるだろう。金を隠すってことは、父ちゃんにとっちゃ、ベルトやあのでっかい手でぶつだけではすまない重罪だ。きっと火かき棒まで出してくる。そうして、隠し場所を明かすまで、あたいらを打ちすえるに決まってるんだ。

オレグを弔う鐘が鳴っていた。ヴィスニアから帰り着いて三日後、オレグは埋葬された。教会の鐘の音が、あたしには白い森のなかで鳴り響いたオレグのそりの鈴のように聞こえた。もしス

ターリク王に金貨を渡さなかったら、このあたしもオレグのように凍りついた亡骸になって発見されていただろう。けれども、渡したら渡したで、今度はべつのことが心配になってきた。これからどうなるのだろう？　あたしはあの白い牡鹿の背に乗せられ、厳寒の白い森に連れ去られるのだろうか？　異界の銀の冠を頭にのせて、冷たく白い森で永遠に暮らすことになるのだろうか？

あたしはこれまで、町の人たちが語る「粉ひきの娘の物語」を聞いて、金を借りた娘に心を重ねたことは一度もなかった。あたしは金貸しのほうに心を寄せ、金貸しの父さんを、あたし自身をかわいそうに思い、怒りを燃やしていた。でも、王と結婚できたからといって、幸せになれるとはかぎらない。ことにその王が、わらを黄金に変えなければ、容赦なく首を刎ねるような王である場合には。あたしは、スターリクの王妃になるくらいなら、王の奴隷になったほうがましだった。もしくは、氷の柱に変えられてしまったほうが……。

もはや彼のことを忘れてしまうことはなかった。彼はいつもあたしの頭の片隅にいて、日々じりじりと領土を広げていった。それは窓ガラスに霜が拡がっていくのに似ていた。あたしは毎晩、息を荒らげてベッドから跳ね起き、母さんに抱きしめられても逃げていかない自分のなかの冷気に、そして、あの銀色の瞳の記憶に身震いした。

「あいつに金貨を渡すことができたんだね？」ある朝、ワンダがあたしに尋ねた。いつもながら唐突な問いかけだった。

あいつがだれのことなのか、尋ね返す必要はなかった。あたしたちは山羊の世話をしていた。母さんが庭の少し離れたところにいた。泣きたくても、ここで泣くわけにはいかない。両親はともに疑いはじめていた。困ったような、つらそうな目であたしを見つめることが多くなった。あたしは手の甲でくちびるを押さえ、込みあげてくるものをこらえた。「そうよ」と、短く答える。

「金貨を手に入れることができたから」

ワンダはなにも言わず、口を真一文字に引き結んであたしを見つめた。喉が締めつけられた。

「もし……」と、あたしは切り出した。「もし、何者かがあたしを家から連れ去るようなことがあったとしたら、あなたはここにいて、父を助けてくれる？　父があなたがたに賃金を払いつづけるわ。おそらく二倍にして」そう言いながら、やりきれない気持ちになった。父さんと母さんを残して、あたしがいなくなることについて考えた。あたしはこれまで町のあらゆる家に、両親に敵対するような火種をつくってきたかもしれない。あの森の平地でのできごとがよみがえった。あたしは雪のなかにあおむけに倒れ、見あげればオレグの顔があった。まだ凍りついていない、赤らんだ、あたしへの憎しみに満ちた恐ろしい顔が……。

しばらく黙っていたワンダが、一語一語確かめるように言った。「だけど、うちの父ちゃんは、あたしを、家から出したがらないだろうね」飼い葉桶から頭を上げ、横目でちらっとあたしを見た。あたしは、驚いて彼女を見つめ返したけれど、すぐにどういうことか理解した。ああ、そうか、ワンダは父親に賃金を渡していないのだ。もし働いて毎日銅貨一枚が手に入るなら、父親がワンダを家においておきたがるはずがない。彼女は賃金を自分のふところにおさめているのだ。あたしは山羊にブラシをかけながら、考えつづけた。あたしはずっと、この件に関して彼女ではなく、彼女の父親、ゴーレクと契約を交わしたつもりでいた。ゴーレクが娘を畑で働かせるより少々割のいいお金を渡していたつもりだったのだ。まさか、ワンダ自身がお金を欲しがっていたなんて……。

「嫁入りの持参金をためたいの？」と尋ねた。

「まさか！」彼女は強く否定した。

じゃあ、どういうこと？　なぜ賃金のことを隠しておこうとするのだろう？　これまでに彼女とその弟に合わせて銅貨十二枚を支払った。でも、彼女の服はあいかわらずぼろぼろだし、木の皮で編んだ粗末な靴をはいている。ゴーレクの家に初めて集金に行ったとき、家も農園もひどく荒れていた。貸したお金はどこへ行ってしまったのか。

あたしはゆっくりと尋ねた。「あなたの父さんは、借りた六枚の金貨で、なにをしたの？」

ワンダはそれを話してくれた。もちろん、知ったからといって、ほとんど助けにはなれない。ゴーレクは彼女の父親だ。お金を貸してくれる人からお金を借りるのは彼の自由。それをどんな愚かなことに使おうが、彼の自由だ。借金の支払いのために娘を働かせようが、娘が稼いだ金を奪おうが、あたしにはどうすることもできない。ワンダが結婚を望まないなら、父親から逃れる道は断たれているのも同然だ。ワンダは稼いだお金をどうしたか言わなかったけど、それを使うことはできないだろう。ただお伽ばなしのドラゴンの財宝のように洞穴にためこむだけ……。なにかに使った時点で、お金を持っていることが父親にばれる。だから、もっとましな服も靴も買わなかったのだ。

近頃、ゴーレクが町に出てこなくなったのは、ワンダにとって幸運だった。もしゴーレクになにか言われたら、つまり貧乏人から甘い汁を吸っているとか、その手のことを言われたら、あたしはかっとなり、すぐに言い返していただろう。そうなったら、彼は事実を知る。その先になにが起こるかはあまり考えたくない。返せるあてもない銀貨四枚を酒と博打に使ってしまうような見境のない男なのだから、娘を働かせればお金が入りつづけることなど頭から消し飛んで、流血沙汰になるまで娘を殴りつけたとしてもおかしくはない。

「だったら、あなたの父親にこう言えばいいわ。あたしがお金持ちの男と結婚することになって家を出ていったって」あたしはワンダに言った。これはある意味では真実になるかもしれない。「でも、家に帰ったときには、すぐに帳簿を調べるだろうって」そして、これも嘘じゃない。「そして……そして借金の返済がすんだら、あなたと弟をこの家に通わせる見返りに、あたしが週に銅貨一枚を払う、そう言ってると伝えればいいわ。支払いはまとめて月に一度。あたしはすぐに、ひと月分の銅貨四枚をゴーレクに渡す。もし彼がそれを使ってしまえば、また借金をつくることになるわ。そうなれば、彼には、あなたたちをこの家に通わせるのを拒むことはできない。そして、翌月も同じことをするの」

ワンダが一回だけ深くうなずいた。同意のしるしだ。あたしはとっさに、片手を差し出していた。ワンダがそれをしげしげと見おろした。あたしたちの狭間で行き場を失った手がなんだかばかみたいに思えて、あたしが片手を引っこめようとした瞬間、彼女の手が、大きくて、幅広で、指先が赤く荒れた手が伸びてきて、あたしの手をつかんだ。ぎゅっと力を込められると少し痛かったけれど、そんなことはちっとも気にならなかった。

「明日またヴィスニアに行くわ」あたしは気を落ちつけて言った。ヴィスニアの街の周壁がスターリクへの守りになるとは思えないけれど、ないよりはましだった。少なくとも、家にいないほうがいいことはまちがいない。あいつがわが家の庭のいたるところに足跡を残していくようでは、町に悪いうわさ話が流れはじめるだろう。「あいつが来るとき、あたしはあの街にいる必要があるの」あたしは宝石職人アイザックのことを、スターリクの銀貨をどうやって金貨に変えたか、その一部始終をワンダに話した。

けれども、母さんには黙っていた。「こんなすぐに、またヴィスニアへ行くの？」と母から言われたときも、スターリクについて思い出させるようなことは言わなかった。心配されるより、困惑されるほうがまし。母が忘れてしまったことは、あたしにしてみれば、ありがたかった。

「またエプロンを仕入れにいこうと思って」と、あたしは母に言った。その午後、帳簿の確認をすませたあと、外に出て、わが家をながめた。いまでは大工に頼んで取り付けてもらった鎧戸がある、こぢんまりとした一軒家。庭には、鶏の小さな群れと、騒がしい数頭の山羊がいる。あたしはバスケットを手に、時間をかけて町のなかを歩いてみた。なぜそうしたのかわからない。市の立つ日でもないし、集金はすでにワンダがすませていた。町ですることなど、なにもなかったのに、それでもあたしは町を歩いた。

町はなにも変わっていなかった。変わったことがあるとすれば、あたしが通り過ぎるとき、だれもが顔をしかめるようになったこと。かつてなら、つぎはぎのある靴とくたびれた服のあたしがあらわれると、にやにや笑ったものなのに。そんなとき、彼らはぜったいに返すつもりのない、彼らのふところにおさまったお金のことを考えていたのかもしれない。

あたしは、自分が町を歩いた理由がわかったような気がした。町の反対の端まで道を歩き、またもどってきた。わが家に帰り着いたときには、この町を離れることが少しも悲しくなくなっていた。なじんだ土地だけど、この町は好きじゃない。この町の人たちも好きになれない。彼らに好かれなくてもいい。彼らに厳しくしたことも悔いていない。よかった、むしろとてもよかった。

町の人たちは、あたしが母を亡くしたら、父を見捨てて去っていくだろうと思い、それを望んでいる。あたしが祖父の家に物乞いに行けばいいと思っている。祖父の家の台所で、おとなしいネズミとして一生過ごせばいいと。

町の人たちは、あたしの家族からお金を吸いあげ、骨の髄までむさぼろうとした。それを悔いることもなかった。彼らの餌食になるくらいなら、スターリク王の手で、氷の柱にされるほうがましだ。少なくとも、スターリクは隣人のふりをしないから。

もうオレグにはそりを頼めないので、翌朝、あたしは市場の道に立った。そのうち、これと思う御者を見つけたので、手を振って、そりを止めた。海辺の地方から来た塩漬けニシンの樽を積んだ大きなそりだった。あたしは銅貨五枚でヴィスニアまで運んでくれないかともちかけた。もっと払うこともできたけれど、痛い目に遭ったおかげで学んでいた。だから今回は、年季の入ったそりと年老いた御者を選んだのだ。襟と袖に毛皮をあしらった上等のドレスを隠すために、父さんに毛皮の外套を買ってあげたので要らなくなった古い毛織物の外套をはおっていた。

老いた御者は、ヴィスニアまでの道中、孫自慢をつづけ、あたしの歳を知りたがった。未婚のあたしより一歳年下の孫娘がすでに結婚していることをうれしそうに語った。そして、ヴィスニアまで行くのは婿さがしのためか、とあたしに尋ねた。「さあ、どうかしら」と答えたら、ふいに緊張がほどけて、あたしは笑いだしていた。やっぱり、そんなのぜったいにありえない。スターリクの王さまがあたしと結婚？　まさか、まさか……。魚臭い荷台に乗って、泥だらけのブーツをはいて、つぎはぎだらけの外套を着て、かかしみたいにみすぼらしいこのあたしに、スターリク王がなにを求めるというのだろう？

あたしは、お伽ばなしに出てくるような王女でも金髪の田舎娘でもない。スターリク王にとって、あたしがユダヤ人であるのはどうでもいいことらしいけど、あたしはちびで、痩せっぽちで、肌の浅黒い娘だ。鼻柱のまんなかに段があるし、目や口と比べてどう見ても鼻が大きい。

いや、そんなことより、はっきり言って、あたしはまだ、だれとも結婚したくない。結婚の縁をとりもつ仲人に相談するのは、あと二年待ったほうがいい、と祖父から助言されていた。二年たてば、あたしはもっとふっくらしているし、持参金もふくらんでいるだろう。そうなればきっと、妻に美しさだけでなく、それ以外の資質を期待するだけの分別があり、かといって容姿を完全に無視するほど強欲ではない夫とめぐり合うことができるだろう、それが祖父の考えだった。

そう、あたしの夫としてふさわしいのは、本質を見抜く目をもった良識ある人、心に偽りなくあたしを求めてくれる人だ。けれども異界の王にとって、あたしは求める価値などない人間だ。そうだ、スターリク王はあたしをからかっただけ。彼は、あたしが彼の難題を叶えられるとは、はなから信じていない。本気であたしとの結婚なんか望んでいない。もしあたしが三番目の革袋も金貨に変えてみせたら、彼は地面に穴があくほど地団駄を踏んでくやしがるだろう。いいえ、そうじゃない……。はたと冷静になって考えた。彼の予測をくつがえしたことへの腹いせに、あたしは、やっぱり氷の柱にされてしまうだろう。銀を金に変えても変えなくても、あたしは氷の柱にされる運命なのだ。思わず両腕をさすりながら、木の間に目をやった。スターリクの道があらわれる兆しはなかった。あるのは、黒い木々と白い雪、そりの下を飛ぶように流れていく凍った雪面ばかりだ。

ヴィスニアの祖父の屋敷に着いたのは、日の入りの直前だった。おばあちゃんは、こんなにすぐに会えてうれしいと三度もくり返し、母の体調はどうか、前回仕入れた品物はすべて売れたのかとあたしに尋ねた。おじいちゃんは、濃い眉毛の下からじっとあたしを見つめて言った。「さあ、おしゃべりはもういいから、夕食にしよう」

食事のあいだ、あたしは心配事を頭の隅に追いやり、エプロンを市場で売った話をした。川の氷が溶けたら祖父が出すという船で毛の紡ぎ糸も運んではどうか、たくさんではなくて最初は少量から、という話もした。祖父の屋敷が煉瓦塀に囲まれているのはありがたかったけれど、その煉瓦のように食卓の会話も堅苦しくて味気なかった。

ところがその夜、居心地のよい居間で祖母といっしょに編み物をしていると、奥にある台所の戸がガタガタと鳴った。かなり大きな音だったのに、祖母は頭を上げなかった。あたしは編み物をおいて立ちあがり、その戸にゆっくり近づいた。そして戸を引きあけた瞬間、後ろへ飛びすさった。

スターリク王がいた。そして彼の背後にあるはずの、細い通路がなかった。煉瓦塀もなかった。となりの家も、彼の足もとにあるはずの半解けの雪も。彼は完全な戸外に、白い木々に囲まれた平地に立っていた。その背後には白い氷の道が果てしなくつづき、灰色の広い空が地上の冷たい光を映していた。一歩でもこの家から出れば、二度とこの世界には帰ってこられないような気がした。

三度目は、革袋ではなく箱だった。戸口におかれた、骨のように青白い木でできた、小ぶりの木箱。白い革製のストラップがつき、蝶番と留め具は銀でできていた。あたしはひざまずいて、木箱のふたをあけた。

「今回は、七日間あたえよう。わたしがまた来るまでに、わたしの銀貨を金貨に変えておけ」歌うような朗々とした声でスターリク王が言った。あたしは木箱いっぱいの銀貨を見つめた。これだけのスターリク銀があれば、月や星をつかむ夢さえ叶えてくれそうな銀の冠がつくれることだろう。イリーナがその冠をかぶれば、皇帝だって彼女と結婚したがるにちがいない。

スターリク王は、鷹のように獰猛な銀色の目であたしを見おろして言った。「おまえは愚かにも、人間界の道を使って、わたしから逃げられると思ったのか？ 人間界の壁で、わたしを避けられると思ったのか？」いや、あたし自身だってそうは思っていなかった。「わたしから逃れられると思うな、人間の乙女よ。いいか、七日間だ。おまえがどこへ行こうが、わたしはおまえの

クがあたしを振り返って、「こっちに来て」と言った。彼は、冠の均衡を調べるために、それを鏡の前に立つあたしの頭にのせた。冠はひたいに落ちる粉雪のように冷たく、まったく重さを感じさせなかった。店の鏡を見ているはずなのに、深い井戸の底に映る自分をのぞいているような奇妙な感じにとらわれた。真夜中の銀の星々がひたいで輝いている。市場の喧噪が遠のき、あたしのまわりに広がる波紋だけになった。その静けさは、スターリク王が立っていた、あの白い木に囲まれた平地を思い起こさせた。わっと泣きたいような、逃げ出したいような気持ちになった。でもそれをこらえて、冠をアイザックに返した。彼は冠を麻の布と黒いベルベットでていねいに包んだ。そしてついに、店の前の騒がしい人だかりが左右に開き、通り道をつくった。

祖父の召使いたちに守られながら、あたしたちは公爵邸まで進んだ。公爵邸は、二日後に到着する皇帝を迎える準備にあわただしく、屋敷全体が興奮を包みこんでいた。公爵の計画をだれもがうすうす知っているのか、廊下を通るとき、召使いたちの視線はアイザックが手にした、そのかたちからすぐに冠とわかる包みに釘付けになった。今回は、前よりましな控えの間に通された。ほどなくあの付き添いがあたしを迎えにきた。「あなたが持ってきてください。殿方はここでお待ちを」彼女はそう言って、胡散臭げに男たちをじろりとにらんだ。

あたしは彼女のあとについて最上階に上がった。案内されたのはふた間つづきの部屋だけど、一階や二階の部屋とは比べものにならないほどせまかった。あの地味な令嬢は、これまであまりたいせつに扱われてこなかったのかもしれない。令嬢イリーナは、鏡の前に背をまっすぐにしてすわっていた。銀灰色のドレスとその下からのぞく純白のスカート。ドレスの襟ぐりは、首飾りを際立たせるように、前に見たものより深くなっていた。長く美しい髪は、これからまとめるために、三つ編みに結われている。彼女の手が前に垂れた三つ編みを握っているが、緊張しているせいか、指先どうしを落ちつきなくこすり合わせていた。

付き添いの婦人が三つ編みをピンで頭に沿わせていき、あたしは包みを解いて銀の冠を取り出した。冠は慎重にイリーナの頭にのせられた。十数本のろうそくのもと、冠がまばゆく輝き、付き添いの婦人がイリーナを見つめ、無言のまま、目を大きく見開いた。イリーナがおもむろに立ちあがり、鏡に映る自分に一歩近づいた。鏡のなかの自分の存在を確かめるかのように、彼女の片手が鏡に向かって伸びた。

この異界の銀に人間を魅了するどんな魔力が宿っていたとしても、その魔力は何度も見ているうちに目減りするのかもしれない。少なくとも、あたしにはもう効かなかった。もっと効けばいいのに、と思った。魔力に惑わされ、心のなかの煩わしいことがぜんぶ消し飛んでしまえばいいのに……。でもそうはならず、あたしは鏡に映るイリーナを見つめた。冠をのせた自分を見つめる、心ここにあらずといったようすの、ほっそりとした青白い顔。彼女は皇帝との縁組みを、この静かなこぢんまりとした部屋から遠い土地の宮殿に向けて旅立つことを、はたして喜んでいるのだろうか。

突然、彼女が鏡に伸ばしていた手をおろし、後ろを振り返った。あたしたちの目が合った。ことばを交わしてもいないのに、あたしたちは姉妹みたいだ、と、そのときなぜだか思った。イリーナも自分ではどうすることもできない運命に翻弄されている。そう、あたしも同じだ。

部屋の扉が開き、公爵が冠と娘を検分するために入ってきた。扉口に立つ公爵に、イリーナがひざを折って挨拶した。ふたたび身を伸ばしたとき、冠のバランスを保つためにあごを少しだけ上げた彼女には、すでに皇后の風格がただよっていた。公爵は、これがほんとうに自分の娘なのかと疑うように、イリーナを見つめた。そして首をかすかに振り、あたしのほうを見て言った。「けっこう、よくやってくれた。お嬢さん、金貨をお持ちなさい」彼はためらいもなくあたしにていねいなことばを使って言った。

こうして契約が成立し、あたしたちは公爵から金貨千枚を受け取った。スターリクの白い木箱がふたたび満杯になり、手もとには四百枚の金貨が残った。これはひと財産だ。とはいえ、いまのあたしに、このお金はいったいなんの役に立つっていうのだろう……。

祖父の召使いふたりが金貨の入った木箱と革袋を屋敷まで運んでくれた。祖母が驚きの叫びをあげるのを聞いて、二階から祖父がおりてきた。祖父は木箱と革袋を見てとると、地下金庫にあずけることになる革袋のなかから金貨四枚を抜き出し、ふたりの召使いに二枚ずつあたえて言った。「一枚を使い、一枚を貯えよ。それが賢人のやり方だ」ふたりの召使いは深々と頭をさげると、笑みをこぼし、互いをひじで小突き合いながら部屋から出ていった。

そのあと祖父は、あたしの幸運を祝うチーズケーキを食べたいと言い、それを口実に祖母を遠ざけた。祖母が台所に向かうと、祖父はあたしのほうを振り向いて言った。「さあ、ミリエム。なにもかも話してごらん」あたしは、わっと泣きだした。

両親には話さなかった。おばあちゃんにも話さなかった。でも、おじいちゃんにだけ、あたしはすべてを語った。祖父ならこの話に耐えてくれるだろうと信じていたからだ。両親だとそうはいかない。両親はきっと、打ちひしがれて、死にもの狂いであたしを救おうとするだろう。あたしには、あたしの運命を知った両親が、なにをするかが見える。ふたりは体を張って壁となり、スターリク王からあたしを守ろうとするだろう。だから、あたしは連れ去られる前に、倒れて凍りついた両親の亡骸を見なければならない。

あたしはもう、自分の連れ去られる運命を疑っていなかった。以前なら、そんな道理に合わないことは考えなかった。異界の王にとって人間の女がなんの役に立つのか。金貨六百枚の持参金をかき集めてきた花嫁がなんの自慢になるのか。でも、いまはわかる。スターリク王は、銀を金に変えられる王妃を求めているのだ。人間であろうとなかろうと関係ない。現に、スターリクの騎士たちは、これまでもさんざん黄金を求めて、人間を襲ってきた。

けれど、あたしが泣きながら話すのを黙って聞いていたおじいちゃんは言った。「少なくとも、そのスターリクの男は、愚か者ではないな。それも理にかなった、妻を求める理由になる。どんな王国にとっても、金貨六百枚の価値は大きい。その王とやらについて、おまえはどれだけ知っているのかな？」あたしは涙に濡れた顔を祖父に向けた。祖父は肩をすくめた。「おまえの望みとはちがうかもしれない。しかし、この人生に、王妃になるよりもつらいことはいくらでもあるだろう」

祖父は、そんなふうに語ることによって、あたしにひとつの贈り物をくれた。つまり、これがごくふつうの縁組みであるかのようにふるまってみせること。真実はどうあれ、あえてそうすることが、心に明かりを灯してくれた。あたしは嗚咽を呑みこみ、涙をぬぐった。そう、うんと突き放して見るなら、貧乏な家に生まれた娘にとって、これは玉の輿だとも言える。あたしが落ちつきを取りもどすのを見て、祖父がうなずいた。「それでいい。頭を冷やして考えてごらん。王さまというのは、ほしいものをみずから乞うことはない。礼をつくさずとも手に入れられることを心得ているからだ。さて、おまえには、ほかに意中の人がいるのかな？」

「いいえ」あたしは小さく首を振った。前日、公爵邸からアイザックともどってきたときのことをふいに思い出した。アイザックは、自分の分け前を受け取って別れていくとき、喜びに顔を輝かせて言った。「きみのおじいさまに、明日うかがうと伝えてくれないか。ぼくから話があると」

つまり、これだけの大金を手にしたのだから、バシアとの結婚をこれ以上引き延ばす理由はないということだ。あたしはそのときバシアに対して、炎に焼かれるような嫉妬を覚えた。でもだからといって、アイザックが意中の人というわけじゃない。あたしは、職人として確かな腕と美しい茶色の瞳をもつ若者に嫁ぐバシアに嫉妬した。結婚しても同じ土地に暮らし、あたしが手助けして得た金貨を元手に、愛の暮らしを営んでいけるバシアを妬ましく思った。

「おまえは、おまえの財産をたずさえて、その男のもとへ嫁いでいけばいい」祖父は、あたしの心を見抜いたかのように、白い木箱を示しながら言った。「おまえがもたらすものの価値を認められる知恵をもった男だ。ただし、その男は、おまえの価値がまだほかにもあることに、気づいていないかもしれないな。もちろん、あるに決まっているじゃないか。さあ、胸を張りなさい」

祖父はあたしのあごに手をそえ、上を向かせた。「顔を上げるんだ、ミリエム」あたしはうなずいた。くちびるを固く結び、もう涙は流すまいと心に誓った。

皇帝ミルナティウスは、四頭の馬が引く、黒と金に塗られた屋根付きの箱形そりで到着した。冷気のなかで、黒い馬たちが鼻から白い息を噴き、足を踏み鳴らした。そりの後部に立ち乗りし

ている兵士もいたが、多くは騎兵で、きびきびと動く軍隊式の隊列を組んで前後を固めていた。ほかにもおおぜいの従者や物資をのせたそりがあったはずだが、皇帝用のそりの扉が開き、一陣の風が雪を散らし、皇帝本人がおりてくるというときに、ほかに注意を向けるのはむずかしかった。

皇帝は黒ずくめのいでたちで、厚手の毛織りの外套には、きらびやかな金糸で繊細な刺繍がほどこされていた。黒い髪は巻き毛で長い。灯火に魅入られる蛾のように、だれの目も皇帝に吸い寄せられた。

皇帝はわたしの父に、いくぶんおざなりな感じで挨拶した。これまでの旅について父から尋ねられると、冬のきびしさと狩りの獲物の貧弱さについて、やんわりと不平を言った。その指摘は、皇帝の滞在中に狩りが予定されていた場合、父のもてなしを巧みにおとしめることになる。皇帝は狩りも予定に入っていると考え、それとなく父を威圧したのかもしれない。父は一礼してから言った。「仰せのとおりです。昨今は狩りがつまらなくなりました。しかし、大広間でもよおす饗宴は、皇帝陛下にもかならずお楽しみいただけることでしょう」そのとき、ミルナティウスがふいに足を止めた。

わたしは自室のカーテンに隠れるように下のようすをうかがっていたのだが、皇帝がこの屋敷を見あげた瞬間、さっと身を引いた。野原を見晴るかす鷹のような目が、飛び立つ獲物をさがすように、この屋敷の窓のひとつひとつを調べていた。幸いにもその視線は、わたしの部屋の小窓にとどまることなく、ふたたび一階にもどった。わたしは最上階のせまい部屋を取り替えてはもらえなかった。皇帝の滞在中は、彼に取り入りたい客人もおおぜい押し寄せるため部屋が不足していたし、父は、わたしがすぐに表に出ていくことを望んでいなかった。

ミルナティウスが自分のために散財する者がいることを喜ぶように、にんまりと笑った。「それは楽しみだ。ときにエルディヴィラス、ご家族はつつがなくお過ごしだろうか？　かわいいイリーナもりっぱな女性に成長されたにちがいない。美女だといううわさを聞いたような気がするが」もちろん、父をからかっているのだ。そんなたぐいのうわさなどあるはずがないのだから。わたしは父の旅のお供をしてきたから、廷臣たちはわたしが若き皇帝を振り向かせるような美しい娘ではないことをよく知っているはずだ。

「家族はみな元気です。イリーナも健やかに育ちました。父親として神に祈るのは、子が健やかであることばかりです」父が返した。「父親以外の男性の目に、わが娘が見目うるわしいかどうかはわかりません。しかし、正直に申しまして、わが娘には特別な輝きがあります。ここにご滞在のあいだに、皇帝陛下にもそれがおわかりいただけますでしょう。娘もそろそろ婚期を迎えました。できるものなら、わが娘にふさわしいよき結婚相手を見つけたいものだと思っております」

あからさまな、宮廷人なら眉をひそめかねない無作法な娘の売り込みだったが、それでも父は目的を果たしたようだ。ミルナティウスの顔から、相手をからかって楽しむときの小意地の悪い表情が消えた。彼は考えをめぐらすように眉根を寄せ、父につづいて屋敷のなかに入った。政治的には釣り合いのとれない縁組みにもかかわらず、父が自分の娘を皇后にしたいと真剣に考えているのだと皇帝は理解した。父が夜の闇と強い酒の助けを借りて醜女を美女と見せかけ、皇帝の寝室に忍びこませるような愚かな手合いではないことも、よくわかっているはずだ。つまり、この申し出にはなにかふつうではないことが隠されていると、皇帝は感じたにちがいない。

　屋敷に入った皇帝一行が、戸外の寒さを避けてなかで待っていた義母や幼い弟たちの出迎えを受けているとき、わたしはまだカーテンの陰から、皇帝に随行する兵士や廷臣や従者たちが馬やそりからおり、屋敷のそれぞれの場におさまっていくのをながめていた。もう見物の山場は過ぎていた。このせまい部屋にもメイドがひしめき、彼女らもさっきまでは窓に群がって下を見おろしていたのだが、いまはそれぞれの仕事にもどっている。椅子にすわって縫い物をする者もいれば、暖炉の前におかれたバスタブからバケツで湯を汲み出す者もいる。少し前、そのバスタブで、わたしはひとりのメイドに体を、もうひとりに髪を洗われていた。

「お嬢さま、失礼いたします」バケツを手にしたメイドが、おずおずと声をかけてきた。この窓の下には、庇と雨樋がついているので、お湯を捨てるのにこの窓を利用したいのだ。わたしは窓辺をメイドにゆずった。肩や背中に垂らしたわたしの洗い髪から銀梅花の匂いがする。マグレータは、湯浴みのときに銀梅花の枝をお湯に沈めながら、なにくわぬ顔で言った。「よい匂いがするだけでなく、銀梅花は、魔除けになるそうでございますよ」

湯浴みのために暖炉が盛大に焚かれたので、メイドたちは汗をかき、ほおをほてらせながら、急ぎの針仕事をしていた。わたしはそんなあわただしさから距離をとっていた。ここにいるメイドたちにはほとんどなじみがない。顔と名前ぐらいはわかるが、ふだんはそんなに関わり合うこともない。義母のガリナがこの屋敷を切りまわし、すべてのメイドを雇い入れている。だから、彼女はすべてのメイドをよく知り、よくことばを交わす。メイドたちはガリナのためならよい仕事をする。そして、ガリナは家事を監督する仕事をけっしてわたしと分け合おうとはしない。彼女自身の実の娘なら、こんなふうにはならなかっただろうけれど。

でもガリナがわたしに意地悪かというと、そんなことはない。きょうも裁縫上手なメイドを寄こしてくれた。ただし、彼女が皇帝の訪問を喜んでいるのは、自分のドレスを新調する口実になるからだ。もちろん、万が一にもわたしが皇后になれば、彼女はおおいに満足する。ただし、皇帝の到着をのぞき見ていたメイドたちは、みんな疑わしげな目でわたしを見た。わたしだって、自分が皇后になることなどありえない、と言いきってみたい。しかしメイドたちはまだ、わたしが銀の首飾りや冠をつけた姿を見ていない。それを見たマグレータだけが、わたしが見ていないだろうと思うと、憂い顔で手をもみ合わせ、見ていると思うと、わたしを勇気づけるような明るい笑みを顔に浮かべてみせるのだ。

メイドたちはいま、嫁入り支度にする亜麻布のシーツやクロスを縫っている。わたしの夜会用ドレスはすでに仕上がっていた。濃淡の異なるグレーのドレスが三着。ならべると冬の空のようだった。三着とも飾りはつけず――わずかに白い刺繍を入れる程度にとどめて――上等な絹織物で仕立てるように、父が注文をつけた。

きのう、最後の仮縫いのためにそのうちの一着を着ているとき、宝石屋の娘が銀の冠を持ってやってきた。娘は冠をマグレータに渡し、マグレータがそれをわたしの頭にのせた。鏡のなかで、わたしは氷の世界の深い森の女王のようだった。わたしは鏡のほうへ手を差しのべた。指先が急に冷たいものに触れ、鋭い歯に咬まれたような痛みが走った。鏡のなかの世界がもしもほんものなら、この白い世界に逃げていけないものだろうかと考えた。けれど指先の痛みは、あの凍りついた世界に入ったが最後、命の保証はないという警告のようでもあった。

憧れと恐れを感じつつ鏡に背を向けたとき、宝石屋の娘と目が合った。痩せていて、険しい顔つきをしているけれど、おそらくわたしと同い年か少し年上だ。彼女は、わたしが鏡のなかに見ていたものをすべて知っているかのように、わたしを見つめていた。彼女に尋ねてみたいことが――この冠はどうやってつくったの？　この銀はどこから来たの？――つぎつぎに頭に浮かんだ。しかしどうして彼女に答えられるだろう？　彼女は使いの者、ただの雇われ人だ。おりしも父が部屋にあらわれたので、宝石屋の娘に話しかけることさえできなくなった。父は、値切ることもなく娘に冠の代金を支払った。わたしが皇后の座につくとしたら、父にとっては安い買い物なのだ。それに、義母が結婚のときに持ってきた大きな収納箱の金貨は、まだ半分も使われていない。

皇帝一行が屋敷内に落ちついてしばらくたったころ、義母のガリナがわたしの部屋を訪れた。魚の群れがせわしなく行き交う水のなかにあっても、彼女のしたたかさは、つねにさざなみの下にひそんでいる。「なんという騒ぎでしょう」ガリナは言った。「ピョートルがなかなか寝つかなくて困ったものだわ。あなた、髪はもう乾いたの？　あらまあ、なんと長い髪！　結ったところしか見ていないから、こんなに長いということを忘れていたわ」彼女は手を伸ばして、わたしの頭をなでようとした。が、その手を止めて、にっこりしただけだった。もしなでられていたら、わたしは不快感をあらわにしただろう。でも、なでられなかったことがほんの少し残念でもあった。しかしほんとうに、心から残念に思うのは、十年前に彼女がそうしなかったことだ。当時のわたしはまだ幼くて、怒りっぽくて、母を知らない、ガリナにとってはほかの女の生んだ子ども――もしかしたら父が彼女よりも愛した女の子ども――だった。だからこそあのとき、触れたほうがいいとわかっていながら、彼女はわたしに触れなかったのだといまになって気づく。

けれども、ガリナがわたしを愛さなかったことも、わたしに愛を求めなかったことも、そう悪いことではなかった。そこに愛があったとしても、彼女にはわたしの運命をどうすることもできなかった。皇帝は魔法使いだと訴えたところで、父は動じないし、否定もしないだろう。皇帝の母親が魔女だということは周知の事実だ。しかしそれでも父は、皇帝が黒魔術に落ちて身を滅ぼす前に、急いで子をつくれと言うだろう。そうすれば、わたしはつぎの皇帝の母、その子は父の孫。父にとって、その子は新しいコマとなる。その子が幼いうちに都合よく皇帝が死に、つぎの皇帝のために摂政を必要とする場合はなおさらだ。

そのような結婚が、わたしに苦悩と嫌悪しかもたらさないとしても、それは父にとっては、戦場に征くことの苦悩や嫌悪と同じにちがいない。父は戦功をもって一族の地位を押しあげた。それをさらに高みへと押しあげるのが、わたしの務めだと考えている。父はためらいなく、自分が忍従して地位を手に入れたように、わたしにも忍従を求めるにちがいない。

そんな状況で、ガリナが、父の意向に逆らってまでわたしを助けようとするはずがない。彼女自身も地位のために忍従を差し出したひとりだ。ガリナは未亡人で、子がなく、ひとりで裕福に暮らしていた。しかし金貨で満杯の収納箱とともに父に嫁ぐことで、彼女は公爵夫人という地位を手に入れた。そしてつぎは皇帝の義母になるかもしれない。彼女自身の投資に対して、それは充分な見返りと言えるだろう。

マグレータが言った。「はい、奥さま。イリーナさまの髪は乾いています。そろそろ、支度にかかりましょう」彼女は部屋の片隅におかれた椅子にわたしをいざない、両手をわたしの頭においた。髪のもつれをいつにも増してそっと、やさしくほぐしながら、わたしが子どものころ好きだった歌を歌った。賢い女の子が森に住むバーバ・ヤガー〔スラブ民話に登場する、森の家に住み人間を襲うと言われる、がりがりに痩せた妖婆〕から逃げるという歌だ。

マグレータは彼女の望みどおりにたっぷりと時間をかけて髪にブラシをかけ、三つ編みを結い、それを冠のように頭に巻きつけた。そこへ、父の執事がやってきた。ノックに応えて扉をあけたが、彼は宝石箱をかかえたまま、扉からなかへは入ろうとしなかった。今夜は銀の指輪だけをはめ、あすの夜は首飾りを足し、あさっての夜はさらに冠を足すことになっていた。もちろん、冠まで至らずに、話がまとまるかもしれない。べつの装身具をつけることも考えてみないではなかった。母が遺した銀の装身具で、ガリナがほしいと主張しなかったものをいくつかもっていた。そのなかには指輪もあった。美しく磨きあげられているけれど、それをわたしがはめても、だれもわたしの指には注目しないだろうし、わたしを美しいとも思わないだろう。

だが、父にはちがう指輪をはめていることがわかってしまうし、明日の夜の首飾りとなると、それの代わりになるようなものはわたしの宝石箱のなかにない。今夜、皇帝はわたしの姿を確認するつもりでいるだろう。彼はきっと眉をひそめ、もう一度、わたしを見つめるにちがいない。

そして明日の日中は、わたしのことが頭の隅に張りついて離れない。そう、父の親指が無意識のうちに、あの銀の指輪を何度もこすらずにはいられなかったように。そしていよいよ夜が訪れ、わたしは品定めの場に引き出される。そして、あさっての夜には話がまとまり、父とその未来の息子が共有する戦利品のようにわたしを披露してみせる。父はそうなることを望んでいる。

しかし心の底で、わたしはひそかにあの指輪を求めていた。あの指輪を自分の指にはめ、ひんやりとした銀の感触をこの肌で感じてみたかった。わたしは立ちあがり、マグレータとともに寝室へ行った。夜会用ドレスに着替えるためだ。マグレータはドレスの袖についたリボンを結んでいき、袖にあいたいくつもの隙間から絹の下着が白い雲のようにふんわりとのぞくようにした。

ドレスの着付けが終わって居室にもどると、マグレータは執事を呼び入れた。きのうの昼には、剣の握りダコのある父の太い指にはめられていた銀の指輪が、わたしの右手の親指の根もとになんなくおさまった。わたしは右手を前に伸ばし、銀の冷たい輝きを見つめた。周囲のメイドたちの声が静まった。いや、わたしの耳が聞こえなくなったのかもしれない。まわりの音が遠のいた。外ではみるみる日が沈み、世界が藍と灰色に染まりつつあった。

9　わたしが約束をたがえることはない

　水曜の夜、祖父の屋敷に伯母たちが家族連れでやってきた。あたしたちは、ひとつのテーブルを囲んで、にぎやかに食事した。いとこのバシアも当然そこにいた。料理の皿をテーブルまで運んでいるとき、バシアはあたしを隅のほうに引っ張っていき、抱きしめた。「みんなが結婚に賛成してくれたわ！　ありがとう、ミリエム、ほんとうにありがとう！」彼女はあたしの耳もとでささやき、ほおにキスをして、台所のほうに去っていった。もちろん、彼女が幸せになるのは悪いことじゃない。でもあたしは、感謝されるより、ほおを平手で打たれ、高笑いされたほうがよかった。それなら彼女を嫌いになれたから。

　あたしはバシアに幸運をもたらす親切な妖精にはなりたくなかった。だいたい、そんな妖精たちはどこからやってくるのだろう？　そこらじゅうの良き娘たちの願いを喜んで叶えていたら、いくら財産があっても足りないはずだ。あたしは妖精の祝福なんて信じていない。むしろ、荒れ家に住み、庭に鶏を、収納箱に古着を残してだれにも悲しまれずに死んでいく魔法使いのおばあさんのほうをあたしは信じたい。そもそも、バシアを助けたいと思ってやったわけじゃないのに、どうして彼女にお礼を言われる必要があるだろう？

　テーブルについたあたしは、チーズケーキの大きなひと切れをだれとも会話せず、心に怒りをためてむさぼった。ここから逃れて、スターリクの王妃になれるなんていいことじゃないの、と自分に言い聞かせようとした。そう望めるほど、冷えきった心がほしかった。でもやっぱり、あたしはどうしようもなく父さんの娘だ。バシアを抱きしめ、いっしょに喜びたかった。すぐにも家に帰って、父さんと母さんに助けてとすがりたかった。小さなころからなじんだ、甘くてふんわりしたチーズケーキが、締めつけられたような喉をどうにか流れていった。それを食べ終えて席を立ち、二階の祖母の寝室に上がると、洗面器の水で顔を冷やした。水で湿らせた亜麻布で顔を覆い、しばらく布越しに呼吸していた。

　階下で喜びの声が沸きあがった。下にもどると、アイザックが両親を連れてあらわれたところで、乾杯のワイングラスが配られ、バシアの両親がふたりの結婚を宣言した。あたしは、バシアとアイザックの健やかな人生を願ってグラスに口をつけた。アイザックがバシアの手を取って祖父の前に立ち、今後の計画を話しているときも、あたしは喜ぼうと努めた。

　アイザックが言うには、彼の両親の家から同じ通りの二軒先に小さな空き家があるので、それをあたしと稼いだ金貨ですぐにも購入し、一週間後——なんと一週間後！——に結婚式を挙げたいということだった。ふたりの頭の上で魔法の杖が振られたように、早ばやと事が進んでいた。

　祖父はうなずいて、小さな家なら若夫婦にはぴったりだと答えたが、そのあと、なんならこの屋敷で新婚生活をはじめてはどうかともちかけた。より大きな家を買うためにお金を貯められるから、というのが祖父の考えだった。一方、祖母は双方の母親たちと、だれを結婚式に招待するかという相談をはじめていた。バシアがアイザックとともに笑みを浮かべてあたしに近づき、あたしの手を握って言った。「ミリエム、結婚式でダンスを踊ってくれるわね？　約束してね。それをわたしたちへの贈り物にしてほしいの」

　あたしは無理して笑みを浮かべ、そうすると約束した。でももう、時間切れだ。ろうそくの火は燃えつきる寸前。この夜を締めくくるのは、バシアとアイザックの婚約だけではないはずだ。

　幸せに満ちたざわめきのなかにいても、あたしの耳には異様に高く澄んだそりの鈴の音が聞こえていた。その音はじょじょに大きくなって、ついに屋敷の玄関前まで来た。ひづめの足踏みの音が響き、玄関扉を一回だけ強く打つ音がした。だれひとり、それに気づかなかった。みんなのおしゃべりも歌も、笑いも、やむことはなかった。でもあたしの耳の底でノックの音が反響し、みんなの声がくぐもって遠のいた。

　あたしはゆっくりと立ちあがり、居間を出て、玄関広間に向かった。金貨でいっぱいの木箱は、玄関にならんだ来客の外套やショールに半ば隠れるように、ひっそりとおかれていた。みんな、それがあることさえ忘れているかのようだった。

　玄関扉をあけると、あの白い道が見えた。玄関前には、白くて縦に長い、屋根のないそりが停まっていた。そりを引いているのは、白い装具をつけた、鹿に似た白い四頭のけもの。前の席に御者がひとり、後部にはふたりの従者が立ち乗りをしていた。御者も従者も血の気の感じられない白い肌で、スターリク王ほど高くはないが、みな一様に長身だった。白い髪を一本の三つ編みに結い、きらめく透明なビーズを散らしている。ただし、御者や従者の服はすべて灰色だ。

　彼らの王は、玄関口に立っていた。これからなにかの儀式に出るような恰好で、頭には王冠がのっていた。金と銀が帯になった輪がひたいの高さで頭を囲み、そこから柊の葉のような飾りがいくつも上に突き出て、それぞれの突起のまんなかに透きとおった宝石が輝いている。白い革の外套は、白い毛皮で縁取りされ、透明な水晶がふさのように裾から垂れていた。

　彼は不機嫌そうに、あたしを見おろした。口を曲げ、いかにも目の前にあるものが気に入らないという顔だった。もちろん、気に入るはずがないだろう。あたしは袖口に赤い刺繍があって、スカート部分を赤い布で仕立てた、自分のいちばん上等なドレスを着ていた。ドレスの上には模様入りのオレンジ色の毛織りのベストとエプロン。どれも贅沢なものじゃない。ベストの小さな金ボタンと襟もとの黒い毛皮だけが、あたしのささやかな成功のしるしだけれど、いかにも商人の娘という恰好だ。

小さくて、浅黒くて、髪も瞳の色もぱっとしない娘。こんなあたしが彼の妻になるなんて、あまりにもばかげている。彼が口を開くより早く、ことばが口を突いて出た。「あなたがあたしと結婚したがるはずがないわ。どこのだれが信じるものですか！」

彼の口がさらにゆがみ、目は刃のように鋭くなった。「わたしは、約束したことを、かならず果たす」脅すような低い声で言った。「たとえそれで世界が終わろうとも。さて、わたしの銀を金に変えたのだろうな？」

そう尋ねる声に今回、意地悪な響きはなかった。あたしが失敗することをもう疑っていないのだろう。あたしはかがみこんで外套やショールに埋もれた木箱のふたをつかんであけた。ひとりでは、彼の足もとまで箱を押していくこともできなかった。「さあ！」とあたしは言った。「これを持っていって。そして、二度と来ないで。あたしと結婚してなんになるの？　あなたもあたしも、こんな結婚、これっぽっちも望んでいないのに。約束するにしても、なんでもっと小さなものにしておかなかったのよ」

「偽金でごまかし、正しい見返りをあたえない人間どもの言い草だな」彼は蔑むように言った。

あたしは彼をにらみつけた。腹を立てているおかげで、恐怖に震えなくてすんだのはありがたかった。

「あたしはいんちきなんかしないわ。だいたい、家や家族から引き離すようなことをして、お礼になんかならないわよ」

「お礼だと？」スターリク王が言った。「どうしておまえごときに、このわたしが礼をしなければならぬ？　わたしはおまえの、高位魔法をあやつる才能に対して、正しい見返りをあたえるだけだ。くだらぬ人間のものさしで、わたしをはかるな。ガラス山を統べる王であるわたしを、名もなき人間といっしょにするな。わたしはどんな借りも残さない。おまえは三たび、才能を示した。三たび重なれば、もはや偶然とは言えない」彼は最後に、苦々しげに言い添えた。「たとえどんな犠牲を払おうとも、わたしが約束をたがえることはない」

彼の片手がこちらに伸びてきた。あたしはせっぱ詰まって叫んだ。「あたしは、あなたの名前さえ知らないのよ！」

スターリク王が激しい怒りの目であたしをにらみつけた。まるであたしが、彼の首を刎ねてやるとでも言ったかのように。「わたしの名前？　このわたしの名を知りたい？　おまえは、わたしから結婚の契約と、王妃の座と、それに伴うさまざまなものを手に入れる。そのうえ、あろうことか、このわたしの名をあばこうというのか？」

彼があたしの手首をつかんだ。手袋越しでも、その指は痛いほど冷たかった。彼はあたしを玄関口から引きずり出した。突然、広い川面に朝日が射すときのように、寒さが失せた。ショールひとつはおらず白い森のなかにいて、室内ばきの足もとには雪が積もっているというのに。あたしは、彼の手から逃れようともがいた。とてつもない力で手首を握られていたけど、渾身の力で振り払うと、彼はあっけなく手を放した。あたしはその勢いで雪のなかに放り出された。すぐに起きあがり、駆けだそうとした。

　でも、どこへ逃げればいい？　あたしの前にも後ろにも、森のなかを貫いて白い道が伸びているだけ。祖父の屋敷の玄関扉やヴィスニアの街の周壁は、跡形もなく消えていた。ただ骨のように白い木箱だけが、ふたをあけたまま、あたしの前におかれていた。森の寒々しい光のなかで、箱のなかの金貨のひとつひとつが、日光をそのなかに閉じこめているかのように輝いていた。箱から出すと、バターのように溶けてしまいそうだった。

　王の従者がふたり、あたしの横を通り過ぎて木箱に近づき、うやうやしくゆっくりとそのふたを閉じた。彼らの顔には、アイザックの店で異界の銀貨に目を奪われていた人たちと同じ、切望が浮かんでいた。従者たちは、ふたを閉じたときと同じ慎重さで木箱を持ちあげた。ただし、祖父の頑健な召使いふたりよりも軽々とそれを運んだ。あたしは体を返し、木箱を運んでいく彼らを目で追った。彼らの行く手には、そりがある。あたしは、そりのそばに立つスターリク王のほうに向かった。彼が早く来いと命じるように片手を振りあげた。
行くしかない。深い雪のなかを上品さのかけらもない足どりで歩み、彼につづいて、そりによじのぼった。彼の体はそりの中央から指一本分さえ縮むことはなかったが、それでもせいいっぱい、あたしと距離をとり、背すじを伸ばし毅然とすわっていた。

「行け！」彼が鋭い声で御者に命じた。けものの装具についた鈴が鳴り響き、そりは白く広い道を滑走しはじめた。まるで飛んでいるようだった。そりの床に、白い毛皮の覆いがあったので、それをひざまで引きあげた。やわらかな毛並みが縮こまった指にやさしかった。もう寒さをぜんぜん感じなかった。

わたしはマグレータとともに父の書斎にいて、呼ばれるのを待っていた。階下の大広間から音楽の調べが聞こえてきた。けれども父の計画では、しばらく今夜の余興をつづけたのちに、わたしが登場することになっている。ただし大仰になるのを避けるため、静かに義母のとなりにすわるようにと言われていた。マグレータはまだ縫い物の手を止めず、花嫁の収納箱に今後入れなくてはならないリネン類について話しつづけていた。わたしが片手を動かすときだけ、彼女の目が銀の指輪に吸い寄せられて、おしゃべりが尻すぼみになる。義母のガリナも書斎で待つようにと伝えにきたとき、わたしを見て動きが止まり、いぶかしげな表情を浮かべた。

わたしはあえて縫い物はせず、父の書棚から一冊の本を取り出し、めったに味わえない読書の楽しみに浸っていた。ひざの上に開いた書物のページには、この物語の語り手である主人公とアラブの王さまを描いた挿絵があった。主人公の娘の両手のあいだで、火鉢から立ちのぼる煙がうっすらと影法師のような生きものを生みだしつつあるところだ。でも今夜は、この章の最後まで読みきれないだろう。窓の外には、午後遅くから突然降りだした雪が、いまも降りつづいている。どこへも逃げられないとわたしに念押しするような、激しい降りだった。

階下でどっと笑いが起こったけれど、ドアノブがかすかに立てる音をわたしはかろうじて聞きとった。ドアノブを回す音がすると同時に、ひざの上の本を閉じ、指輪をはめた手をその書物の下にさっと隠した。父の指図でだれかがわたしを呼びにくるには早すぎる時刻だった。だからというわけではないが、ドアが開いたとき、そこにミルナティウスが立っていても、それほど驚かなかった。

ミルナティウスはひとり宴席を抜けてきたのだろう。マグレータがおしゃべりをぴたりと止めて、敵ににらまれたウサギのように動かなくなった。わたしは頭のベールを顔におろしていなかった。書斎にはわたしとマグレータしかいないので、彼を追いはらうのは当然ながらマグレータの役割だ。けれども相手は皇帝であり、その地位だけでなく、彼には恐ろしいべつの側面もあることをマグレータはよく知っている。

「おやおや」ミルナティウスは書斎に足を踏み入れながら言った。「ぼくのかわいい〝リスの女神さま〟は、ずいぶんおとなになったものだね。まあ、美しくなったと言えるかどうかはともかく」最後は、にやりと笑った。

「陛下、美しいはずがありません」わたしは目を伏せるべきなのに、彼を見つめたまま言った。ミルナティウスこそ、ほんとうに美しかった。近くで見ると、なおさらだった。官能的な口もと。それを額縁のように引きたてる黒いあごひげ。ぞくりとさせる、宝石のような瞳。しかし、わたしの目が彼に釘付けになったのは、美しさに見とれたせいではない。ネズミが歩く猫から目をそらさないように、とにかく彼から目を離してしまうのが不安だったからだ。

「ふうん、そうかな？」ミルナティウスがさらに一歩近づいた。

わたしは椅子から立ちあがり、彼から見おろされるのを避けた。マグレータもわたしのとなりで震えながら立ちあがる。彼がわたしのほうへ手を伸ばそうとすると、彼女はいきなり言った。

「皇帝陛下、ブランデーはいかがですか？」書斎の酒棚におかれたブランデーの瓶と、カット・クリスタルのグラス。マグレータは、それでどうにかわたしを守ろうとしていた。

「もらおう」彼は即答した。「だが、それじゃない。階下で飲んだやつがいい。取りにいってくれ」

マグレータはわたしのそばを離れようとせず、ちらりと横目を使った。「彼女には、わたしをひとりにすることが許されていないのです」わたしは言った。

「許されていないだと？　つまらぬことを。では、ぼくが許可をあたえる。イリーナはぼくがお守りする。さあ、行け」最後はマグレータに対する命令だった。その命令が、火から取り出された焼きごてのようにわたしの横をかすめていった。マグレータは逃げるように書斎から飛び出した。

　わたしは銀の指輪に指を押し当て、その冷たさを自分のなかに取りこもうとした。彼がさらに一歩近づき、片手でわたしのあごを捕らえ、ぐいっと上を向かせた。「勇敢なる灰色のリスよ、きみは父親になんと言った？　自分を妻にするよう、このぼくを強引に説得せよと父親に迫ったのか？」

　ミルナティウスは父から脅迫されるとでも思っているのだろうか。「陛下？」わたしはこの期に及んでも礼儀作法を捨てきれなかった。しかし、彼はわたしのあごをつかんだ指にさらに力を加えた。

「きみの父親は、この饗宴に湯水のように金を使っている。こんなふうに財布のひもをゆるめる人物ではなかったはずだが」彼が体を前に傾け、親指でわたしのあごの輪郭をなぞる。彼のなかにひそむ魔力の匂いを感じとれるような気がした。肉桂と胡椒と松脂が混じり合った刺激的な匂い、その底に木を燃やすような煙の匂いがする。その匂いは、彼の容姿と同じように魅惑的で、わたしはその匂いにむせて息ができなくなってしまいそうだった。「さあ、答えよ」彼は声を落として言った。その声が、冬の冷たいガラス窓を曇らせる熱い息のように、わたしのほおを熱くした。

それでもなお銀の指輪は冷たく、しだいにほおのほてりが引いていった。ここで彼の問いかけに答える必要などない。でも答えないことが、答えと見なされてしまうかもしれない。「わたしは、なにもしていないわ。父をそそのかしてもいません」正直に答え、彼から逃れようとした。

「さあ、どうかな？　きみは黄金の冠をかぶって皇后になりたくないのか？」彼はからかうように言った。

「いいえ」と返し、彼から一歩さがった。

驚いたのか、彼の指がわずかにゆるんだ。彼は、わたしをまばたきもせずに見つめていた。一瞬、すさまじい渇望が彼の顔を通り過ぎ、焚き火からのぼる陽炎のように美しい顔をゆがませた。瞳のなかに赤い炎が見えた気がした。けれども彼がわたしのほうにまた一歩踏み出すのと同時に、書斎のドアが開き、父が入ってきた。父の顔には、自分の計画に水を差され、それを止めるすべもないことへの怒りがにじんでいた。

「陛下」と、父が呼びかける。わたしが本で銀の指輪を隠しているのに気づき、父は口もとをむっと引き締めた。「イリーナを呼びにきたところです。娘をさがしてくださったとは、痛み入ります」

　父はわたしに近づき、本の下に隠れた手のほうに、自分の手を差し出した。わたしはしぶしぶ隠していた手を父の手にのせた。銀の指輪が冷ややかな輝きを放った。ミルナティウスを見つめると、一瞬ののち、彼はなにかに困惑するように眉をひそめた。指輪の魔力が彼を捕らえたのだ。その目はすでに渇望と愉悦で燃えるように輝いていた。にもかかわらず、表情そのものは、なにも変わっていなかった。彼の熱いまなざしが、ひたすらわたしに注がれていた。指輪の存在にすら気づいていないようだった。

　そうやってしばらく見つめつづけたあと、彼はまばたきひとつで、その目からぎらぎらした輝きを消した。視線が父のほうに向けられる。「失礼した、エルディヴィラス」と、父に向かって言った。「あなたがイリーナについて語るのを聞いたら、たまらなく再会したくなったのだ。できれば、騒がしさを避けて会いたかった。あなたのことばに偽りはなかった。確かに、彼女にはなにか特別なものがある」

　父がはっと身を硬くした。追っていたウサギが突然身を返して飛びかかってきたときの猟犬のように。しかし、父の決意の固さがこの驚きをやり過ごした。「そう言ってくださるとは光栄に存じます」

「では、それなら」ミルナティウスが言った。「イリーナには先に下におりてもらおう。そして、あなたとぼくはここに残って、婚礼についての話し合いをもとう。彼女は、特別な花婿と結ばれるように運命づけられている。そして、これはあなたに警告しておかなければならないな。その花婿は、待たされるのがたいへん嫌いだということを」

10「い・や・だ」

ミリエムの父さんは、その週は毎日、少し困ったような顔であたいに尋ねた。「ワンダ、ミリエムはどこに行ったのかね？」あたいは毎日、彼女はヴィスニアへ行ったと答えた。そうすると決まって、彼はこう返した。「ああ、そうだった。忘れてしまうとはどうかしているな」

ミリエムの母さんは、食事のたびに、四つ目の皿をならべた。そして、四つ目の皿にも料理をよそってから、夫婦ふたりで顔を見合わせ、ミリエムがいないことに気づく。あたいは黙ってる。そのうち、四つ目の皿も食べていいと、ふたりが言ってくれるから。

あたいは集金をつづけ、ていねいに帳簿をつけた。セルゲイといっしょに、山羊と鶏の世話をした。雪かきをして、庭をほうきで掃いた。

水曜日、買い物をするために市に出かけると、北地方から魚を売りにきた男が、ミリエムの仕入れたエプロンはまだあるかと訊いてきた。だれかが着ているのを見て、自分の三人の娘にも買ってやりたくなったって。マンデルスタム家にはちょうどエプロンが三枚残ってた。喉に大きな塊がつかえているみたいな感じがした。あたいは、まだある、と答えてからつづけた。「なんなら取ってこようか。値段は一枚につき銀貨二枚」

「銀貨二枚！」男は声を張りあげた。「銀貨一枚じゃなきゃ払えないな」

「まけられないんだよ」あたいは言った。「女主人が留守をしてて、彼女はほかのお客にも値段をさげないからね」

男は渋い顔になって言った。「じゃあ、二枚だけもらおう」あたいはエプロンを取りに行くと言い、その場から立ち去ろうとした。そのとき、やっぱり三枚持ってきてくれ、と背中に声がかかった。あたいは三枚のエプロンを持って、男のところにもどった。男はそれらをよくよくながめ、糸のほつれがないか、色褪せがないかを調べた。それから財布を取り出し、銀貨を数えながらあたいの手にのせていった。一枚、二枚、三枚、四枚、五枚、六枚――。あたいの手のひらで、六枚の銀貨が輝いた。

これは、あたいのお金じゃない。でも、あたいは手のひらを閉じ、ぐっとつばを呑んでから言った。「ありがとう、旦那さん」バスケットを持って、市場から離れた。だれにも見られていないところまで来て、駆けだした。そのままマンデルスタム家まで走ったから、着いたときには息が切れていた。食事をテーブルにならべていたミリエムの母さんが、驚いてあたいを見た。

「エプロンを売ったよ！」あたいは言った。泣きだすんじゃないかと思った。涙をこらえて、六枚の銀貨を差し出した。

彼女は手を伸ばし、それを受け取った。でもお金のほうを見ようとしないで、片手を伸ばし、あたいのほおに触れた。小さくてうすっぺらいけど、とても温かい手だ。

彼女はにっこり笑った。「ワンダ、あなたがいなければ、わたしたちはとてもやっていけないわ」そう言うと、あたいに背を向け、棚の壺にお金を入れた。あたいは両手で顔を隠し、あふれてくる涙をエプロンでぬぐって、テーブルについた。

彼女はまたひとつ皿を多く用意した。ミリエムの父さんが、「ワンダ、もう少し食べたらどうだね？　食べ物を無駄にするのは恥ずかしいことだ」と言って、四枚目の皿をあたいのほうに押しやった。

ミリエムの母さんは、とまどったような奇妙な表情で窓の外をながめていた。「ミリエムが出かけて、どれくらいになるかしら」

「一週間」と、あたいは答えた。

「一週間」と、奥さんがくり返す。頭のなかにしっかり書きこむように。

「すぐに帰ってくるさ、ラケル」ミリエムの父さんは、奥さんに話しかけてるのに、自分に言いふくめてるみたいだ。

「長い道のりだわ」ミリエムの母さんが、あいかわらず不安げな表情で言った。「あの子にとっては長い旅路だわ」襟(えり)もとをかき合わせてから、あたいにほほえんだ。「ワンダ、おいしそうに食べてくれてうれしいわ」

なんでだかわからないけど、ミリエムがこのまま帰ってこなかったらってふと考えた。「ごちそうさま」と言うとき、喉(のど)を絞(し)められてるみたいな声になった。

ミリエムの母さんが、きょうの賃金として銅貨一枚をくれた。あたいは考えごとをしながら、ゆっくりと家に向かった。ミリエムはいつ帰ってきてもおかしくない感じだ。だから、あのふたりはいつまでも待ちつづける。毎日、一枚よけいに皿を出して、その皿の料理をあたいにくれる。そのうちふたりは、ミリエムのほかの分も、あたいに回してくれるようになるかもしれない。あたいはミリエムの仕事を肩代(かたが)わりする。ミリエムの母さんは、きょうみたいにまたほほえんでくれるかもしれない。ミリエムの父さんは、もっとたくさんの数字を教えてくれるかもしれない……。ああ、だめ、だめだよ。そんなにほしがっちゃ。まるでミリエムが帰ってこないほうがいいみたいじゃないか。

あたいは白い木のそばまで行って、もらった銅貨を埋(う)めた。それから家に向かい、ドアの手前で立ち止まった。あたいが歩いてきた帰り道には、ずっと足跡(あしあと)がついていた。でも、それは変なことじゃない。同じ道沿いに住むだれかの足跡(あしあと)だってこともある。だけど問題は、その足跡(あしあと)が道からはずれて、うちまでつづいていることだった。ふたりの男の足跡、それも革のブーツ……。これはすごく変だ。いまは税を集めに役人がやってくる季節でもない。

　ゆっくりとドアに近づいた。家のなかから男たちの笑いと乾杯の声が聞こえてきた。飲んでるんだ……。なかに入りたくなかったけど、入らないわけにはいかなかった。長く歩いてきて体が冷えきっていたから、手足を温めなきゃならなかった。

　あたいはドアを開いた。いったいだれがいるのかと思ってたけど、見れば、なるほどね、と納得した。そこにいたのは、酒屋のカイユスと息子のルカスだった。テーブルの上に、クルプニク酒の大きな壺と三つのグラスがあった。父ちゃんが赤い顔をしているところを見ると、酒盛りはいま始まったばかりでもないらしい。暖炉のそばでうずくまってたステフォンが、あたいをちらりと見あげた。

「ほらほら、彼女のお出ましだ」家のなかに入ると、カイユスが言った。「ドアを閉めなよ、ワンダ。いっしょに祝おうじゃないか。さあ、ルカス、彼女を手伝ってやれ！」

　ルカスが立ちあがり、近づいてきて、あたいの肩からショールを取ろうとした。なぜルカスがこんなことをするんだろう。自分でショールを脱ぎ、暖炉のそばにスカーフといっしょに掛けた。

　あたいはテーブルを振り返った。カイユスがにやにや笑ってあたいを見てる。

「彼女がいなくなると、あんたもさびしくなるな」カイユスは父ちゃんに言った。「でもまあ、

郵便はがき

料金受取人払郵便

麹町局承認

72

差出有効期間
2020年11月
30日まで

（切手をはらずに
ご投函ください）

102-8790

206

（受取人）
東京都千代田区九段北
一―十五―十五
瑞鳥ビル五階

静山社 行

住　所	〒　　　都道府県		
フリガナ		年齢	歳
氏　名		性別	男　　女
TEL	（　　　　）		
E-Mail			

静山社ウェブサイト　www.sayzansha.com

愛読者カード

ご購読ありがとうございました。今後の参考とさせていただきますので、ご協力をお願いいたします。また、新刊案内等をお送りさせていただくことがあります。

【1】本のタイトルをお書きください。

【2】この本を何でお知りになりましたか。
1.新聞広告(　　　　　　　　新聞)　2.書店で実物を見て
3.図書館・図書室で　4.人にすすめられて　5.インターネット
6.その他(　　　　　　　　　　　　　　　　)

【3】お買い求めになった理由をお聞かせください。
1.タイトルにひかれて　2.テーマやジャンルに興味があるので
3.作家・画家のファン　4.カバーデザインが良かったから
5.その他(　　　　　　　　　　　　　　　　)

【4】毎号読んでいる新聞・雑誌を教えてください。

【5】最近読んで面白かった本や、これから読んでみたい作家、テーマをお書きください。

【6】本書についてのご意見、ご感想をお聞かせください。

ご記入のご感想を、広告等、本のPRに使わせていただいてもよろしいですか。
下記の□に✓をご記入ください。　□ 実名で可　□ 匿名で可　□ 不可

ご協力ありがとうございました。

娘をもつ父親ってのは、みんなそんなもんだ」あたいはまだ突っ立っていた。わけがわかんなくて、ステフォンのほうを見た。「なあ、ワンダ」と、カイユスがつづけて言った。「ぜんぶ決まったよ！　あんたはルカスの花嫁になるんだ！」

　あたいはルカスを見つめた。ルカスは、そんなに喜んでもいないけど、そんなに悲しそうでもなかった。なにか考えながら、あたいを見つめてる。市場で買おうと決めた豚を見るときの目だ。もっと太らせようとか、ベーコンにする前に仔豚をたくさん産ませようとか、そういうことを考えてるやつの目だ。

「もちろん、あんたの父さんは、借金のこともちゃんと話してくれた」カイユスが言う。「だけど、もう返済の必要はないって、わたしは言ったんだ。わたしがそれを引き受けるってね。だからあんたは、もう働きに出なくていい。わたしのつくった最高のクルプニク酒の壺をひとつ、あんたが毎週ここへ届けにくる。父さんが娘の顔を忘れちまわないようにな。さあ、あんたの健康と幸福に乾杯！」カイユスはあたいに向かってグラスを掲げた。父ちゃんもグラスを掲げて、一気に飲み干した。すかさず、カイユスがお替わりを注ぐ。

　やっとわかった。父ちゃんは、あたいと引き替えに、乳を出す山羊一頭をもらうわけじゃない。豚をもらうわけでも、月に銅貨四枚を手に入れるわけでもない。父ちゃんは、酒と引き替えにあたいを売ったんだ。一週間につき、クルプニク酒の壺がひとつ。カイユスはまだにやにや笑ってた。あたいが金貸しの家から賃金をもらってるって気づいたのかもしれない。そうでなきゃ、あたいが嫁にくれば、ミリエムが自分の借金の支払いを減らしてくれるって考えたのかもしれない。

そしてもし、カイユスがマンデルスタム家に行って結婚話を伝えたら、彼にとっては万々歳だ。きっと、カイユスの借金もすべて帳消しになる。あの夫婦なら、あたいへの結婚の贈り物としてそうするだろう。それでもまだ、カイユスはあたいを金貸しの家で働かせようとするかもしれない。そうしてどんどん賃金を吊りあげる。ミリエムだったら、カイユスなんかに負けはしないけど、いまあの家にいるのはミリエムの父さんと母さんだけ。ふたりはカイユスとは戦えない。いや、だれとも戦えない。

「い・や・だ」

そこにいた全員があたいを見た。父ちゃんが目をぱちくりさせた。「なんだとぉ？」舌が少しもつれていた。

「い・や・だ」あたいは、もう一度言った。「ルカスとは結婚しない」

カイユスの顔からにやにや笑いが消えた。「おいおい、ワンダ」カイユスがなにか言おうとしたけど、父ちゃんはそれを待ってなんかいなかった。カイユスがつづきを言うより早く、立ちあがって、あたいの顔をぶん殴った。あたいは床に転がった。

「いやだとぬかすのかぁ？」父ちゃんは声を張りあげた。「いやだとぉ？　この家の主はだれだと思ってやがる。おれに逆らうな！　黙ってろ。おまえはきょう結婚するんだ、このうすのろの牝牛！」父ちゃんはベルトを引き抜こうとしたけど、バックルが引っかかって、うまくはずせなかった。

「なあ、ゴーレク。ワンダはびっくりしただけだよ」カイユスが言い、さえぎるように片手を上げた。でも、椅子から立ちあがりはしなかった。「時間をおけば、聞き分けもよくなるさ」

「いいや、おれが聞き分けってやつを教えてやる！」父ちゃんはそう言ってあたいの髪をつかみ、頭を引き寄せた。あたいはルカスをちらっと見た。すっかりおびえて、もうドアまで後ずさっていた。父ちゃんは大男だ。ルカスより、カイユスより大きい。「いやだ、だとぉ？」父ちゃんは何度もくり返しながら、あたいの顔を殴った。右から左から、かわるがわる。頭を両手でかばうたび、その手を父ちゃんに引き剝がされた。

「おいおい、ゴーレク。そんなことしたら、結婚式の顔がだいなしになっちまうぞ」カイユスがぜんぶ冗談にしたいみたいに言った。わんわんと耳鳴りがする耳でも、あたいには彼の声が少し震えているのがわかった。

「顔なんか、だれがかまうか！」父ちゃんが叫んだ。「女のだいじなとこはほかにあるだろうが。おい、その手をどけろ！」今度はあたいに向かって叫ぶ。「いやだ、だとぉ？」父ちゃんはベルトをはずすのをあきらめ、あたいを暖炉の前にどさりと落とし、そばにあった火かき棒をつかんだ。
そのとき突然、ステファンが火かき棒のもう一方の端をつかんで、「いやだっ！」と声をあげた。父ちゃんがぴたりと動きを止めた。あたいも思わず頭を上げて、涙でよく見えない目で弟を見つめた。ステファンは体が小さくて、若木のように細っこい。父ちゃんが火かき棒を高く持ちあげたら、弟の体は床から浮いてしまうだろう。でもステファンは火かき棒の端を両手でつかんだまま放そうとしなかった。「いやだっ！」またしても父ちゃんに向かって叫んだ。

父ちゃんは驚きのあまり、しばらくなにもできなくなった。でも、はっとわれに返り、火かき棒を振って弟の手からそれを奪おうとした。でも弟は放そうとしないから、火かき棒といっしょに揺さぶられる。父ちゃんは弟の肩をつかんで、引き剝がそうとした。でも、火かき棒のほうが父ちゃんの腕より長いし、棒をいったん放すことも思いつけないほど酔ってるから、今度は棒を振りまわしはじめた。棒につられて、ステファンの体が跳ねる。それでも、弟は両手を放そうとしない。父ちゃんはますます怒って、もうなにを言ってるかわからない叫びをあげ、やっと火かき棒を放り出すと、とうとうステファンの首もとをつかんで、大きなげんこで顔をなぐった。

ステファンが倒れて鼻血を出した。それでも弟は火かき棒をつかんでた。泣きながらまた言った。「いやだっ！」

父ちゃんは怒りのあまり、叫びもあげられなくなった。自分の丸椅子をつかんで、ステファンの背中に振りおろした。椅子が壊れ、弟は床にうつ伏せに倒れた。父ちゃんは壊れた椅子の一本の脚をつかみ、弟の手を打ちすえた。弟が悲鳴をあげ、ついに火かき棒から指を放す。父ちゃんがそれを奪い取った。

父ちゃんの顔から怒りが赤い炎を上げていた。目まで真っ赤だ。歯が剝き出しになるほどくちびるがまくれあがった。火かき棒でステフォンを殴りはじめたら、止まらなくなって、きっと弟を殺してしまう。

「わかった、結婚するよ！」あたいは叫んだ。「父ちゃん、あたい、ルカスと結婚する！」顔が腫れて見えにくくなった目でさがしたけれど、もうルカスはいなかった。カイユスも忍び足でドアに向かってた。

「どこ行きやがる！」父ちゃんがカイユスの背中に向かって吠えた。

「娘が乗り気じゃなきゃ、この話はご破算だよ！」カイユスが言った。「ルカスだって、望まれてもいないのに結婚したいとは思わないだろうよ」つまり、こんな修羅場を自分の家では見たくないってことだ。

カイユスは、彼なりに悪知恵をしぼり、クルプニク酒を持ってうちにやってきた。父ちゃんを酔わせてうまく話をまとめるつもりだったんだろうけど、父ちゃんがこんなふうに怒りを爆発させることまで予想していなかった。父ちゃんの怒りの炎はすべてを焼きつくす。これでなにもかもおじゃんだ。カイユスはもう逃げ出すことしか考えていなかった。

カイユスは逃げ出す寸前だったし、息子のルカスはもうとっくに姿を消していた。父ちゃんがどんなに吠えたところで、この親子は思いどおりにならない。なぜってカイユスは、税金をちゃんと払ってる町の金持ちだから。もし父ちゃんがカイユスをぶちのめしたら、ボヤールに捕まって鞭で打たれることになる。父ちゃんにはそれがわかってる。だから、あたいに怒鳴るんだ。

「おまえのせいだ！　聞き分けのない女なんか、どこの男が欲しがるか！」

父ちゃんが近づいてきた。このままじゃ、火かき棒でぶん殴られる。そのとき、カイユスが引きあけたドアの向こうにセルゲイの姿が見えた。あたいとステフォンの悲鳴を聞きつけて駆けてきたんだ。セルゲイは、火かき棒があたいの頭に打ちおろされる寸前に、それを片手でつかんで止めた。父ちゃんは振り払おうとしたけど、セルゲイは火かき棒をしっかり握って、そうはさせなかった。

上の弟のセルゲイはいまでは父ちゃんと同じくらい上背がある。マンデルスタム家で二人前を食べさせてもらってるから、目方はちょっとだけ父ちゃんを追い越してそうだ。一方、父ちゃんは冬の飢えと酒のせいで痩せていた。でもあきらめず、あいたほうの手でセルゲイを殴ろうとした。その機を逃さず、セルゲイが火かき棒をもぎ取り、振りあげて、父ちゃんを打った。

父ちゃんは、自分が打たれたことに仰天したんだと思う。これまで、町のだれからもけんかを売られたことがなかった。大男だからだ。だけど今回ばかりはべつで、よろよろと後ろにさがり、暖炉の前で丸まってたステフォンの横も過ぎて、尻もちをつき、そば粥の鍋に頭を打ちつけた。その拍子に鍋を掛けていた棒が吹っ飛んだ。父ちゃんの頭はそのまま暖炉の炎のなかに突っこみ、鍋の煮え立つ中身が顔に降りかかった。

カイユスがうわぁと叫んで走り出ていくときも、父ちゃんは吠えながら、もがいてた。あたいは手を火傷しながら鍋を父ちゃんの上からのけた。それから三人がかりで父ちゃんの体を灰のなかから引き出した。髪にも服にも、火がついていた。顔じゅうに火ぶくれができて、まぶたの下で目玉が大きなタマネギみたいに膨れていた。あたいらは自分たちの服で火をたたき消した。でも火が消えたとき、父ちゃんはもう叫んでももがいてもいなかった。

あたいら三人は、父ちゃんのまわりに立ちつくした。どうしたらいいかわからなかった。父ちゃんはもう人間には見えない。首から上は、膨れあがった白い大きな塊で、ところどころちょっとだけ赤い。しゃべりも動きもしない。

「死んでる……？」長い沈黙のあとに、セルゲイが最初に口を開いた。父ちゃんは動かない。もちろん、なにも言わない。つまり、それは死んでるってことだ。

ステフォンのおびえた目があたいとセルゲイのあいだを行ったり来たりした。下の弟の鼻血はまだ止まってない。その目が、これからどうするの？　って訊いている。セルゲイの顔は真っ青だった。彼はごくりと喉を鳴らして言った。「カイユスが言いふらす。きっと、みんなに言いふらす……」

そう、カイユスは、セルゲイが父親を殺したって、みんなに言いふらす。ボヤールの手下たちがやってきて、セルゲイを捕まえ、縛り首にする。セルゲイが殺すつもりじゃなかったことも問題にされない。父ちゃんがあたいらを殺してたかもしれないってことも。

父親殺しは重罪だ。あたいだって捕まるかもしれない。カイユスは、あたいが息子との結婚を拒んだこと、父ちゃんがあたいを殴ろうとしたからセルゲイが父ちゃんを殺したんだって、みんなに言うだろう。つまり、あたいらふたりがやったことだって。

そうなりゃセルゲイはまちがいなく縛り首だ。たとえ、あたいが捕まって縛り首にならなかったとしても、ボヤールはうちの畑を没収して、だれかにやってしまうにちがいない。ステフォンはひとりで畑をやっていくには幼すぎるし、あたいは女だ。

「逃げるしかないよ」あたいは言った。

三人で白い木のところへ行き、銅貨を掘り出した。二十二枚の銅貨が財産のすべて。あたいらはそれを見おろした。あたいには、二十二枚の銅貨でなにが買えるかがわかるようになっていた。三人の食糧を買ったら、すぐに尽きてしまう。どこか遠くまで逃げて、仕事を見つけなくちゃならない。

「ステフォン」と、あたいは言った。「あんたはマンデルスタムの奥さんのところに行きな」下の弟はちらりとあたいを見た。怖がってるのがわかった。「あんたはまだ小さいから、だれも、あんたが殺したなんて言わない。あの奥さんなら、きっとあんたを家においてくれる」

「金貸しの奥さんがなんで？　ステフォンはなにも手伝えないのに」セルゲイが言う。

「山羊の世話ならできるよ」あたいはそう言ったけど、それはステフォンとセルゲイを納得させるためで、ほんとうは、ミリエムの母さんなら、ステフォンがなにもできなくたって面倒を見てくれるだろうとわかってた。でも、ステフォンがまったく助けにならないというわけじゃない。下の弟は山羊の扱いがとてもうまい。集金をする人間はいなくなるけど、あの夫婦が飢えることはないだろう。ステフォンは、ミリエムがいない日々の慰めになるかもしれない。

　しばらくすると、ステフォンがうなずいた。どうやらわかってくれた。セルゲイとあたいなら足も速いし、長く歩きつづけることができる。賃金をもらう仕事にもつける。でも、ステフォンには無理だ。ステフォンをおいていくことが、あたいら三人にとって安全なんだ。でも、それは下の弟にさよならを言うことだ——もしかしたら永遠に。セルゲイとあたいは、この土地にはもどれないかもしれない。そして、ステフォンには、あたいらがどこにいるかなんて、知りようがない。

「母ちゃん、ごめん」あたいは白い木に言った。結局、金は災いのもと。母ちゃんの言うとおりになった。白い木の葉が風にそよぎ、長いため息のような音をたてた。それから、三本の枝がゆっくりと垂れてきて、三人の肩に触れた。まるで頭をなでられてるみたいだった。ステフォンの肩におりてきた枝から、白い木の実がひとつだけ熟してぶらさがっていた。ステフォンはその木の実を見つめ、あたいとセルゲイを見つめた。

「あんたのものだよ」あたいは言った。それが公平ってものだ。母ちゃんはあたいを一度救ってくれた。セルゲイのことも一度救ってくれた。それに今回の厄介事はあたいとセルゲイが招いたことなんだから。

ステフォンは木の実をもいで、ポケットにおさめた。セルゲイがあたいに尋ねた。「これから、どこへ行く？」

「ヴィスニアに行こう」しばらく考えてから言った。「ミリエムのおじいさんを見つければ、仕事をさがしてもらえるかもしれない」そのおじいさんの名が、モシェルだってことは知っている。でも、ヴィスニアまで行き着けるのか、その人をさがし出せるのかもわからない。でもとにかく、どこかに向かって歩きださなきゃ……。そういえば、ミリエムが、春になって川の氷が溶けたら、毛糸を南へ送ると言ってた。もしかしたら、ヴィスニアのさらに先まで川を下って行けるかもしれない。そこまで行けば、助かるかもしれない。だれもそんな遠くまで、あたいらを追ってきやしないだろう。

セルゲイがうなずいた。あたいらは柵囲いまで行って、四匹の痩せた山羊を綱でひとつにつないだ。ステフォンが四匹の山羊を引いて、町に向かう道をとぼとぼ歩きはじめた。数歩進んでは振り返り、あたいとセルゲイを見つめていたけど、そのうちにとうとう姿が見えなくなった。あたいとセルゲイは二十二枚の銅貨を半分に分け、それぞれのいちばん丈夫なポケットに入れた。父ちゃんの骸がある家にはもう入りたくなかった。でも、意を決して入り、壁に吊るされた父ちゃんの外套と、旅の途中に煮炊きができるように、灰のなかに転がった鍋を取り出した。こうして、あたいとセルゲイは森のなかに入った。

ミルナティウスがわが家に滞在して三日目、わたしたちは結婚した。結婚式には、銀の指輪と首飾りと冠をつけた。父が持参金代わりに、わたしの実母のものだったという宝石類を差し出したが、ミルナティウスはぞんざいに返事した。「そうだな、もらっておこう」

彼は持参金などなくても、わたしを妻に選んでいたように思われた。けれども、父は勝利のたやすさにかえってうろたえていた。あくまでも、自分の企みが功を奏したと信じたかったのだ。

教会に入っていくと、宮廷人たちがわたしをうっとりと見つめた。まるで夜空の星々がわたしの首と頭に集められているかのように。けれどもわたしの花婿にとっては、異界の銀も真鍮同然か、あるいはその存在にさえ気づいていないようだった。あんなに急いで結婚を決めたにもかかわらず、誓いのことばを言うのさえわずらわしげだった。そして誓いが終わるや、わたしと重ねていた手をさっと放した。

どうして彼はこの結婚を決めたのだろうと、考えずにはいられなかった。このリトヴァス皇国のあらゆる乙女がため息まじりに彼を見つめ、ガラスの靴に合わせてつま先を切り落としかねないほど彼との結婚を夢見ているときに、彼との結婚を望まぬ娘をめとることに屈折した喜びでも見いだしているのだろうか……。

わたしたちはヴィスニアからすぐに出発した。まだ模様が描きあげられていない花嫁の収納箱が、あわただしくそりの後部に積みこまれた。そのそりは、父の配下のボヤールがあわてて結婚の贈り物としたもので、おそらくは手持ちのそりの一台を早急に銀と白に塗り替えたのだろうと思われた。荷詰めが終わると、わたしもそりに乗りこんだ。おつきの者はひとりもいなかった。ミルナティウスが宮殿には女性が充分に足りていると父に言ったからで、おいてきぼりにされる哀れなマグレータは、屋敷の人目につかないところで泣きくずれていた。

ミルナティウスは、近親者へのやり方で父のほおに別れのキスをし、わたしのとなりに乗りこんだ。あの皇帝専用の大きな屋根付きのそりにふたりきりで閉じこめられなくて、ほんとうによかった。このそりには屋根がなく、ふたりならんですわるには――しかもそのひとりがリトヴァス皇国の皇帝だとすれば――けっして大きいとは言えないが、汗ばむほどに暖かだった。毛皮が山と積まれ、温めた石を使った暖房器具が足もとや座席の下におかれている。

ゆったりとすわったミルナティウスが、わたしに革袋を差し出し、「そりを待つ人々にコインを投げるんだ。ぼくたちの喜びをみんなで分かち合えるように」と、気乗りしないようすで言った。「もちろん、せいいっぱいうれしそうな顔をしろ。さあ、笑え」熱波のように命令が押し寄せても、わたしの手袋の下にある銀の指輪が体から熱を払い、気持ちを落ちつかせてくれた。

わたしはおそるおそる革袋に手を入れ、ろくに見もしないで銀貨や銅貨を放った。道ばたの人々はお金を拾うのに夢中で、わたしがほほえんでいないことにも気づいていないだろう。ミルナティウスを横目でうかがうと、彼は眉をひそめ、半眼になってわたしを見ていたが、口はずっと閉ざしたままだった。

そりは凍った川の上を走り、馬を四度交換し、日が暮れかかるころにアズオラス公爵邸に到着した。アズオラス公爵は広大な農園をもつ裕福な領主だったが、その屋敷はスタークの襲撃に備えて周壁をめぐらした町のなかにあった。皇帝一行を受け入れるには小さな集落だったので、ミルナティウスは、同行のほぼすべてのそりに対して、さらに先にあるボヤールや騎士の屋敷に分散して宿泊するように、そして翌朝ふたたび合流するようにと命令した。

アズオラス公爵邸の玄関階段の前に立ち、わたしの結婚式を見とどけた人たちが去っていくのを見送ると、背すじがぞくりとした。この屋敷の大きさなら、まだ客を受け入れる余地があるはずなのに……。騎士のなかには先へ追いやられることに憤慨の表情を隠さない者もいた。公爵邸の召使いたちがわたしの収納箱をそりから屋敷に運びこんでいた。ミルナティウスのほうを見つめると、夕日のせいなのか、わたしを見つめ返す彼の目が燃えるように赤く輝いていた。

ろうそくの明かりが煌々と灯るなかで、晩餐のもてなしを受けた。わたしは指輪も首飾りも冠も身につけて、この席にのぞんだ。人々は、皇帝への羨望をにじませつつ、子どものようにぽかんとわたしに見とれていた。なぜそうなるのか、理由もわからずに。

わたしはなるべく多くの人々と会話するように努めたが、まだ最後の皿を食べきらないうちに、ミルナティウスが早ばやとわたしに退席を促した。彼は、部屋にさがってメイドの世話を受けるようにと言い、二名の衛兵をわたしにつけた。「しっかりと見張ってくれよ。花嫁に逃げられてはかなわない」彼が衛兵にそう言うと、周囲の人々は笑って受け流した。わたしがテーブルから離れるとき、彼は突然振り向いてわたしの手を取り、甲にキスをした。くちびるが燃えるように熱かった。「ぼくも、すぐに行く」彼は熱のこもった声で言い、ようやくわたしの手を放した。

キスをされて、ほおがほてり、明らかに赤くなっていた。早くも退席してきたわたしのことを、世にも美しい花婿と一刻も早くふたりきりになりたい花嫁だと勘違いしたメイドたちが、含み笑いとともに出迎えてくれた。でもその勘違いが、かえって好都合だった。メイドたちにドレスを脱ぐのを手伝わなくていいからと言い、早々に部屋から追い出した。「それは陛下が助けてくださるでしょうから」目を伏せたまま、おずおずと言った。いかにも胸をときめかせている花嫁のように。メイドたちはまたくすくすと笑い、部屋から出ていった。こうしてわたしは重いドレスを着たまま、寝室でひとりきりになった。

二日前、わたしは義母のガリナに言った。「コロンに行くのも帰るのも、寒くて長い旅になるでしょう。わたしの古い毛皮では頼りになりません」皇帝のお供の宮廷人たち、父の配下のボヤールや騎士たちが血眼になって結婚の贈り物を見つくろおうとしており、彼らの多くは、ガリナのところに相談にいくだろうと思っていた。その予想があたり、わたしは暖かくて美しい、皇后にふさわしいオコジョの毛皮を手に入れることができた。

その白くてふんわりした毛皮のマントが、いまは部屋の片隅におかれている。メイドたちが出ていくや、わたしは外套を着こみ、その上に毛皮のマントをはおり、毛皮のマフに手を入れた。毛皮の帽子と冠はいっしょにかぶれない。でも、帽子だけここに残すと、外套やマフがないことに気づかれてしまうかもしれないので、帽子はマフのなかにたくしこんだ。

準備がととのったところで、壁にかかった縦長の鏡に近づき、自分の姿を鏡に映した。鏡のなかのわたしは、雪が降りしきる暗い森に立っていた。鏡にさらに一歩近づくと、冷気がほおをなでた。わたしは目をつぶり、さらに一歩踏み出した。あらゆるいやな結果が頭を駆けめぐる。鼻先が硬いガラスにぶつかって、脱出は失敗に終わるかもしれない。鏡を突き抜けたはいいが、異界の夜にひとりきりで放り出され、そこから二度ともどってこられなくなるかもしれない……。

顔がガラスにぶつかることはなかった。ただ、切り裂くような冬の冷気にさらされただけ。わたしは目をあけた。そこは雪に覆われた松の森で、わたしはひとりきりだった。森があらゆる方向に果てしなく広がっていた。濃い灰色の空と、黄昏のような淡い光。星は出ていない。あまりに寒いので、自分の息が顔に凍りつかないように、マフをくちびるに当てた。落ちてくる雪が、細い針のように肌を刺す。これはただの冬の寒さではない。かといって吹雪でもない。この世のものとは思えぬすさまじい寒さが、わたしの心臓に、肺に、じかに入りこんできた。その冷気に、おまえはここでなにをするつもりか、と問われているような気がした。

避難所など、どこにもありそうになかった。かくまってくれるような家は一軒も見あたらない。それでも身を返すと、わたしが立っているのは、凍りついた大きな川の堤だとわかった。凍った川が黒い鏡のように輝いている。水面を見おろすと、そこに映っているのはこの世界ではなく、わたしが逃げ出してきたからっぽの寝室だった。つまり、あの寝室の鏡に映るものを、こちらの世界から見ているということだ。

水面をのぞいているうちに、部屋の扉があいた。弓の弦のように神経がぴんと張りつめる。しかし一瞬ののち、ミルナティウスにはわたしが見えないのだと気づいた。彼は満面の笑みをたたえて部屋に入ってきた。けれども部屋にだれもいないのを見てとり、渇望にさいなまれた目がぎらりと光った。

　ミルナティウスは後ろ手に扉を閉め、扉に背中をあずけてもたれかかった。片手をおろし、慎重な手探りで鍵を回す。水底から、カチリと鍵のかかる音が少しひずんで聞こえた。「イリーナ、イリーナ。ぼくと隠れんぼがしたいのかい？」声をやわらげ、歓喜の表情で鍵穴から鍵を引き抜き、自分のポケットにしまった。「見つけてやるぞ……」

　ミルナティウスが、わたしをさがしはじめた。暖炉のついたての奥、ベッドの下、洋服だんすのなか。鏡のそばにもやってきた。まっすぐ近づいてきたときにはびくっとしたけれど、彼はただ鏡で隠された壁のくぼみを調べただけだった。鏡の前から立ち去るときには、彼の顔から笑みが消えていた。窓辺に行き、カーテンを乱暴に引きあけた。が、たったひとつの小さな窓が施錠されているのを見て、もう一度部屋をさがすことにしたようだ。

　振り返った顔が怒りにゆがんでいた。わたしは自分の体を両腕でぎゅっと抱きしめた。身を裂かれるような寒さだ。ミルナティウスはしばらく部屋を引っかきまわした。怒りに駆られて天蓋付きベッドのカーテンを引き裂き、おいてある家具調度の半分を倒したところで、ようやく破壊の手を止めた。息を荒らげながら、「おい、どこにいる?!」と、人間のものとは思えない、きしんだ金切り声をあげた。「出てこい、顔を見せろ！　イリーナ、きみはぼくのものだぞ。ぼくが、きみを手に入れたんだ！」彼が激しく地団駄を踏むと、重厚なベッドが揺れた。「出てこなければ殺すぞ、みんな殺すぞ！　おまえの家族も、親戚も、みんな破滅させてやる！　出てこないと、ろくなことにならないぞ……いや、傷つけるつもりじゃないんだ」途中から、また猫なで声に変わった。そんなものにわたしがだまされると思っているのだろうか？

彼は動きを止めて、かなり長いあいだ待っていた。しかしそれでもわたしがあらわれないと見ると、突然、発作のような怒りを爆発させた。もう捜索ではなく、打ち砕き、引き裂く破壊行為に変わっていた。狂ったけものが、世界とともにみずからも打ち滅ぼそうとしているかのようだった。

破壊行為はしばらくつづき、ついにミルナティウスは怒りの叫びをあげて、床に倒れこみ、手足を激しくばたつかせながら転げまわった。しかしそれも長くはつづかず、ぐったりと横たわった。口もとはゆるみ、目はうつろだ。わたしのほうをまっすぐに見ているようで、実はなにも見えていないのかもしれない。彼の目を見つめ返しているあいだ、果てしなく時間が過ぎていくように思われた。ずいぶんしてから、彼はようやくまばたきした。

それから腹ばいになり、最初にひざで立ち、つぎによろめきながら足で立った。服はびりびりに裂けて、肩から垂れさがっている。ミルナティウスはあたりを見まわした。壊れたベッド、打ち壊された家具調度。その目はもう渇望にたぎってはおらず、どこかうろたえ、警戒しているように見えた。「イリーナ？」と言いながら、裂いたベッドの覆いを持ちあげて、その下を見た。わたしがひょっこりあらわれると本気で信じているかのように。ベッドの覆いを手から放すと、今度は窓辺に行って、また窓を調べた。さっき確かめたことを忘れているのだろうか。

ミルナティウスはなおもうろたえたようすで、部屋を横切って暖炉に近づき、その前に立つと、まるでだれかに語りかけるように、大きな声で言った。「ぼくをここに残したまま、消えてしまったのか？　リトヴァス公爵の娘を、いったいどうしたんだ?!　骸ひとつ残っていないぞ。あの娘をいったいどうしたんだ?!」

暖炉の炎がゴオオオオォッとうなり、火の粉が部屋じゅうにまき散らされた。ミルナティウスは気にしなかった。火の粉が降りかかって皮膚を焦がしても、その痕は焦がしたときと同じくらい早く消えていった。「ムスメヲ　サガセ！」しゅーしゅーぱちぱちと騒がしい音をたてながら、炎が叫んだ。「アノムスメ　ツレモドセ！」

「なんだって？」ミルナティウスが言った。「彼女はここにいたのか？」

「アノムスメ　オレハ　カナラズ　テニイレル！」炎がしゃべっていた。「アノムスメ　オレノモノ！　ツレモドセ！　アノムスメ　ミツケロ！」しばらく前にミルナティウスが発したような、甲高い叫びを炎があげた。

「なんだ、そういうことか。それならけっこう。イリーナは衛兵を買収して、逃亡したにちがいない。さて、どうしたものかな。世界にひとりしかいない、ぼくから逃げ出す娘と結婚せよと言ったのは、ほかならぬきみだ！　ぼくは、痛ましい不慮の事故として、彼女の父親をなだめねばならないだろうと思っていた。しかし彼女が消えてしまったとなると、後始末はいささか面倒になるぞ」

「チチオヤ　コロセ！」炎が激しく燃えあがった。「アノムスメ　オレノモノ。ヤツラガ　アノムスメ　オレニクレタ！　アノムスメ　ニガシタラ　ヤツラゼンイン　コロス！」

ミルナティウスがいらだって両手を振りあげた。「ばかを言うな！　そもそも、あの父親は喜んで娘を差し出した。けっして、ぼくから隠しておこうとしなかった。そして娘はみずから逃亡をはかった。いまごろは隣国まで逃げているだろう。いや、修道院に逃げこんだ、というのもありえない話じゃないな」

炎が、焼けた石炭に水滴が落ちたようにバチバチと爆ぜた。「アノババアダ！」その威嚇するような音に、わたしはっと身を硬くした。「アノババアガ　テビキシタ！　オマエ　アノババアヲ　ミクビッテイタ。ツカマエロ！　アノババア　ムスメノイバショ　シッテイル！　ツカマエテ　ハカセロ！」

ミルナティウスは心外そうに顔をゆがめたが、それをことばにはしなかった。「わかった、わかった。あのばあさんを連れてくるのに一日はかかる。真夜中に愛しい新妻に逃げられたという話をまことしやかに周囲に伝えるのも、このぼくの仕事だ。そして、この惨状。これをかたづけなくてはならない。すべてをこなすには、ひと月分ぐらいの魔力をあたえてもらわないと割が合わないな。それできみが、どんなに渇いて飢えようが、ぼくの知ったことじゃない」

炎がゴオォッと燃えあがり、煙突まで高く噴きあがった。オレンジ色の光が皇帝ミルナティウスの顔を炙ったが、彼は腕を組んだまま、炎をにらみ返した。つぎの瞬間、燃えさかる火のなかから禍々しい炎の蔓があらわれて、ミルナティウスに襲いかかった。彼は目を閉じ、頭をのけぞらせ、口を大きく開いた。そのあいた口めがけて、鞭のひと振りのようなすばやさで、炎の蔓が突っこんだ。燃えさかる炎の光がミルナティウスの体に侵入し、内側から光を放つ。一瞬、彼の体のなかに奇妙な影がいくつも浮かびあがり、皮膚の下でひとつのかたちを成すのが見えた。

ミルナティウスはオレンジ色の火炎を浴びながら、硬直した体をぶるぶると震わせた。そしてとうとう、火炎が彼の体を離れ、最後の炎が喉もとから消えると、体内から放たれていた光もじょじょに弱まった。彼は目をあけ、恍惚に酔うように、体をゆらゆらさせて立っていた。美しい顔を紅潮させ、「うはぁぁぁ」と深く息をついた。

さっきまで燃えさかっていた炎はもとどおりになった。「アノムスメ　サガセ……」まだかすかに音をたてているが、薪の燃えさしが崩れるときのような静かな音でしかない。その音もやがて聞こえなくなり、炉床には熱い燠だけが残された。

ミルナティウスは部屋のほうを振り向いた。まぶたを半ば閉じ、薄笑いを浮かべている。彼がけだるそうに腕をもちあげ、頭上でひと振りすると、部屋じゅうに散らかった木っ端が宙に浮き、くっつき、みるみる壊れる前の家具をかたちづくった。ほつれた糸が勝手にくねくねと動き、もとどおりの布を織りあげる。彼の手の下で、家具と布の修復は優雅なダンスのようにしばらくつづき、彼はそれを見守りながらにやりと笑った。遠い昔、宮殿の庭で、地面に転がる小さなリスの死骸をつついていたときのように。

舞台を終えた役者のように彼が片手をゆっくり脇におろしたときには、部屋はなにごともなかったようにもとどおりになっていた。いや、よく見れば、さらに腕のよい職人が修復したように、ベッドの彫刻はより精緻になり、覆いにはカーテンと揃いの銀と金と緑の糸で刺繡が入っていた。ミルナティウスは満足げに部屋を見わたし、うなずいてから、部屋を出ていった。小さな声で歌いながら、なおも体内を駆けめぐる強い魔力を確かめるように指先をこすり合わせながら。

ミルナティウスが出ていくと、部屋には静寂がもどった。猛り狂っていた炎は消え、いまは燠しか残っていない。それでも否応なく目を引き寄せる燠火の輝きは、まだそこに魔力が宿っているように思わせた。あの部屋にもどりたくない。あの燠火に魔物がひそんで待ち伏せしていないという保証がどこにあるだろう？　けれども、室内ばきをはいたわたしの足はしびれ、銀の指輪をはめた親指以外のすべての指が感覚を失っていた。もどるのは恐ろしい。でも、もうこれ以上ここにはいられない。ここからどこに行けばいいかもわからない。わずかな時間でも、体を温めにもどったほうがいい。

　そうとわかっていても、地面にひざをつき、なめらかなガラスのように凍りついた川面に触れようとすると、指が勝手に震えた。しかしその指は、氷の表面をすっと突き抜けた。水槽の水に指を浸けるようにたやすかった。わたしの手が氷の鏡の向こうにある部屋に入っていく。わたしは手をそこにとどめたまま、暖炉のほうをうかがった。でももう、これ以上は待てない。片手に伝わってくるあまりの暖かさに、まだ部屋に達していない残りの体の寒さがすさまじくこたえた。暖炉の炎は燃えあがらず、飛びかかってもこない。息を深く吸いこむと、わたしは水面に向かって体を傾けた。

　よろめきながら鏡から抜け出し、床に転がった。ああ、なんという暖かさ。でも油断はせず、すぐに逃げられるように起きあがって鏡に手をかけた。火はパチパチ爆ぜもしなければ、シューッと音をあげもしなかった。あいつがなんだったにせよ、もうここにはいない。わたしは暖炉までじりじりと這っていき、またしばらく警戒したあと、氷が張りついた毛皮を脱ぎ、震える手を火のほうに差し出した。

　でも、銀の装身具ははずさなかった。体が震えてしまうのは、いまや寒さではなく、恐怖のせいだ。ミルナティウスが喜べない結婚相手であることは、最初からわかっていた。でも、まさかあんな魔物が出てくるなんて……。バーバ・ヤガーがわたしをかまどに投げ入れ、骨までしゃぶりつくそうとしているようなものだ。こんな恐ろしい事態は想像していなかった。そのうえ、魔の手から逃れるには極寒の地へ行くしかないなんて……。

体の震えがおさまり、少しだけ暖かくなった。冷たい手のひらをほおにあて、なんとか気を落ちつけて考えようとした。立ちあがって、部屋のほうを見た。整然と片づいていることにぞくりとした。ミルナティウスと彼に取り憑いた魔物が世界をあざむく新たな嘘。これはうわべだけの美しさ。破壊された家具も引き裂かれ焼け焦げたカーテンも、魔力という嘘にくるみこまれてしまった。この部屋の鍵は、ミルナティウスが持っていった。それでも、べつのだれかが部屋のなかに入ろうとするかもしれない。わたしはドアノブの下に椅子をおいて防壁をつくり、わずかでも時間を稼げるようにした。それから鏡の前にもどった。

冠をはずし、そっと床においた。さっきまで自分のいた場所を、まだ鏡のなかに見ることができた。寒い川堤には、わたしが立っていたところの雪にくぼみができていた。それでも、降りしきる雪が、それを少しずつ消していく。鏡に触れると、厚いカーテンを押すような抵抗があり、さらに力を入れると、とうとう片手が鏡の向こうに突き抜けた。そう、冠がなくても、銀の首飾りと指輪があれば充分なのだ。

つぎに首飾りをはずして、もう一度試してみた。しかし今度は、両手が鏡に触れたままで止まった。それでも雪が見えたし、この世界まで滲み出してくる冷気が指先に感じられた。鏡の表面は、硬くて真っ平らというわけではない。そこにはいまにもかたちを変えそうなやわらかさがあるのに、わたしの手は通してくれないのだ。いろいろ試してみたところ、三つの装身具のうちのひとつだけでは通り抜けられないことがわかった。鏡の向こうに抜けるためには、同時にふたつが必要だ。指輪なら一日じゅうはめていられるし、ベッドに持ちこんでも不自然ではない。でも首飾りや冠となると違和感をあたえて、気づかれてしまうかもしれない。ミルナティウスにわたしの脱出方法を気づかれてしまったら、もう二度と逃れられなくなる。

　わたしはふたたび鏡のなかを、雪の降る川堤を見つめた。全身が暖かくなっていた。手持ちのすべてのペチコート、新しい三着のドレスを重ねて身につけた。絹の靴下をぜんぶはき、さらに毛糸の靴下をはき、靴に足を入れた。これならまた鏡を抜けて、向こうの世界に行くことができる。川沿いに歩けば、どこか身を隠す場所が見つかるかもしれない。自分の宝石箱のなかには、結婚の贈り物も含めて、こまごまとした装身具があった。ちょうどひと握りぐらいの量で、すべてポケットにおさまった。もし雪の世界の森にだれかが住んでいたら、これが役立つはずだ。どんな魔法がはたらいているのかはわからないけれど、あの炎の魔物から逃れるためには、雪のなかで凍死することも覚悟しておかなければ……。

明日、ミルナティウスは、マグレータを迎えにいくために使者を送ると言った。マグレータのことだから、迷うことなく、大喜びでやってくるだろう。なんでも善意に解釈する心で、わたしが彼女の同行を夫に説得したと考えることだろう。ミルナティウスもそれほど邪悪な人間ではなかったにちがいない、彼がわたしにぞっこんで、心やさしくなろうと努めているのだろう、と。

でも、ここへ来たが最後、ミルナティウスは彼女をあの魔物に差し出すことになる。あいつは彼女を責めさいなみ、彼女が知りもしないことを、わたしの居場所を聞き出そうとするにちがいない。

スターリクのそりは飛ぶように銀の道を進んだ。道の両脇には、白い高木がつづいていた。その淡い灰色の幹は上にいくほど白くなり、乳白色の葉には透きとおった葉脈が走っていた。大きな雪の結晶のような花が、肩やひざにはらはらと舞い落ちてきた。鹿たちのひづめが、氷結した池のような路面に、揺るぎないリズムを刻んだ。目に見えるのは冬の世界ばかり。この沈黙を破ろうと、どこに向かっているのか、旅はどれくらいつづくのかと尋ねてみたけど、鹿に話しかけているのも同じで、スターリク王はあたしを見返すことすらしなかった。

けれどもとうとう、道の果てにひとつの山が出現した。最初は霧に埋もれて、よく見えなかった。遠くにあるからだろうと思っていたが、山に近づいてその姿が大きくなっても、見えにくさに変わりはなかった。光が山を通り抜けている。峰がきらりと光り、つぎの瞬間には斜面の一部がきらりと光る。山全体がカット・クリスタルでできているかのようだ。スターリクの道は坂をのぼり、ふもと近くにある大きな銀の門までつづいていた。

道が初めて大きなカーブを描いて曲がり、鹿たちが速度を上げ、白い木々が飛ぶように流れすぎた。しかし山はいっこうに近づかなかった。空の一部を切り取る山の大きさがまったく変わらない。となりにすわったスターリク王は身じろぎもせず、前方を見つめている。そのうち御者がちらっと振り返り、山のほうをさっと示した。スターリク王がつかの間、くちびるを強く引き結んだ。それ以上なにか合図したり言ったりしたわけじゃない。でも突然、山がこちらに向かってくるかのように、距離がふたたび縮まりはじめた。

そりが森を抜け、白い木々のトンネルが終わった。スターリクの道はその先で一本の川と出会い、その川に沿って川上に進んだ。川面では薄い氷の層がきしみをあげていた。大きな氷片が黒い水に縁取られながら、下流へ押し流されていく。山にさらに近づくと、川に水を注ぎこむ細い滝が見えてきた。山の中腹から噴き出す水が、薄いベールのように下まで落ち、霧が立ちこめる滝壺に至って、そこから川へと流れこんでいた。

でも、その滝の水はいったいどこから来るのだろう？　巨大な水晶を思わせる山の斜面には、溶けて水になる雪もなければ、水を貯える土もなかった。水飛沫をほおに感じるほど滝壺に接近し、そこを通り過ぎると、道はのぼり坂になり、その先にある銀の大きな門扉がひとりでに開いた。

そりが速度を落とすこともなく銀の門をくぐって山の内部に入ると、トンネルの行く手につぎつぎに光がまたたいた。その光は奇妙にもガラスの壁のなかにあり、壁には葉脈のように銀のすじが走り、色つき水晶がきらめいていた。ときどき分岐するトンネルが黒い口をあけていたけれど、そりの行く手にはつねに光があり、道はゆるく湾曲しながら上へ、さらに上へとのぼっていった。

そしてついに、白い霜に覆われた広い草地が目の前にあらわれた。最初は山を突き抜けてふたたび外に出たのかと思ったが、そうではなかった。そこは、ガラス山の内部にある巨大な空洞だった。たぶん、山頂に近いはずだ。上を見あげれば、カット・クリスタルでかたちづくったような高い丸天井がある。宝石のように刻まれた多面体が果てしない灰白の空を細かく分割し、そこからまばゆい虹色の光が降りそそいでいる。その輝く天井を頂く白い草地の中央に、白い木の林があった。

不安と怒りと心細さで吐きそうだったけれど、この世のものとは思えない不思議な美しさに目を瞠った。丸天井を見あげていると、目が痛くなるほど冬の光がまぶしい。夢を見ているのだと思おうとした。この景色のなかには入っていけず、するりと逃れて、おじいちゃんの家のいつものベッドで目覚めるはず。吐き気がするのは、きっと熱があるせい……。でも、これは夢じゃなかった。御者はそりの速度を落とし、鹿たちの首を中央にある林に向けた。そして、幾重もの輪になって植えられた木々の外側にそりを停めた。白い林のなかにスターリクの群衆がいた。おおぜいのスターリクがあたしのほうを振り向き、じっと見つめてきた。

少し間をおいて、スターリク王が立ちあがり、けわしい顔でそりからおりた。彼はあたしに背を向けたまま、無言で立った。そこであたしもゆっくりとそりからおりて、彼の後ろに立った。一面に銀灰色の草が生えていて、地面に足をおろすと、氷結した葉がパリパリと砕けた。夢ではありえない、あまりにも現実的な感触だった。

スターリク王からは、ひと言の説明もなかった。彼は御者に向かって、そっけなく言った。

「これを保管室へ」彼が手で示したのは、そりの後部におかれた金貨でいっぱいの白い木箱だった。御者は一礼し、鹿たちの首をめぐらした。そりは草の上を進み、林を迂回して見えなくなった。スターリク王が白い林のなかに入っていく。彼の大股の足どりについていくには小走りになるしかなかった。

白い木は、いくつもの大きな同心円を重ねるように植えられていた。その輪の中心から、スターリクたちが位の順に――そうでないとしても、確実に言えるのはきらびやかさの順に――円をつくっていた。いちばん外側の円にはおおぜいのスターリクがいて、みんな灰色の服を着て、銀の飾りを身につけていた。それよりひとつ内側の円では、そこに濃い色の宝石が加わった。内側の円になるほど、宝石と服の色が淡くなった。中心に近い小さな円にいるのは、淡いピンク、黄色、乳白色のまばゆい宝石を身につけたスターリクたちで、その服は白か、ごく薄い灰色だった。

　中心のもっとも小さな円まで歩いていくと、黄金の輝きが目に飛びこんできた。マントの留め具や、銀の指輪の一部に、金メッキが使われているのだ。あたしたちの世界でスターリク銀が貴重であるように、ここでは黄金がものすごく貴重なのだろう。そのなかでスターリク王だけが服は白一色、透きとおった宝石を身につけ、銀の冠の底部には黄金の帯がめぐっていた。

　彼はあたしを引き連れ、立ち止まることなく、すべてのスターリクの横を通り過ぎ、同心円の中心に位置する小山をのぼった。その頂上に、氷なのか水晶なのか、輝く透明な細い無数の柱がぎざぎざに突き出した大きな塊があった。その塊を囲むように凍りついた流れがあり、漣がそのまま氷結し、そこから凍った一本の細い流れが木々を縫ってどこかに向かっていた。

　輝く塊のかたわらに、ひとりの召使いが目を伏せ、氷の彫像のように微動だにせず立っていた。その召使いが両手で捧げもつクッションの上に、銀の王冠があった。不思議なことに初めて見る気がしなかった。いかにもアイザックがつくりそうな感じだからかもしれない。スターリク王がそこに近づき、繊細で高さのある美しい冠を見おろし、つぎに彼の重臣たちのほうに顔を向けた。彼は表情をまったく変えず、あたしのほうを振り返ることもなく、冷ややかな声で言った。「見よ、わが妻を、われらが王妃を」

あたしは首をめぐらし、スターリクの群衆を見た。きらめく海のようだった。スターリクたちが凍りついた顔であたしを見つめていた。彼らに表情がないのは、きっとこの結婚を認められないからだ。彼らにはあたしがこの世界に入ってくることが理解できないし、入ってきてほしくもないのだろう。

いちばん中心に近い円には笑みもあったが、その冷ややかな笑いをあたしはよく知っていた。町の人々があの粉ひきの娘の物語をあたしに聞かせるときのうすら笑い、借金の取り立てに初めて行ってノックのあとに見ることになるうすら笑いだ。でも、彼らはあたしを笑っているのではなかった。彼らの視線は、あたしの頭よりさらに高いところにある、スターリク王の顔に向けられていた。スターリクの貴族たちは、怪しみながらも、彼らの王がみずからを貶めて、全身が茶色ずくめの人間の娘と結婚することをおもしろがっているのだ。

スターリク王が、銀の冠をクッションからさっと持ちあげた。屈辱的なことをさっさとすませたいと思っているときの手早さだった。あたしだって、うすら笑いにさらされながら、ここにいたくはなかった。祖父の教えを思い出した。あきらめて受け入れてしまったら、うすら笑いはこの先もずっとつづく、ということを。

だけど、どうすればやめさせられるの？　長身の騎士たちは、白い顔につららのようなあごひげを生やし、銀の剣と短剣を差し、白い弓を背負っていた。彼らはその武器で人間をさんざん苦しめてきた。そして彼らの王には、触れるだけで人間の魂を抜いてしまう恐ろしい魔力がある。それをあたしはこの目で見て知っている。このうちのだれであろうが、あたしの息の根を止めるのはたやすいことだろう。

でも、あたしはあきらめなかった。スターリク王が両手に冠を持って、わずらわしげに、あたしのほうに体を向けた。きっとこのままでは、頭の上にすとんと冠を落とされる。あたしは、そうされる前に、思い切って両手を伸ばし、冠をつかんだ。冠の向こうから、彼があたしをにらみつけた。その表情には内心の驚きも見てとれた。一歩も引くものかという思いでにらみ返した。どこか覚えのある怒りが胸の底から湧きあがった。でも、この怒りに冷ややかさはなかった。ほおから湯気が噴き出るのではないか、手のひらが燃えだすのではないかと思うほど熱い怒りだった。冠に触れている指がじわじわと熱くなり、刃のような周囲のうすら笑いが消えていくのがわかった。と同時に、冠の銀の上に、あたしの指の下から金色の細い線がいくすじにも広がった。黄金の線はさらに伸び、波打ち、繊細な透かし模様や細かな装飾を覆いつくしていった。

スターリク王はくちびるを真一文字に結び、銀の冠が変化していくようすを見つめていた。いまや、あたしたちが手にしているのは、日光のような輝きを放つ黄金の冠だ。透明な丸天井からのぞく曇り空の下で、それは奇妙に生き生きと明るい輝きを放っていた。群衆がいっせいにため息を洩らし、低いささやきがあちこちで交わされた。スターリク王はかなり長いあいだ冠を持ちつづけていたが、やがてそれをあたしの頭にのせた。あたしも冠が頭にのるまで手を添えていた。

冠は銀だったときよりもずっしりと重かった。体が傾きそうになるほど、首や肩に重みがのしかかった。そしていまさらながら、これこそ彼があたしに求めた力だと気づいた。彼が求めつづけた能力をあたしがほんとうに備えていることを、ここで証明してしまったのだ。つまり、彼はもうぜったいに、あたしを手放そうとはしない。もう逃げられなくなった。あたしは頭を高くもたげて、群衆のほうを見た。うすら笑いはもうどこにもなかった。さっきまでの不満の表情は警戒の表情に変わっていた。あたしは彼らの冷ややかな顔を見つめながら、もう二度と自分をみじめに思うまいと心に決めた。

あたしたちは結婚の誓いを交わさなかった。祝宴も、祝辞もなかった。ガラスを削ったような鋭い顔だちに切れ長の目をもつスターリクたちは、何人かがあたしのほうをちらちら見たものの、おおかたはすぐに体を返して、落ちついた足どりで白い林から去っていった。群衆の波が引き、小山の上にあたしとスターリク王だけが残された。あの召使いも一礼して、どこかに消えた。スターリク王はしばらくそこに立っていたが、突然、あたしに背を向け、あの磨かれた鏡面のような、凍った細い流れにそって歩きはじめた。

あたしは彼のあとを追った。それ以外に、なにができただろう？　丸天井の部屋を囲むガラスの壁を見まわすと、スターリクたちがその輝く壁にあいた戸口やトンネルに入っていくのが見えた。スターリクたちは、草地を取り囲む壁の内側に住居をつくっているのかもしれない。凍った小川は、しだいに川幅が広くなった。白い林が終わって輝く壁に近づくあたりでは、表面の氷が薄くなり、その下を水がちょろちょろと流れているのが見えた。流れが壁に達するところでは氷が完全に割れて、壁の暗いトンネルのひとつに水が勢いよく流れこんでいた。

そのトンネルのそばから、ガラスの壁を刻んでこしらえた長い階段が上に向かっていた。スターリク王が階段をのぼりはじめたので、あたしもあとを追った。あまりに高くのぼるので、くらくらして、足も痛くなった。階段には手すりがなく、下を見たら最後、目眩を起こして落ちてしまいそうだった。途中から下を見るのをやめたが、ついうっかり見てしまったときには、白い木々がいくつもの同心円を描き、そのまわりを白い草地が取り囲むさまを、はるか上から見おろせる高さまで来ていた。あたしは片手を壁に添えたまま、用心深くのぼった。スターリク王はさらに上にいた。ようやく階段をのぼりきると、扉があり、大きな部屋につづいていた。スターリク王はおろした両手をこぶしに握り、あたしに背を向ける恰好で、その部屋のなかに立っていた。

そこは山の内部を削ってつくった、かなり奥行きのある部屋だった。いちばん奥の薄い壁が完全に透きとおっていて、窓の役割を果たしている。あたしはゆっくりと透明な壁に近づき、山の斜面とその下に広がる世界を見おろした。

そこからは、山腹の裂け目から流れ出る、あの滝も見おろせた。裂け目は火事で割れたガラスのようにギザギザで、水しぶきでけぶっていた。滝の水がこぼれ落ちる先には雲のような霧が立ちこめ、上からはよく見えない。ほとんど凍った川がしぶきのなかから流れ出て、暗い森のなかに消えていく。森のもみの木は雪をかぶっていた。白い木々が両側にならんでいたあの道は、どこにも見つからない。そりが走っていたのはわずか数時間だったのに、遠くに目を凝らしても、ヴィスニアの街は影もかたちもなかった。人間の住むような村もない。あらゆる方向に冬の森が果てしなく広がっているばかりだ。

見たくない光景だった。白い雪の敷物に覆われた、ただただ陰気で、途方もない広がり。ヴィスニアの街も、ヴィスニアからあたしの故郷に向かう道もないなんて……。みんな、あたしがいなくなって、さびしがっているだろうか。それとも、目の前にいなければ、スターリクの記憶がこぼれ落ちていくように、あたしのことも忘れてしまうだろうか。母さんは、あたしが家に帰らない理由を忘れ、あたしを忘れ、娘がひとりいたことさえ忘れていくのだろうか。その娘がお金をたくさん稼ぎ、それを鼻にかけ、そのあげく冬の王に連れ去られてしまったということも……。
部屋の壁の側面には一部だけ、銀色にきらめく薄い絹のカーテンがかかっていた。心を落ちつかせてくれる暖炉はなかったが、あたしの頭よりも高い透明な水晶柱が等間隔でおかれ、内側から淡い光を放っていた。下にはなんのごちそうもなかったけれど、ここには白い石のテーブルと椅子があり、テーブルの上には、あたしたちのために用意されたと思われる、揃いのゴブレットがならんでいた。ゴブレットは銀製で、片方には牡鹿、もう片方には牝鹿が彫られ、すでにワインが注いである。あたしはゴブレットのひとつを手にとった。

ところが、あたしがそれを口に運ぶより早く、スターリク王が振り返り、ゴブレットを奪い、壁に投げつけた。騒々しい音をたて、ゴブレットが床に転がった。あまりに強く投げつけたので、金属のゴブレットにへこみができた。ワインが床にこぼれ、奇妙にもしゅわしゅわと泡立ち、ワインに混入された白い澱のようなものがあらわれた。

あたしはそれをまじまじと見つめた。「毒を盛ったのね」

「ああ、いかにも！　おまえを毒殺しようとした！」彼は荒々しく言った。「結婚するだけでも我慢がならない。そのうえ、おのれの意に反して――」彼の嫌悪のまなざしが部屋を横切った。あたしはそれでようやく、薄いカーテンの向こうにもうひとつの部屋が隠されていたことに気づいた。そこは寝室なのだ。

「そもそも、あたしと結婚なんかしなけりゃよかったのに！」あたしは言った。恐ろしさよりとまどいのほうが大きかった。けれども彼は、なにをいまさらと言いたげに、両手を振りあげた。結婚を約束した以上は、みずからの名誉のために、彼は結婚しなければならなかった。だとしても、その直後にあたしを殺すのを踏みとどまった理由はなんなのだろう？ 彼は結婚の誓いをしていない。ただ、あたしが王妃だと宣言し、頭に冠をのせただけ。あたしを愛するとも守るとも約束しなかった。

そして、あたしを殺すために、こんな高いところまで連れてきた。なのに、彼はあたしを生かすことにした。それはなぜかというと……。あたしはゆっくりと床に転がったゴブレットに近づき、それを拾いあげた。両手でゴブレットに触れながら、銀の冠を金に変えたときの感覚を、あの暖かさと輝きを思い出そうとした。ゴブレットの柄をつかむ指に力をこめる。あたしの指先から金があふれ出し、銀を覆いつくしていった。

黄金に変わったゴブレットを手に、あたしは彼を振り返った。彼はゴブレットに暗いまなざしを注いだ。まるであたしが黄金のゴブレットではなく、彼自身の破滅を目の前に示してみせたみたいに。彼は吐き捨てるように言った。「もういい！ 見せつけるのはやめろ。その能力においても、おまえにはこれから先も、わたしに対して行使できる権利がある」彼は首もとに手を伸ばし、毛皮のマントを脱ぎ捨て、椅子の背に掛けた。それから、カフスとシャツの襟をゆるめた。ここで服を脱ぐつもりなのだ。つまりそれは……つまりそれはこれから……。

そんな必要はないから、ということばが喉もとまで込みあげた。でも、言っても無駄だと気づいて、がく然とした。彼はすでに結婚を宣言し、あたしの頭に王妃の冠をのせた。そうすることが、約束した自分の義務だと考えているからだ。あたしがそれを拒んだところで、彼には関係ない。あたしに毒を盛ることはなんとも思っていないくせに、あたしをだますのは、不正をはたらくのはいやなのだ。つまり、あたしが望もうが望むまいが、この先には……新婚初夜が待っているというわけ？　あたしにはその権利があるから？　それが彼の義務だから？　そりゃあ、借りは返す、約束は守るのがすじだとしても、ここまできっちり約束を守ってくれなくたっていいのに……。なんだか、たちの悪い妖精に、まちがって願いごとをしてしまったみたいな気分になってきた。

「でもなんだって、そんなに黄金を求めているの？」あたしは、この場を切り抜けたい一心で尋ねた。「ここには銀と宝石と、ガラスの……ダイヤモンドの山があるわ。どれもすごく価値のあるものなんじゃないの？」そりに乗っていたときと同じように、あたしの質問はにべもなく無視された。あたしは彼にとって耐えてやり過ごすしかない存在なのだ。彼の上着の五十個はありそうな銀の前ボタンの最後の一個がするりとはずれたところで、あたしはこれが最後のチャンスだと思って尋ねた。「ねえ、あたしの権利を、あなたがもってるなにかと交換するっていうのはどう？」

　彼はすぐにあたしのほうを振り向いた。シャツがはだけて、裸の胸が見えた。なめらかな白い肌は、あの公爵邸の大理石の床を思わせた。「では、わたしの宝物庫の宝石箱ひとつと」

　安堵のあまり思わずうなずきそうになった。でも深呼吸を三回するあいだに、よく考えた。あわてちゃいけない。市場ですぐに承諾したくなるような取引の申し出があったときと同じだ。スターリク王が鋭い目で、あたしを見つめていた。彼は愚か者じゃない。あたしと新婚初夜を過ごすことを望んでいないが、あたしがそれを望んでいないことも承知している。だから、彼にはなんの痛手ももたらさない提案をして、それにあたしが飛びつくのを待っているのだ。

　もちろん、その提案を受け入れてしまいたい気持ちに変わりはなかった。いやでもカーテンの向こうにあるベッドに目がいった。彼はきっと残酷になるだろう。わざとじゃないとしても、結婚初夜をさっさとすませようとして、残酷になるに決まっている。おじいちゃんならきっと、条件の悪い契約を交わしていいカモだと舐められつづけるよりは、契約を交わさないほうがましだと言うだろう。あたしは、胃のむかむかと闘いながら言った。「あたしは銀から黄金を生み出せるんだもの、財宝をもらっても意味ないわ」

　彼は眉をひそめたが、感情を爆発させはしなかった。「では、なにがほしい？　じっくり考えるんだな。あれこれ尋ねるのはやめろ」最後は冷ややかな警告だった。

あたしは、ためていた息をそっと吐き出した。またしてもむずかしい局面に立たされた。彼の提案には乗らなかったが、もっと大きななにかを求めているわけじゃない。そのことに彼が気づいているのかどうかはわからない。わかっているのは、彼にはあたしを手放すつもりはないということ。そして、殺すつもりもないということ。そして、彼から引き出したいものを、あたしはなにも思いつけない。彼から引き出したいもの……ああ、そうだ、答え……答えを引き出したい。そう気づいて、あたしは言った。「毎晩、あたしの権利として、あたしはあなたに五つの質問をする。あなたがそれに答える。たとえ、あなたにとってどんなに愚かしい質問だったとしても。それでどう？」

「質問はひとつだけにしろ」彼が言った。「ただし、わたしの名を尋ねてはならない」

「三つにして」間髪容れず強気に出た。少なくとも彼は怒っていない。腕を組み、目を鋭く細めたが、否定はしなかった。「ねえ、ここで取引をやめる必要がある？」

「ない」彼はすぐに答えた。「質問は、あとふたつ」

あたしはむっとして、くちびるを噛んだ。「では訊くわ。この国では、どうやって契約を結ぶの？」今後にも関わるだいじなことだから訊いておかなくてはならない。

彼はいらだたしげにあたしを見た。「申し出をする、契約を結ぶ。それだけだ」

こんなことで口論したくはないけど、彼からまたなめられているのがわかった。一夜につき三つの質問をするとしても、こんな調子では、これからもずっと、くだらない答えをちまちまと返されつづけることになる。「いまのはちゃんとした答えになってないわ。あなたの答えがあたしにとって役立たないものなら、明日からは尋ねない。つまり、この取引は無効よ」あたしは当てつけがましく言った。

彼は顔をしかめたが、答えを言い直した。「おまえが条件を出し、わたしたちは契約した。わたしは条件の修正をおまえに求めなかった。ゆえに、その条件下において、おまえが質問し、わたしが答えを返した。すでに質問はふたつ終わった。おまえが三つ目の質問をして、わたしがそれに答えたら、今夜の取引は終わる。おまえに対するわたしの借りはなくなる。これ以上なにが必要だ？　わたしたちは、人間どものような証文や誓いのしぐさを必要としない。そもそも、そんなものは、なんの保証にもなりえない」

彼はつまり、あたしの最初の質問に答えることで契約が成立したと言いたいのだ。そんなものまで質問のひとつに数えるのはずるいと思ったが、ここで言い争うのはやめた。言い争っていたら、あとひとつ残された質問を明日までもちこすことになってしまう。あたしには、知りたいことが山のようにあるのだ。でもまず、いちばん重要なことから――。「どうすれば、あたしを解放してくれる？」

彼は猛々しい笑い声をあげた。「おまえをここにおくために、まだあたえ足りないと言うのか？

わたしとの結婚、王妃の冠、王妃の地位。このうえまだ、自分にもっと高値をつけろと言うのか？　とんでもない。すでにおまえの才能に対する見返りとしてあたえられたものに、満足するんだな。いいか、人間の小娘、警告しておこう」彼は冷ややかな声で脅した。鋭く細めた目は、凍りついた川の深い裂け目のような藍色だった。これは、氷を踏み抜いて溺れ死ぬことになるぞ、という警告なのだ。「おまえがいまの地位を維持できるかどうかは、その才能ひとつにかかっている。覚えておけ」

スターリク王は、椅子にかけたマントをつかんで、さっとはおり、足早に部屋を出た。扉の閉まる大きな音がした。

11 ガラス山の王宮

山羊が好きだ。だって、山羊がなにをするか、おいらにはわかる。たとえば柵囲いの扉があいてたり、杭が一本でもゆるんでたりしたら、山羊たちはとっとと逃げ出して、畑の作物を食いあらす。乳しぼりのときには、脚に気をつけないと、蹴りとばされる。枝のムチで打てば、山羊は走る。でも強く打ちすぎると、おいらを見るだけで逃げるようになる。よっぽど腹がすいて、えさを待ってるときはべつだけどさ。そう、おいらには山羊のことがわかってる。

おいらは、父ちゃんのこともわかろうとした。ちゃんとわかれば、あんまりぶたれなくなるんじゃないかって考えたんだ。でも、うまくいかなかった。おいらは長いあいだ、ワンダのこともわからなかった。ワンダはいつもおいらに、あっち行けって言ってたから。でも、家族の料理をつくってくれたし、ときどき服をつくってくれた。セルゲイは、だいたいいつもやさしかった。でも、ときどきやさしくなかった。なんでだか、よくわからない。少し前までは、おいらが生まれるときに母ちゃんを殺したからだと思ってた。でも、セルゲイに訊いたら、母ちゃんが死んだのはおいらが三歳のときで、母ちゃんを殺したのはべつの赤ん坊なんだって。

その日、おいらはあの木のところに行って、母ちゃんと赤ん坊のことを考えた。母ちゃんが死んで悲しいって言ったら、母ちゃんも悲しいって言った。面倒かけちゃいけないよ、ワンダとセルゲイの言うことをよく聞くんだよって言った。だから、おいらはなるべくそうするようにしてたんだ。

でも、ワンダとセルゲイはいなくなった。父ちゃんは死んでしまった。だからこうして、山羊たちといっしょに長い道のりを歩いて、町へ行くことになった。これまで町に行ったのは、一度きりだ。セルゲイがスターリクにやられたときだった。あのときだって、最初から行こうって決めてたわけじゃない。セルゲイを見つけてまず考えたのは、だれもおいらを助けてくれないだろうってことだった。でも、おいらはいろんなことをまちがえるから、その考えだってまちがいかもしれない、だからやるだけやってみたほうがいいって思った。

だけど、だれに助けてって言えばいいんだろう？　父ちゃんかワンダか。父ちゃんは近くの畑で働いてた。ワンダは道のずうっと先の町にいて、家に帰ってくるまで、まだうんと長い時間がかかる。そのあいだ、セルゲイは森のなかでずっと倒れてることになる。ああもう、どうしたらいい？　おいらは走っていって、母ちゃんに尋ねた。そしたら、母ちゃんが、ワンダのところに行けって言った。だから、言われたとおりにした。おいらが一回きり町に行ったというのは、そのときのことなんだ。

いまは山羊たちを引いているから、あのときみたいに速く歩けない。でも、ほんとのところ、早く町へ行きたいとも思ってない。ワンダがマンデルスタムの奥さんを好きだってことは知ってる。奥さんはときどき卵をくれる。だけど、おいらは奥さんのことを知らないし、わかってもいない。奥さんがあっち行けって言ったら、どうすればいいんだ？　もう家にはもどれない。もどって、あの木のなかにいる母ちゃんに助けてって頼むなんて考えられない。もどれっこないから、母ちゃんはあの木の実をおいらにくれたんだ。あれは、この木の実を持って出ていけってことだった。だから、町に着いてしまうのが怖かった。マンデルスタムの奥さんはおいらを家においてくれないかもしれない。そうなったら、四匹の山羊とおいら、町でなにをすればいいんだろう？

だけど、ようやくマンデルスタムさんの家に着いたとき、ワンダの言ったことが正しかったとわかった。だって、奥さんはすぐに家から飛び出してきて、こう言った。「ステフォン、どうしてここにいるの？」おいらのことをよく知ってるみたいな言い方だった。この家に来たのは一度きりで、奥さんとはぜんぜん話してないのに。あのときはワンダとしか話してないのに。もしかして奥さんは魔女なんじゃないかと思った。「セルゲイが病気なの？　今夜は来られないの？

でも、なんであなた、山羊を連れてるの？」

マンデルスタムの奥さんはいっぱいしゃべって、いっぱい尋ねた。おいらは、どこからどう答えていいのかわからなくなった。「ここに、おいてくれますか？」だから、せっぱ詰まって訊いたんだ。それがおいらにはいちばん知りたかったことだから。そのあとなら、なにを訊いてくれてもかまわなかった。「おいらと、それと山羊も……」

奥さんはおいらに話しかけるのをぴたりと止めた。そしてこう言った。「いいわよ。山羊を柵囲いに入れてらっしゃい。そしたらなかに入ってね。お茶をいれてあげるわ」

おいらは、マンデルスタムの奥さんから言われたとおりにした。家に入ると、温かいお茶を出してくれた。これまでじぶん家で飲んできたどんなお茶よりもうんとおいしかった。奥さんはバター付きのパンもくれた。おいらがそれをぜんぶ食べると、おかわりをくれた。それもぜんぶ食べると、今度は蜂蜜付きのパンをくれた。おいらの腹はぱんぱんになった。

食べているとき、マンデルスタムの旦那さんが家に入ってきた。そのころには、マンデルスタムの奥さんは母親だから、たぶんだいじょうぶなんだって考えていたから、おいらはちょっと心配になった。母親っていうのがどういうものか、おいらにはわかっていなかった。つまりそれはおいらのとこは母ちゃんが木のなかにいるからなんだけど、母親ってのがすごくいいものだってこと、いなくなるとみんなすごく怒ったり悲しんだりするものだってことは知っていた。だって、ワンダもセルゲイもそうだから。なのに、それが父ちゃんだと、家のなかに入ってくるだけで、おいらは逃げたくなった。そう、山羊みたいに。

だけど、マンデルスタムの旦那さんは、入ってくるときから、父ちゃんとはちがってた。ぜんぜん騒がしくない。おいらをじっと見つめるだけなんだ。それから奥さんに近づいて、低い声で話しかけた。おいらには聞かせたくないみたいに。「ワンダもいっしょじゃなかったのかい？」

奥さんが首を振った。「山羊を連れてきたわ。なにがあったの、ヨーゼフ？　なにか面倒なことが起きたの？」

旦那さんはうなずくと、奥さんに頭を寄せて、おいらには聞こえないように、なにかささやいた。でも、聞こえなくてもかまわなかった。だって、その面倒ってやつがなにか、おいらはもう知ってるんだから。ワンダとセルゲイがいなくなったことは、父ちゃんがうちで死んでることと関係がある。

マンデルスタムの奥さんは、旦那さんの話を聞きながら、エプロンをつかんで、口もとをおおった。それから、きつい調子で言った。「信じないわ、そんなこと！　信じるもんですか！あのワンダがまさか！　酒屋のカイユスはずるい男よ。きっと彼がワンダを追いつめるようなことを――」旦那さんがしっと言って止めようとしたけど、奥さんは、今度はおいらのほうを向いて言った。「ステフォン、ワンダとセルゲイのことが町のうわさになってるわ。恐ろしいうわさよ――ふたりが父親を殺したって」

「そうです」と、おいらは言った。奥さんと旦那さんがおいらをじいっと見た。マンデルスタムの旦那さんが、おいらの横にすわって、おびえた山羊に話しかけるときみたいな、静かな声で言った。「ステフォン、なにが起きたのか、わたしたちに話してくれるかね？」

起きたことをぜんぶ話すと考えただけで、不安になった。どれだけことばがいるんだろう？おいらは話すのがへたなんだ。「それ言うの、すごく時間がかかります」おいらは言った。でも、旦那さんはうなずくだけだった。だからおいらは、せいいっぱいがんばって話すことにした。おいらがことばに詰まっても、ふたりは辛抱強く待って、途中でさえぎるようなことはしなかった。マンデルスタムの奥さんはずっと口もとを両手でおおっていたけど、そのうちいっしょにテーブルについた。

おいらが話し終えても、ふたりはしばらくなにも言わなかった。やっと、マンデルスタムの旦那さんが言った。「すべてを話してくれて、ありがとう、ステフォン。ワンダが、きみをわたしたちのもとへ送り出してくれて、ほんとうによかった。ここをきみの家と思えばいい。きみがいたいだけここにいればいい」

「おいらがいつまでもここにいたいって思ったら？」確かめておきたくて尋ねた。

「それなら、ここが、きみの家だ。わたしたちといっしょにいつまでも暮らせばいい」旦那さんが言った。そのとなりで声をあげて泣いていた奥さんが、涙をぬぐって立ちあがり、おいらのためにまたパンを切り、お茶をいれてくれた。

皇后になったその日、わたしはおよそ皇后らしからぬ夜を過ごした。鏡の前に白い毛皮のマントやマフのひと揃いをおいて、そこに横たわって眠った。それならなにが起きても、すぐに毛皮をつかんで鏡を通り抜けられるはずだった。眠りは途切れがちになり、どんな小さな物音にも頭をもたげ、安全を確かめずにはいられなかった。

結局、だれも部屋に入ってこなかった。空が白みはじめるころに目覚め、朝の鐘が鳴るのを待った。鐘の音と同時に起きあがり、ドアノブの下から椅子を取りのぞき、扉を内側からたたきつづけた。とうとう衛兵のひとりが、あくびを嚙み殺しながら扉をあけた。昨夜、わたしをここへ送りとどけた衛兵たちとはべつのふたりが扉の外にいた。昨夜のふたりは、だいじょうぶだったろうか。わたしが衛兵を買収しただなんて、ミルナティウスが本気で考えているのなら、ろくなことにはならないからだ。

「朝のお祈りに行かなければならないわ」わたしは新しい衛兵たちに言った。行かなければならない、という言葉にせいいっぱい思いを込めて。「行き方を教えてくれる？　場所がわからないの」

わたしをむさぼりつくそうとする魔物がいると思うと、神様に近い場所に行きたいという気持ちが湧いた。わたしがこの部屋から消えたことは衛兵に伝えられていないらしく、彼らはいぶかしむこともなく、わたしを小さな礼拝堂に案内してくれた。わたしはひざまずき、頭を垂れ、祈っているように口を動かしつづけた。それほど多くの人はいなかった。司祭のほかは、ほとんどがこの屋敷の家事をこなす女性たちで、わたしのほうをうなずきながら見つめていた。板壁の隙間から真冬のような寒風が吹きつけてきたけれど、気にならなかった。その寒風は、わたしの避難所、鏡の向こうにある真冬の王国とつながっているように思われた。それに寒いほうが、頭がよくはたらいた。

礼拝堂の壁のくぼみに、鎖で縛られ天を仰いだ聖ソフィアの像があった。遠い昔、異教徒の王が、見せしめに彼女を捕まえ、その首を落とした。しかし彼女は後世まで聖女として語り伝えられることになり、彼女を縛っていた鎖は〈聖なる鎖〉として首都コロンの大聖堂に保管され、皇帝の戴冠式など特別な儀式のあるときに持ち出される。先の皇后、ミルナティウス帝の母が、彼の義兄である皇太子を魔術で殺そうとしたかどで捕まったときも、この鎖が使われた。たとえ彼女が悪魔の使いだったとしても、鎖には彼女を火刑に処するまで魔力を封じこめておく力があったのだ。

　そのようないきさつがあるからこそ、ミルナティウスは衆目のなかで魔法を使おうとはしなかった。晩餐の席でも、そりのなかでも、わたしに飛びかかってこなかった。それに、新妻に逃げられたと周囲に信じこませなければならない面倒な事態も、彼は望んでいないだろう。だから、すぐにも命を奪われるわけではないと自分に言い聞かせ、心を強く保とうとした。しかし、そんな理由で心を強く保ちつづけるのはむずかしい。ミルナティウスの力を封じこめたいが、それはあまりにも大きかった。なにしろ、彼はわたしの夫で、この国の皇帝で、魔法使いで、しかも彼には炎の魔物が取り憑き、その魔物がわたしを狙っている。わたしにできるのは氷の国へ逃れること、そこで魔物に焼きつくされるよりはいくらかましな死に方を選ぶことくらいなのかもしれない。

　ミサが終わり、礼拝堂にいつまでもいるわけにはいかなくなった。わたしはしかたなく立ちあがり、年輩の女性たちといっしょに母屋にもどった。朝食をとるために広間に入ると、ミルナティウスがそこにいて、アズオラス公爵夫人に話しかけていた。「けさ、わたしの妻を見かけた方はいないでしょうか？」妻になにかあったのではないかと案じるように公爵夫人を見つめている。そこには、この会話を彼女に強く印象づけておきたいという彼の意図が見てとれた。

　わたしのまわりでは、女性たちが騒がしくおしゃべりし、召使いが朝食の料理をならべていた。

おりしもアズオラス公爵が広間に入ってきた。これだけたくさんの人たちがこの場にいることに勇気づけられ、わたしは隔たったところにいるミルナティウスに聞こえるように声をかけた。

「わたしは礼拝堂にいたのですよ」

ミルナティウスが驚いて、幽霊か悪魔でも見るようにわたしを見た。「昨夜はどこにいた?」人目があるにもかかわらず、口調がきつくなっている。

それでも彼はあの魔物を呼び出すことも、悲鳴をあげるわたしを引きずっていくこともしなかった。わたしは安堵のため息をひそかに洩らし、目を伏せた。「あなたが部屋を出ていってから、それはよく眠りました。あなたもそうであるとよいのですが……」

ミルナティウスはわたしを上から下までつらつらと見たのち、わたしの両脇にいる衛兵に視線を移した。衛兵らは新婚夫婦を祝福するように、かすかな笑みさえ浮かべている。周囲にいるだれもが、新婚夫婦の仲睦まじいやりとりにほほえんでいた。ミルナティウスはわたしの顔に視線をもどし、目に警戒の色を浮かべた。昨夜の寝室の破壊行為は、花嫁の収納箱とそのなかのすべてのドレスにも及び、それらも彼の魔法によって修復されていた。彼は、わたしの着ているレースの上着の繊細な唐草模様に、自分の創作がまじっていることに気づき、なにをどう考えていいのやら、混乱しているようだ。

わたしは意を決して広間を横切り、ミルナティウスの腕を取った。「お腹がすいたわ」彼がかすかに身をこわばらせ、わたしから逃げようとしたことには気づかないふりをした。「朝食にしませんこと?」

嘘ではなかった。ミルナティウスに昨夜の晩餐を途中で切りあげさせられ、昨夜は寒いところに長くいて、ひどくおなかがすいていた。テーブルにつくと、わたしはひとりで優に二人前はたいらげた。一方、わが夫は、小鳥がついばむように料理を食べながら、ときおり目をすがめてわたしを見つめた。わたしがここにいることを何度も確かめずにはいられないように。「遅まきながら気づいたが、ぼくはきみに熱を上げるあまり、きみを父君のもとから連れ出すのを急ぎすぎたかもしれないな」彼がとうとう口を開いた。「きみは、世話をしてくれる女性がそばにいなくて、さびしいにちがいない」

わたしはまだ目を伏せたまま、動揺を見せないように注意して答えた。「いいえ、あなたがそばにいてくださるなら、付き添いはいりません。ただ正直なところ、母が亡くなったときから、いつもいっしょに過ごしてきた乳母がいないのをさびしく思っています」

ではその乳母を呼び寄せよう、と、おそらく言いかけて、ミルナティウスは口をつぐんだ。「なるほど」彼はさらに警戒の表情を深めて言った。「それでは、ぼくたちがコロンに落ちついたら、使者を立て、その乳母を迎えにいかせるとしよう――しばらく時間はかかるが……」こうして、わたしはまたマグレータと再会できることになった。わたしのほうから彼女を求めていると伝えたのだから、そうやすやすと彼女に手出しはできないはずだ。わたしはミルナティウスにていねいに感謝を伝えた。

ひと晩じゅう降りつづいた雪のせいで、その日は終日、屋内で過ごすしかなかった。夫を避けられるなら、わたしはどんなチャンスにも飛びついた。信心深い女になりきって、また祈りを捧げたいと申し出ると、アズオラス公爵夫人もいささか驚いたようだった。けれども、母親が出産のときに亡くなったので、聖母のご加護にすがりたいのだと説明した。公爵夫人は、あなたは妻の務めをよく理解していると誉めてくれた。

この国に、皇帝の世継ぎがいないことを喜ぶ者はいなかった。皇帝が虚弱そうなのだから、なおさらだった。父の晩餐の席では、お客たちが首を振っては、皇帝の結婚がもっと早ければよかったのに、と不満を洩らした。いまこの国に皇帝の座を奪い合う争いをしているような余裕はない。もしそれができるなら、先帝とその長男があいついで亡くなり、わずか十三歳の少年が皇帝となったときに起きていたはずだ。その少年、ミルナティウスは信じられないほど華奢で美しかった。名だたる諸公たちは、彼の頭上で飢えたライオンのような目配せを交わしあっていたのかもしれない。

そのうちの何人かが数年のうちに父のもとを訪れ、皇位を奪うための支援を求めた。わたしは同じテーブルで皿に目を落とし、父の返事に静かに耳を傾けていた。だれもがあからさまには話をもちかけず、それに答えるときも同様だった。父は、隣国スヴェティアから届く酸味のきいた小粒のベリーを使った焼き菓子を大皿で出したあと、さりげなくこう言った。「この街の市場には、スヴェティアからたくさんの商人が訪れる。彼らはいつも、わが国の関税の高さに不満を洩らしています」つまり、スヴェティア国王が北方の港に艦隊をおいてわが国を虎視眈々と狙っているというのに、自国内で争っている暇などないと言いたいのだった。父はこうも言った。「東方では先月、カーン大帝の三番目の息子がリオドナを落としたとか」カーン大帝の七人の息子が、いつ屈強な軍団を率いて攻め入ってきてもおかしくない現状を伝えて、国内の争いを牽制したのだった。

昨年、父に同伴してウーリシュ公を訪ねたときのこと、夜が更けて、ウーリシュ公の令嬢ヴァシリアとその取り巻きが席を立つことになった。女としてはわたしひとりが残ることになったが、彼女らが機嫌よくわたしに笑いかけたのは、わたしが器量において脅威にはなりえないことをよく承知していたからだ。ヴァシリアは皇帝の花嫁候補と目されながら、まだ結婚には至っていなかった。ウーリシュ公は、彼に富をもたらす塩の値が上がっていること、おかかえの若き騎士たちが馬術の腕を上げていることを自慢した。ここに到着した前夜、父はテーブルの椀からヘーゼルナッツをいくつか取り、たんたんと語った。「スターリクがこの冬、ヴィスニアから馬で一日ほどの距離にある修道院を襲撃し、焼き払いました」父はヘーゼルナッツの殻を割り、実を取り出し、手のひらの上で殻を砕いた。

このような席に集まる人々は、父の真意を理解していた。たとえ皇位の争いに勝利をつかんでも、戦いによる疲弊は、国境の向こうからあらわれる野獣に、あるいは国内の敵に狙われやすくなるということだ。諸公はこれまで父の助言を重く受けとめてきた。ドミティア大公だけは熾烈な闘いを避けて皇帝になれる可能性をもっていた。彼は東の国境地帯と五つの都市を治め、強力なタタール人騎兵隊をかかえている。しかしそのドミティア大公でさえ、摂政という立場にとどまって、皇帝ミルナティウスが彼の娘と結婚できるまで成長するのを待つという腹づもりだった。

もちろん、自分の娘とミルナティウスとのあいだに世継ぎが誕生してすぐに、病弱な皇帝が重い病気を患う場合もあるだろう。その場合もドミティア大公は、新皇帝となる自分の孫の摂政を務めるつもりでいたようだ。ところが、ミルナティウス帝と娘の結婚式がいよいよ三日後というとき、ドミティア大公は熱病で急死した。いまから思えば、あれも黒魔術のしわざだったのかもしれない。先帝やその長男の死と同様、ミルナティウスにとってあまりにも好都合な展開だった。ドミティア大公の葬儀のあと、ミルナティウスは、敬愛してきた摂政ドミティア大公の死に打ちのめされており、すぐに結婚する気にはなれないと言い出した。大公の娘は修道院に身をひそめ、表には二度と出てこなくなり、五つの都市は五人のいとこに割譲された。

それ以来、ミルナティウスは摂政をおかずにこの皇国を支配してきた。彼を転覆させようとする者はひとりも出てこなかった。しかしそれでも、名だたる諸公が父の晩餐の席につき、あるいは父を招待して話し合う機会が増えた。ドミティア大公令嬢との結婚が破談になって四年たっても、ミルナティウス帝はヴァシリアともだれとも結婚せず、彼の寝室のベッドは冷えきっているといううわさが流れた。首都コロンから父のもとにやってきた口の軽い男爵が、夜も更けて酔いがまわったころ、このままでは落とし胤さえできそうにない、とこぼしたものだった。もちろん、諸公たちは、皇帝に取り憑いた魔物がそこに絡んでいることなど知るよしもないのだが、このままミルナティウスが世継ぎをつくろうとしなければ、王位継承をめぐる争いが遅かれ早かれはじまるだろうとは考えていた。だからこそ、だれもが一刻も早く世継ぎが誕生することを望んでいたのだ。

父が皇帝の結婚を望んだ理由はいくつかあった。皇帝の結婚が決まらないかぎり、身の処し方をつねに図りながら動静を見守る必要があるし、それには大きな危険がつきまとう。自分にとってほとんど益のない争いを避けたいという点においては、アズオラス公爵も父と同じ立場にあった。つまり、みずから皇帝の座を狙えるほど強くはないが、争いを静観できるほど存在感が薄くはない、という立場だ。

そんなこの国ならではの事情もあって、わたしが何度お祈りをしたいと願い出ても、このアズオラス公爵邸のなかに反対する人はいなかった。それどころか、子を授かるためによい食べ物を求めると、女性たちが喜んで助けてくれた。その日のうちに、わたしのためにと厨房から持ち寄った食べ物で、大きなバスケットがいっぱいになった。「あなたはもっと太ったほうがいいわね」と、公爵のお母さまが、わたしのほおを両手で包みながら言った。バスケットの半分くらいは彼女からの差し入れだった。

そのバスケットは、わたしが銀を身につけて晩餐をとっているあいだ、寝室の鏡の前でわたしを待っていた。銀の冠を頭にのせていると、貴婦人たちがいつもそばに集まってきた。わたしは冠を頭からはずし、頭痛がするので、二階の寝室で夫が訪れるまで静かに過ごすことにすると、暇乞いを告げた。貴婦人たちはそのとおりだとうなずき、去っていった。わたしは寝室にもどるとすぐに三着のドレスを着こみ、毛皮をはおり、銀の冠を頭にもどした。そしてバスケットをかかえ、鏡を通り抜けた。

ミルナティウスが階段を駆けあがってきたのは、そのときだった。わたしが二階に上がったと聞いて、あわてて駆けつけたのだろう。わたしから目を離すつもりはなく、最後は自分の手で寝室まで連れていこうと考えていたようだ。けれども、彼が扉の鍵穴に鍵を入れて回す音が聞こえたときには、わたしはすでに部屋から逃れて、氷の国の川べりに腰をおろしていた。牡蠣や田舎ふうの黒パンやサクランボが入ったバスケットをかたわらにおいて。

部屋に飛びこんだミルナティウスは、またしてもわたしが消えているのに気づき、憤懣やるかたなく両腕を振りあげた。しかし今回は逆上することなく、カバーやカーテンを押しのけ、ベッドの下をのぞき、わたしが隠れていないかどうかを調べつくした。それから部屋のまんなかに行き、あごをこわばらせ、両のこぶしを握り、窓のほうを向いて立った。窓の外に日が沈もうとしていた。オレンジ色の夕日の最後のひとすじが彼の顔をかすめて照らした瞬間、その顔が猛々しくゆがみ、計画が思いどおりに進まないことへの怒りに震えはじめた。わたしはいよいよ、破壊行為がはじまるのではないかと思った。

だが、ミルナティウスはそうはせず、うめくように言った。「今回も壊しまくってやったら、きみは修復するための魔力をまたわたしにあたえてくれるのだろうな？」目を固く閉じ、全身をぶるぶると震わせた。すると突然、暖炉の炎が、怒りの声をあげるようにバチバチと爆ぜ、激しく燃えあがった。ミルナティウスはがくりとひざを突き、両手を床について前のめりになる。頭を落とした姿勢でなおも震えつづけていたが、顔をしかめて身を起こし、ふたたび立ちあがり、炎に向かって言った。「きみが彼女を求めた理由はこれか？　つまり、彼女が魔女だからか？」

炎がいらだたしげに返した。「チガウ！　アノムスメノナカニ　フユガアルカラダ。アノムスメハ　ツメタク　アマイ　イズミ。フカク　ナガレル　ミズ。オレハ　アノムスメヲ　ノミホシタイ。アノムスメガ　コトキレルマデ　ノミツクシタイ……アノムスメ　ホシイ！　アノムスメ　ミツケロ！」

「いったい、ぼくになにをしろと言うんだ？」ミルナティウスが強く返した。「彼女が魔女でないなら、どうして消えてしまうんだ？　扉を守っている男たちは、買収されていなかった。昨夜も、今夜も。ここから出ていく方法はない。なのに、またしてもこのざまだ」

炎がブツブツとつぶやくように爆ぜた。「ワカラナイ。オレハ　ミルコトガデキナイカラ」そう言って、ジリジリといらだちを吐き出す。「アノババア　ツレテキタカ？」

「いや、まだだ」ミルナティウスは、しばし間をおいたのち、警戒心をにじませながらつづけた。「イリーナは、あの乳母を呼び寄せることを望んだ。つまり、このような小賢しい妖術を彼女に教えたのが、あの乳母だったらどうする？」

「トットト　ヤレ！」炎が叫んだ。「ババアヲ　ツレテコイ！　イリーナガ　ニゲツヅケルナラババアヲサキニ　ノミホシテヤル！　イヤ……イイ。オイボレハ　イラン。オイボレ　スグニツキル。スグニ　ナクナル！　イリーナガ　イイ！　イリーナガ　ホシイ！」

ミルナティウスは眉をひそめた。「ぼくに、どんな言いわけをさせるつもりだ？　新妻と老いた乳母が日をおかずに奇妙な死に方をしたとして、どんな言いわけができる？　あらゆる人にふたりを忘れさせることなんて無理な話だ！」

ミルナティウスがさっと身を引いたのと同時に、炎が暖炉から轟音をあげて噴き出した。一瞬、おぞましい顔が炎のなかから浮かびあがった。黒い眼窩、ぱっくりとあいた口。炎が部屋を駆けめぐり、ミルナティウスに襲いかかった。「アノムスメ　ヨコセ！」金切り声で叫んだかと思うと、炎の堅い棍棒に姿を変えて、彼に飛びかかる。大きな化け猫がネズミをいたぶるように、炎の棍棒が右から左から彼をひとしきり打ちすえた。そのあと、炎はまたすうっと暖炉にもどり、燃える薪とひとつになった。皇帝は床に投げ出され、服が煙を上げている。その一部は焦げつき、燃え落ちていた。

炎はシューシューと音をたて、小さく爆ぜながら、しだいに衰えていった。ミルナティウスは片手で頭を覆い、全身をかばうように体を丸めてうずくまっていた。ようやく炎が鈍く静かな燠火にもどると、こっぴどく殴打された人のように顔をしかめ、ゆっくりと動きはじめた。そんなときでも、彼は非の打ちどころなく美しかった。服はぼろぼろになり、肌があらわになり、立ちあがると、灰やら燃え殻やらが床に落ちて山になった。けれども、彼の体には火傷ひとつなかった。おそらく炎の魔物が生身を傷つけるのをあえて避けたのだろう。ミルナティウスはよろよろと歩き、扉のほうをちらりと見やったのち、ベッド——わたしのベッド！——に倒れこみ、ほとんど一瞬で眠りに落ちた。

わたしは川堤に立ち、両手を固く握り合わせた。昨晩ほど寒さを感じないのは、厚く着こんだ服と、バスケットで持ちこんだ食べ物のおかげだ。食べ物がすぐに凍りつくのではないかと心配していたが、そうはならなかった。ひと口ごとに女性たちの思いやりが、ささやかれた助言や励ましがよみがえってきて、心にやさしく触れた。それぞれの食べ物の味わいが、わたしを温めつづけてくれた。それでも、胸の底にある不安という氷は溶けなかった。明日は、ミルナティウスがマグレータを呼びよせるために、ヴィスニアに使者を差し向けるだろう。朝食の席で知恵をしぼって言いわけしたとしても、まだそれだけでは足りない。わたしはまだマグレータを救う方法を思いついていなかった。そう、わたし自身を救う方法も。

スターリク王が立ち去ったあと、あたしは怒りと不安に駆られて長いあいだ自分の新しい寝室のなかを行ったり来たりした。へこんだ金のゴブレットがあたしを嘲るようにテーブルの上にあり、彼が毒殺を企てたことを思い出させようとした。まさに、これからのあたしの人生の象徴だ。氷の心をもつ人々に囚われ、彼らの王様の宝箱を黄金で満たし、もしそれを拒めば、新たな毒杯が用意されるにちがいない。

ろくすっぽ眠れなかったのは、絹の薄いカーテンのこすれ合う音が、不気味なささやきに聞こえるからだった。そしてつぎに目覚めたとき、いちばん肝心な質問を忘れていたことに気づいた。どうやって、この部屋から出るの？　部屋の壁には扉がなかった。山肌の透明な壁とは反対側にある扉から自分が入って、スターリク王が出ていったことも確かなのに、壁の表面を両手でさぐってみても、どこにも出入り口の跡は見つからなかった。ここには食べ物も飲み物もないし、だれひとりやってきそうにない。

寒々しい慰めではあるけれど、スターリク王は、それを目的にあたしと結婚したほど黄金がほしいのだから、あたしをむざむざ餓え死にさせはしないだろう。そしてあたしは、夜ごと三つの質問に答えることを彼に要求した。でもまさか、こんなに長いあいだ放ったらかしにされるなんて想像していなかった。だいたい、いつ夜になるんだろう？　さんざん部屋を行ったり来たりして疲れはて、透明な壁のそばまで行き、そこにすわって、果てしなく広がる森をながめた。どれだけ待っても——何時間も過ぎたような気がするのに——外の光に変化はなかった。変化と言えば、粉雪が降りつづいているので、松の木を覆う雪の毛布が前日より厚くなっていることぐらいだ。

ますます喉が渇き、おなかがすいた。こらえきれずにスターリク王が飲まずに残していったゴブレットをあけた。頭がくらくらして、寒くて、怒り心頭に発したところへ、ようやくスターリク王があらわれた。その寸前に壁に出現した扉から入ってきたのだが、扉の位置は前日とは明らかにちがっていた。彼のあとにふたりの召使いがつづき、頑丈そうな収納箱を運び入れた。彼らがそれをあたしの足もとにおろすとき、なかで金属のぶつかり合う音がした。

召使いがそのふたをあけるより一瞬早く、あたしは片足をそのふたにのせ、腕を前で組んだ。

「幸運にも金の卵を産むガチョウを見つけて喜んでいるのなら——」と、スターリク王を見あげ、噛みつくように言った。「そして、そのガチョウに年じゅう卵を産ませたいのなら、そのガチョウを満足させるってことも考えたほうがいいわね。あなたに、それを考えるだけの頭があるならですけどね。あるのかしら？」

召使いふたりは驚いて後ずさり、スターリク王は、やたらとがったものが突き出た、長身の体をこわばらせた。怒りで全身がぎらぎらしている。両肩からきらめく短剣のようなつらら状の鋭い氷が何本も突き出し、ほお骨の輪郭は石を切り出したように鋭い。それでもあたしは背すじをまっすぐ伸ばし、ひるむまいとあごを突き出した。彼は大股であたしのそばを通り過ぎ、透明な壁に近づいた。脇にそえた両手を握りしめ、感情を鎮めようとするように、森を見つめている。ようやく振り返ると、氷のような冷ややかさで言った。「いいだろう。そのガチョウの要求が理にかなったものであるなら」

「ではまず、食事を」あたしは即座に返した。「あなたといっしょにテーブルについて、目の前で、あなたと同じ料理を皿によそってもらうわ。まるで、大喜びで結婚したたいせつなお妃の相手をするときのように。あなたの想像力をそこまではたらかせるのはむずかしいかもしれないけれど、やってもらうから」

彼はまだ怒りでぎらぎらしていたが、召使いに向かってさっと手を振った。召使いたちが一礼してそそくさと出ていくと、ほどなく、今度は何人も召使いが入ってきた。テーブルにならびはじめたごちそうを見て、わくわくしないでいるのはむずかしかった。

銀の皿、宝石のようにきらめくグラス。雪のように白いテーブルクロスの上に、二十種類はあろうかという料理の皿がならべられた。すべて冷たい料理で、ほとんどが初めて見るものだったが、食べることができたのでほっとした。ぴりっとスパイスの効いたピンクの魚、黄緑色の皮と青白い実をもつ果物を薄く切ったもの、固くて塩気のある小さな賽子のようなものを散らした透明なゼリー、ボウルに盛られた一見すると雪のようだが、薔薇の匂いがする甘いなにか。グリーンピースのひと皿らしきものもあったが、豆は小さくてしゃりしゃりと凍っていた。塩を添えられた生の獣肉もあったが、たいそう薄く切られているので、食べることができた。

あたしたちが食事を終えると、召使いが皿を片づけた。スターリク王が召使いのなかからふたりの女性を選び、あたしの世話係を務めるようにとふたりに命じた。ふたりはこのなりゆきをうれしくは思っていないようだし、それはあたしも同じだった。彼がふたりの名前さえも言わないものだから、ほかの多くの召使いたちとどう区別すればいいのかわからない。

ひとりは、とても細くて長い髪を、左側で水晶のビーズを編み込んで一本の三つ編みにしている。もうひとりは、右目の下に小さな白いほくろがある。あたしが見てとれた特徴はそれぐらいだった。ふたりとも、この宮廷のほかの召使いたちと同じように髪の色は白と灰色で、灰色の服を着ている。でも、服の前ボタンが銀だったので、あたしはふたりに近づき、ボタンに指を伸ばした。ひとつ、またひとつと銀のボタンを輝く黄金のボタンに変えていった。あたしがそうしているあいだ、ほかの召使いたちがちらちらと視線を向けた。ふたりの前ボタンをすべて金に変えたところで、あたしはすまして言った。「こうすれば、だれだって、あなたたちがあたしの世話係とわかるわね」ふたりはますます自分の運命を憂えたようだった。スターリク王があたしのほうを不愉快そうに見ているのが小気味よかった。つまらない意地かもしれないけれど、それでもよかった。

「なにか用事があるとき、あなたたちを呼び出すにはどうすればいいの？」あたしはふたりに尋ねたが、返事はなく、彼女らは彼女らの君主のほうに視線を向けた。ああ、そういうこと。おそらく、あたしの質問には答えないようにと言い渡されているのだろう。質問は王様だけにしろっていうことだ。あたしはくちびるを嚙みしめてから、そっけなく尋ねた。「で、どうするの？」

スターリク王が満足げに薄笑いを浮かべた。「これを使え」彼がほくろのある召使いのほうに首を傾けると、彼女は、ちりんと鳴る小さなベルをあたしに手渡した。それから彼はふたりの召使いに退去を命じ、ふたりが部屋から去ったところで、冷ややかに言った。「さて、質問はあとひとつ」

彼のほかにだれも答えてくれないのなら、あたしにはここで暮らしていくために知っておきたいことが山のようにあった。入浴はどこでするのかとか、着替えはどうするのかとか――でも、あたしの喉もとに込みあげてきたのは、知りたくてたまらないけれど、少しも実際的ではない質問だった。その答えはすでに想像できたし、それを確かめたくもなかったのだけれど……。「どうやったら、ヴィスニアに、そしてあたしの家にもどれるの？」

「おまえが？　このわが王国から日の照る世界に？」その見くだした態度からしても、彼の考えは明らかだった。あたしが故郷に帰れるチャンスは月に行くのと同じくらいってことだ。「無理だな。わたしがおまえを連れていかないかぎりは」そう言うと立ちあがり、彼は悠然と部屋から出ていった。あたしは寝室に行き、カーテンを引いて果てしない薄明をさえぎり、両腕に顔をうずめた。奥歯を嚙みしめると、まぶたがひりひりするほど熱い涙が噴きあがった。

それでもまた目覚めると、あたしは起きあがり、意を決してベルを鳴らした。すぐにやってきた世話係たちに、質問はせず、かんたんに要求だけを伝えることにした。要求はほぼ叶えられた。まず、浴槽が部屋に運びこまれた。優雅な曲線を描く大きな銀の浴槽で、あたしの背丈より長さがあった。浴槽の外側には氷が付着し、そのへりには霜が張っていた。でも、おそるおそる手を入れると、なぜかその水の温度をちょうどよいと感じた。用心しつつ浴槽にそろそろと体を沈めた。いつ悲鳴をあげてもおかしくないはずなのに、そうはならなかった。スターリク王があたしをこの世界に連れてくるためにあたしになにをしたにせよ、この冷たさに耐えられるようになっていた。

世話係たちは食べ物と新しい衣類も持ってきた。服はすべて白と銀で、あたしはすべての銀を迷うことなく黄金に変えた。はじめてしまった以上はつづけるつもりだし、できるだけ多くの目にさらしたほうがいいと考えていた。けれども、これだけあたしに仕えてくれたにもかかわらず、ふたりの世話係はあたしに自分の名前を告げなかった。ただ、召使いの名までスターリク王に尋ねる気にはなれなかったので、朝食の席についたとき、あたしはほくろのあるほうの世話係に言った。「これからは、あなたをフレクと呼ぶことにするわ。そして、あなたはソップ」あとの名前は、三つ編みの女性に向けて言った。「もしほかに、こう呼んでほしいという名前がなければだけど」

フレクは驚いて、グラスに注いでいた飲み物をこぼしそうになった。彼女は信じられないというう目であたしを見つめ、次いでソップと目を見交わした。ソップも呆気にとられたように、あたしを見つめていた。怒らせてしまったのかと一瞬心配したが、ふたりは顔をぽっと、ほのかな青灰色に染めた。フレクが言った。「光栄に存じます」目を伏せたままだったが、本心から言っているように思われた。よい名前をあげたなんてちっとも思わなかった。彼女たちのほんとうの名を引き出したくて、思いつきで言っただけなのに、まさか、そのまま受け入れてしまうなんて……。

それでも、彼女らを名前で呼べるようになったことにはそこそこに満足した。食事を終えてしまうと、そこからは長い一日が待っていた。もっとも、あたしを待っていたのは、部屋のまんなかにおかれた銀貨を満杯にした収納箱だけ。あたしは顔をしかめてそれを見た。でも、やるしかないし、ほかにやることがない。少なくとも、あたしの要求を王は聞き入れた。あたしは王の求めるものをなんでもあたえるつもりはないし、喉から手が出るほど彼が求めている黄金となればなおさらだけど、これが自分の命のかかった契約であることもわかっていた。もしこの契約を引き受ける気がないのなら、あの透明な壁を打ち破って、滝壺に身を投げたほうがましというものだ。

「これをすべて床にあけて」あたしはソップとフレクにしぶしぶ言った。ふたりは、軽々とそれをやってのけ、からっぽの収納箱を銀貨の山のそばにおき、お辞儀をして立ち去った。

あたしは一個の銀貨をつまみあげた。人間世界にいるときには見えなかったのに、ガラスの壁を通過してくる光に照らすと、不思議にもコインに刻まれた絵がうっすらと輝いて浮かびあがってきた。片側の絵は、白い木々。もう片側は、このガラス山の絵で、ふもと近くに銀の門はあるが、滝は描かれていなかった。コインを握りしめ、ささやかな念を込めるだけで、金がみるみる広がって、バターのような黄みを帯びた黄金になった。

またしても怒りが込みあげた。いや、怒りたかったのかもしれない。あたしの手のなかに囚われている太陽のような輝きと、窓の外に広がる冷たい灰色の光。ふたつのあまりのちがいに、やりきれない気持ちになった。あたしは金貨を収納箱に投げ入れた。そしてまた新しい一枚を金に変え、また新しい一枚を……。そのうち気晴らしに、ひとつかみの銀貨をぜんぶいっぺんに収納箱に投げ入れてみた。すべての銀貨が落下しながら金に変わった。むずかしくなかったけれど、急ぐ必要もない。スターリク王は、これをやったら、またつぎのをやれと言い出すにきまっているから。

収納箱の四分の一ほど金貨をためたところで、あたしは透明な壁に近づき、そこにすわって、このまだ慣れることのできないわが王国を見わたした。いつしか雪の降りが激しくなっていた。黒ずんだ銀色の細い蛇のような川が、氷を浮かべて、うねうねと流れている。その川だけが、果てしなく広がる森のなかに割り込む唯一のものだが、それさえ途中から雪に隠されてしまう。農場も道もどんなものも見つからない。

空は濃い灰色。雲のかたちすらなく、のっぺりとした曇り空。そのなかで、このガラス山だけが唯一、光の島として輝いている。雪や氷に反射するすべての光をひとり占めにして、この世のものとは思えない、きらめく山腹が築かれているのだろうか。ガラスの壁のなかには、万華鏡のように色とりどりの光が閉じこめられ、ゆっくりとまたたいている。ガラスの壁の冷たい表面に指を押しあてると、つかの間、そのまわりだけ光の色合いが変化した。

「どこから……じゃなくて……ええと、こういった食べ物がここに来る前にあった場所を指さしてみて」あたしは、昼食を運んできたフレクに言った。それは、魚の薄い切り身と繊細な味のする果物の薄切りを円くならべた料理だった。フレクはとまどい、反応するのをためらった。あたしは透明な壁に近づき、問いかけるように外の世界を手で示してみせた。フレクは不安げな目で森をちらっと見ただけで、あたしに近づこうとはしなかった。彼女は首をゆっくりと横に振り、指で真下をさした。

あたしはまだ納得できず、料理の皿を見つめた。「それじゃあ、この魚のあったところまで連れていって」どうにかしてここから逃げられないものか、という考えが頭をかすめた。山から流れる川を泳いでいけば、なんとかなるだろうか。いや、とにかく、この部屋から出られるだけでもいい。まがりなりにも、あたしは王妃だ。自分の領土を歩きまわってどこが悪いというのだろう？

フレクは疑わしそうな顔をしたけれど、壁に近づき、あたしのためにそこを開いてくれた。彼女がなにをしたのかわからない。把手に触れたわけでも、特別なしぐさをしたわけでも、魔法の呪文を唱えたわけでもなかった。ただ壁まで行って、あたしのほうに向き直ったときには、アーチ形の開口部があらわれ、彼女がそこで待っていた。前からずっと、そこに出入り口があったかのように。
あたしは彼女につづいて開口部を抜け、トンネルのような通路に出た。ガラスのなめらかな壁には、どんな継ぎ目も見あたらなかった。フレクは、かなり急な下り坂を進み、何度もあたしを振り返った。いくつかの部屋の横を通り過ぎた。それらはどうやら厨房らしいが、炉のある気配はなかった。ただ長いテーブルがあり、灰色の服を着たスターリクの召使いたちが、淡い色の果物、銀色の皮をもつ魚、赤紫色の肉の切り身を箱から取り出し、きちょうめんなナイフさばきで薄く切り分け、皿にならべていた。

この世界にも自分の日常的な感覚で理解できるものがあったことに、いくぶん安心した。少なくとも、彼らがなにをしているかは、あたしにもわかる。けれども、彼らは目を上げてあたしの姿を認めると、あからさまに驚いた顔をした。おそらく、召使いたちの領域を王妃が歩きまわるなんて、あってはならないことなのだろう。あたしは、彼らをぎょっとさせるほど恥さらしなことをやっているのかもしれない。それでもひるむことなくあごをあげ、フレクのあとについて堂々と歩くことにした。

こうして、いくつかのゆるい曲がり角を過ぎ、最後と思われる厨房の横を過ぎると、その先にはどんな出入口もない通路がしばらくつづいた。フレクが立ち止まり、あたしを振り返った。あたしが厨房を見て満足したことを心から願っているようだ。でも、トンネルにはまだ先があり、あたしの好奇心は満たされていなかった。「もっと先に行って」と言うと、彼女はまた前を向き、さらに急な下り坂に足を踏み出した。

　下にいくほど壁の内部の光は弱まり、ついには生まれてはまた衰える、ほのかに明滅しながら互いを追いかけ合う閃光だけになった。土のなかにもぐって、地中までとどく地表の明かりを見あげているような気持ちになった。長いあいだ歩きつづけ、何度かつづら折りのせまい階段をおり、さらに進んだ。やがてトンネルの先に突然、アーチ形の入り口があらわれ、フレクがそこをくぐった。あとにつづくと、そこにあったのは洞窟のような巨大な部屋だった。ぎざぎざした水晶柱が壁を埋めつくし、中央には薄暗い大きな池があり、それを迂回してせまい歩道がつづいていた。

　池の水面はガラスのように平らだが、そこに生き物がいる証に、壁には長い柄付きの網がいくつも立てかけてあった。しばらく水面を見つめていると、水中の暗がりに巨大魚の銀色の腹がつかの間きらめき、またすぐに深みに消えた。ひざまずき、水面に指で触れてみた。氷水の風呂にも心地よく浸かれるようになっていたのに、その池の水は手を切るほど冷たく感じられた。あたしの指先から水面に生まれたさざなみがしだいに大きな輪となって池全体に広がっていった。さざなみは遠い向こう岸にぶつかり、またもどってくる。行く波ともどる波が打ち消し合い、ふたたび水面は完璧な静けさを取りもどした。

この山のなかには、これと同じような池がいったいいくつあるのだろう？　水晶の壁の奥に、果樹園がいくつあるのだろう？　この山の深部、宝石のように輝く砦の内側には、途方もない世界が広がっている。それはどこまでつづいているのだろう？　フレクが無言のまま、あたしのそばで待っていた。あたしが命じたとおりにしたものの、このままあたしを置き去りにするわけにもいかないのだ。でもあたしだって、ここから逃げようがない。唯一逃げる手立ては、溺死という新たな死に方を選ぶことだけだ。それにここにいたところで、フレクはあたしのどんな質問にも答えてくれそうにない。あたしは立ちあがって言った。「これでいいわ。あたしを部屋まで連れて帰って。ただし、べつの道をたどって」そう付け加えたのは、べつの道順なら、もっといろいろ見られるのではないかと期待したからだった。

フレクはためらい、また不安そうな顔になったが、池を離れるとすぐにさっきとはちがう通路にあたしを導いた。ほかの通路をあたしが見てしまう前に、なるべく遠くへ急ごうとしているようだった。道はなおも下り坂がつづき、光はますます衰え、アーチ形の出入り口を何度かくぐって、同じような暗い池をのぞきこんだ。そうやってさらに坂を下ると、ほんのわずかしか光が届かない場所に出て、また新たな池のある部屋を通過することになった。

最初にちらりと池が見えたとき、そこにはかすかな光を反射する水面らしきものが見えなかった。あたしはアーチ形の入り口を抜けて、池をのぞきこんだ。はたしてその池に水はなく、立て坑のような深い穴があるだけだった。水晶柱にびっしり覆われた穴の壁面がはるか下までつづき、底には長い亀裂が走っていた。かつては水をたたえていたのに、どこかの時点で水が抜けてしまったのだろうか。目を上げると、フレクが出口に立っていた。彼女は肩をこわばらせてからっぽの池を見つめていたが、その顔にはどんな表情もなかった。

あたしたちは、干あがった池のある部屋をいくつか通り抜け、通路の分岐点まで来た。フレクはためらうことなく、待ちかねていたように上りの通路を選んだ。彼女は上にもどれることを喜んでいたかもしれないが、あたしはもっと深いところまで案内してもらえばよかったとすぐに後悔した。時間感覚をほとんど失っていたが、上り坂はえんえんとつづき、ようやく壁のなかで光がまたたく場所に出たときには足が疲れきっていた。それでもまだフレクのあとを歩きつづけ、やがて巨大な部屋に入った。あまりに巨大なので、いったい両端の壁がどこにあるのかさえ薄闇に沈んでわからなかった。

そこは一面、淡い紫色をした奇妙な小さなキノコが生える畑だった。長い軸のうえに傘がのったキノコは、不思議な野の花のようだ。収穫かごを持ったスターリクたちがふたり、横を通り過ぎた。ふたりは、ここに来て見たなかではいちばん濃い灰色の服を着ていた。彼らがあたしを見て驚くことはなかった。彼らはフレクをちらりと見ると、あとはずっと目を伏せていた。フレクも彼らを一瞥しただけで、あとは部屋を出るまでまっすぐ前を見て歩きつづけた。

そのあとには長いらせん階段が待っていた。せまい階段がぐるぐると旋回しながら果てしなくつづく。まるで水晶の巨大な紡錘〔糸を手で紡ぐための道具。コマの回転を利用し、羊毛や綿の繊維を撚り合わせて糸にする〕のようだ。少しずつ明るさが増し、上に向かっているのは確かなのに、そのほかにはなんの変化もなかった。このまま永遠にのぼりつづけることになるんじゃないかと不安になった。「できるなら、この階段を使わないですませたいわ」これ以上は耐えきれなくなって、フレクに言った。フレクはあたしを振り返り、頭をさげただけで、ふたたび階段をのぼりはじめた。ところがつぎの一周で、突然、踊り場が出現した。

はじめからそこに踊り場があったのかなかったのか、あたしにはわからない。でも、そんなことがどうでもよく思えるほど、もう階段をのぼらなくていいのがうれしかった。そのあとにあらわれたのは一面に広がるぶどう畑で、最初は見たこともない種類のぶどうなのかと思ったが、すぐにすべてのぶどうの木が枯れているのだと気づいた。

干からびた濃い灰色の蔓が折り重なるあいだから、薄灰色の木材で組まれた棚がのぞいていた。根もとの土は乾いてひび割れている。ぶどうの実は房ごとしぼんで黒ずみ、濃い灰色の紙のような葉が、わずかに枝にしがみついている。フレクは死に絶えたぶどう畑のなかを足早に歩いた。彼女が急いでくれることがありがたかった。なんだかお墓のなかを歩いているような気がしたから。

そこからさらに三度階段をのぼったけれど、どの階段もあのらせん階段ほど閉じこめられた感じはしなかった。あたしたちはようやく、より明るい、より傾斜のゆるやかな通路に入った。それからすぐ先の角を曲がって突然あらわれたアーチ形の開口部をくぐると、そこがあたしの部屋だった。こんなに近くまで来ていたとはまったく気づいていなかった。

もう歩かなくていいことにほっとした。家からいちばん遠い村まで、ひたすら長い道のりを歩いて集金に出かけてもどってきたときと同じくらい疲れていた。この山の内部に広がる要塞では、坂道や階段をのぼったりおりたりで歩く距離が増える、でも、部屋にもどれたことを喜んでもいられなかった。ここは牢獄以外のなにものでもない。この山すべてが迷路のようだった。フレクは、あたしが頼んだグラス一杯の水を運んでくると、お辞儀をして、見るからに急いで立ち去った。あたしからまた無茶で厄介な場所に連れていくよう命じられる前に、部屋から出られたことを喜んでいたにちがいない。あたしは自分がどこに行くかもわかっていないし、それを尋ねることもできない。彼女らには、彼女らの避けたい場所にあたしが行くと言い出しても、たしなめることもできないのだ。

フレクが去ってしまえば、もうこの部屋から出ていくすべはなかった。でもどのみち、どこへ逃げればいいかもわからない。あたしは床にすわって銀貨をひとつかみすると、それをぜんぶ金貨にして、収納箱に投げこんだ。腹立たしかった。急いだつもりはなく、ただ単調なくり返しの作業をたんたんとつづけただけなのだが、ソップが夕食のトレーを運んできたときには、最後のひとつかみの銀貨を収納箱に投げ入れるところだった。夕食をスターリク王といっしょに食べることを要求したのは、彼へのささやかな仕返しだったが、それさえ認められていないようだ。あたしはテーブルにつき、ひとりきりで夕食をとった。ちょうど食べ終えたとき、彼が姿をあらわした。

彼はテーブルの横をさっと通り過ぎて収納箱に近づくと、ふたをあけ、長いあいだ無言でなかを見おろしていた。日の出のような輝きが彼の貪欲そうな目に反射し、両肩から突き出す幾本ものつららのような氷を黄金の光で縁取った。あたしは夕食のトレーを脇へ押しやり、彼に近づいた。「世話係はよくしてくれるし、頼んだことはなんでも叶えてくれるわ」あたしはおだやかに言った。ひとりでもやっていけること、不自由なく過ごしていること、そしてささやかな感謝を伝えたつもりだった。

けれども彼は目を上げることもなく、そっけなく言った。「それが彼女らの仕事だからな。さて、質問は？」完全に見くだされている。あたしはますます彼にとって便利なだけの存在になっているようだ。あたしのことを一日なにも考えなくたって、彼にはなんの不都合もない。あたしはこの部屋にいて銀を金に変えるという退屈な作業をつづけ、彼があらわれるのを待つ。その報酬が質問三つとは、なんと安上がりなことだろう。

あたしはくちびるを固く結んで、しばらく考えたあと、「スターリク王妃の役割はなに？」と、冷ややかに尋ねた。もちろん、もっと王の役に立ちたいなんて思わない。それでも、仕事は世界に自分の居場所をつくる。万が一あたしが大公の妻になったとしても、自分のやるべきことはおおよそ想像がつく。おおぜいの召使いがいる屋敷を切り盛りし、子がいれば子を育て、美しい刺繡をしたり、機を織ったりする。ときには君主に拝謁することもあるだろう。でも、ここではなにをしたらいいのかわからない。苦手なことならわざと無視するかもしれないが、ただ知らないからという理由で自分の義務を怠るような愚かなことはしたくなかった。

「それは、どんな才能をもつかによる。だが、おまえにはひとつしかない」彼は言った。「ならば、それに専念すればいいだろう」

「変化がないと退屈すぎて、そのひとつさえいやになってしまうわ。ほかにどんな仕事があるか、教えてくれてもいいでしょう？　そのなかから、どれを試すかは、自分で決めるから」

「では、夏の一日を百年の冬に変えるというのはどうだ？　あるいは、大地から新しい雪の木を目覚めさせるのは？」彼は、たぶん、あたしをからかっているのだ。「おまえには片手を振るだけで、このガラス山の傷口をふさぐことができるだろうか？　そういうことをやってのけるなら、おまえをほんもののスターリク王妃として認めよう。できないなら、愚かな背伸びはやめておけ」

彼の声には祈りのような深く力強い響きがあった。彼がでまかせではなく真実を語り、そのうえであたしを見くだしているような気がして、いやな気分になった。ほんもののスターリク王妃であれば、夏のさなかに冬を生み出す魔法も、砕けた山を修復する魔法も心得ているものなのかもしれない。あたしは、そんな能力を備えた魔法使いでも氷の魔女でもない。冴えない地味な人間の小娘で、ただ黄金を生み出すことしかできなくて、それさえ、せいぜい彼をほくそ笑ませるぐらいが関の山で……。

いや待って！　彼はあたしを嘲ることで、あたしの心に自分を卑しむ気持ちを植えつけたいんじゃないの？　そんな手に乗るものか。あたしは冷ややかに言った。「そうね、まだ雪の降らせ方も覚えてないし、いまの自分で満足しておくわ。さて、つぎの質問はこれよ。日の沈む時間を知る方法は？　もちろん、人間の世界で日が沈む時間という意味だけど」

彼はあたしを見て、眉をひそめた。「無理だな。だいたい、そこにいないのに、人間の時間を知ってなんになる？」

「だって、安息日を祝わなくちゃならないもの。安息日がはじまるのは、きょう日が沈んだときからで――」

彼は肩をすぼめて、いらだたしげに言った。「わたしの知ったことではない」

「そう？　安息日がいつかわからなければ、きょうから毎日を安息日にするしかないわ。日の出何日の入りもないと、曜日の感覚がなくなってしまうんだもの」あたしは言った。「安息日には仕事につくことを禁じられているの。そして、銀を金に変えるのは、あたしの仕事でしょ？安息日には

「ほほう、わかってきたようだな」彼は絹のようになめらかな声で言った。そのことばに脅しを読みとるのはむずかしくなかった。もちろん、あたしが自分の仕事を拒否すれば、彼にとってあたしの価値はなくなるし、そうなったら長くは生きられないかもしれない。

あたしは彼の顔を真正面から見すえて言った。「安息日はね、あたしたちの民族にとって、ひとつの掟なの。たとえおなかがすいても、食事をつくるために掟を破ったりしない。寒くても火を熾すために、貧しくてもお金をもらうために、掟を破ったりしない。だから、あなたなんかのために、あたしがこの掟を破るなんて思わないで」

もちろん、これはでたらめだ。彼が喉もとにナイフを突きつけてきたら、あたしはなんだってやるだろう。あたしたちの民族は、信仰のために死ぬことを美徳とはしない。その必要はないと考え、自分の命も含めて、命を救うためなら安息日の戒律を破ることも許される。でも、スターリク王にそれをわざわざ教える必要はないと思った。

彼は顔をしかめてあたしを見ると、部屋を出ていった。しばらくしてもどってくると、その手には小さな円い鏡があった。鏡は銀の額縁におさまり、鎖がついていて、一見すると、ペンダントのようだ。

彼は鏡を片手で包むように持ち、じっとのぞきこんだ。すると鏡のなかから、夕暮れの残照のような温かな色合いの光があふれてきた。収納箱のなかの黄金の輝きとどこか似ていなくもなかった。彼は鏡の鎖に指をかけ、あたしの顔の前にぶらさげた。小さな鏡のなかに映る光景は、さながら鍵穴から地平線のほんの一部をのぞき見ているようだ。オレンジ色の光が涼やかな藍色の空を染めながら、ゆっくりと地平線に落ちていき、鏡のなかの世界に夜が訪れた。あたしは手を伸ばし、鏡を取ろうとした。彼がすっと鏡を持つ手を引っこめ、冷たく言った。「そんなにほしいなら、頼み方があるだろう」

「その鏡をあたしにいただけますか？」歯噛みしながら言った。彼が鎖を手放し、鏡はあたしの開いた両手にすとんと落ちた。あたしたちの指先が触れ合うことはなかった。彼はあたしにさっと背を向け、部屋から立ち去った。

セルゲイとあたいは、ヴィスニアに向かう街道にまだたどり着けずにいた。街道の方角を目ざして森を歩いていると——たぶん一時間くらいたったころ——遠くから犬の吠え声が聞こえた。あの集落に犬はほとんど残ってない。とんでもなく長い冬のあいだに食糧にされちまったからなんだけど、優秀な猟犬だけは残された。いま、あたいらを追いかけているのは、その猟犬たちなんだろう。立ち止まって耳を澄ましてるあたいに、セルゲイが言った。「おれ……あいつらのとこ、行ってもいいよ」

もしセルゲイが捕まったら、たぶん、そこで追跡は終わるだろう。そのままおおぜいであたいを追いつづけることはない。だから、少なくとも、あたいは逃げられる。もしふたりいっしょに逃げたら、最初に力尽きるのはあたいのほうだ。セルゲイはあたいより背が高くて頑丈だ。あたいのスカートは、森のなかを歩くのに向いてない。でも……セルゲイを捕まえたら、あいつらはセルゲイを縛り首にするだろう。首に縄をかけて吊るして……セルゲイの足は息絶えるまで宙を蹴りつづけることになる。前に一度、市場で捕まった泥棒が縛り首にされるのを見たことがあるんだ。「い・や・だ」あたいは言った。そしてまたふたりで森のなかを歩きつづけた。

しばらくすると、あたりが静かになった。でもまたすぐに犬が鳴きはじめた。遠吠えがひとつ、またひとつ。それがどんどん重なって、追っ手が近づいてくるのがわかった。足を速めた。また静かになった。疲れきって、そんなに速くは歩けなかった。また遠吠えが聞こえた。右のほうから……つぎに左から。山羊を柵囲いに追いこむように、あっちからこっちから犬の吠え声が近づいてくる。まだ雪が残ってるから、足跡がつく。足跡だけはどうしようもない。

ふいに、あたりが暗くなった。日が沈む時刻にはまだ早い。長いあいだ歩きつづけた気がするけど、疲れてるからそう感じるだけで、そんなに時間はたってないはずだ。空を見あげると、濃い灰色の雲が広がっていた。顔に吹きつけた突風に雪の匂いがした。雪が降りだすなんて考えたくもなかった。吹雪の季節はとうに終わってる。もう六月も近い。でも、あんのじょう、雪は降ってきた。最初はひらりひらりと、それがあとからあとから降ってきて、やがて森の平地に立つあたいらのまわりが白い雪のカーテンで覆われた。

犬の遠吠えが聞こえなくなった。どんな音も聞こえなかった。雪はますます強く、激しく降った。重さのある雪だから、たぶんこのままずっと降りつづけるだろう。追っ手はみんな、ほうほうの体で集落にもどったにちがいない。セルゲイとあたいは、せいいっぱい急いで進んだ。行くあてもなく、ただ逃げのびることだけを考えて……。

新しい雪が古い雪を覆いつくし、氷の張った場所も、ぬかるみの穴も、崩れやすい雪だまりも、見分けられなくなった。転んだ拍子に雪に埋もれた岩に、ひざを強く打ちつけちまった。そのひざが痛い。セルゲイも一度だけつまずいた。セルゲイはいつも前を歩いてくれたから、寒さと湿気をまともに浴びて、頭には雪がくっついて、その雪の塊がどんどん大きくなっていく。

長い道のりを歩くことには慣れてたけど、あたいん家からミリエムん家までの距離はもうとっくに超えていた。それに、あれは人が踏み固めたまともな道だった。いまは道もないところを、歩きつづけてる。もう街道を目ざすのはあきらめた。街道がどっちにあるかさえ、わからなくなった。もしかしたら、同じところをぐるぐる回ってるだけなのかもしれない。冷気が指先から腕へ、つま先から脚へと這いあがってきた。靴が湿って壊れはじめ、いまにも脱げそうなのが、足先がしびれていてもわかった。前を行くセルゲイはときどき立ち止まって、あたいを待ってくれた。とうとう靴がすっぽりと脱げて、その拍子に勢いよく転んで、かかえていた鍋が宙に吹っ飛んだ。

鍋がどこかに消えてしまった。急がなければならないことはわかってたけど、まわりの雪だまりを掘り起こして鍋を見つけるまでは先に進めなかった。両手がしびれて凍りつきそうだったけど、それでもやっと、雪だまりのてっぺんに深い穴が一個あいているのを見つけ、そのふもとを掘ったら、鍋が出てきた。鍋にはなにか硬いものに当たったような小さなへこみができていた。ふたりで、その鍋をじっと見つめた。あたいらには鍋があるだけで、それで料理する食べ物はない。前進しなきゃならないことはわかってたけど、それを言うことさえ億劫だった。セルゲイが黙って鍋を持ちあげ、また歩きはじめようとした。

ふと、あたいはその雪だまりをじっと見た。てっぺんからちょっとだけ雪が落ちて、その下から石の壁がのぞいてる。あたいの腰ぐらいの高さしかないけど、石を積みあげたほんものの塀のようだ。長さはそんなにない。石塀の向こうにあるのは――それがうんと大きな雪の吹きだまりでなきゃだけど――もっとわかりやすかった。セルゲイの背の倍くらいの高さがあって、石塀に気づかなかったら、雪に埋もれた木立だって勘違いしてたかもしれない。石塀を乗り越えて近づくと、それはまちがいなく、小さな家だった。土台が石で、その上は木でできていた。壁も、窓も、かつてはドアがあったと思える穴も、ツタで覆われていた。枯れた葉が凍りつき、その上に雪が積もってる。手で押しのけようとすると、葉はすぐに砕け落ちた。

　ろくに確かめもせず、すぐになかに入った。なかになにがあろうが、たいしたことじゃない。外にいるよりはまし。でもそこには木製のテーブルと椅子とベッドがあって、おまけに暖炉まであった。椅子とベッドの横木とマットレスが腐ってたけど、暖炉は天井近くまである大きくて頑丈そうなやつで、そのとなりには薪が積みあげてあった。

　火種をつくるために、椅子やベッドから落ちた木っ端を集め、マットレスからわらを少し引き抜いた。暖炉のそばにすわると、あたいは小枝を使って火熾しに取りかかった。あたいの家でも、薪を切らして最初から火を熾さなきゃならないときがあったから、お手のものだった。セルゲイはへこんだ鍋を床におろし、ぴょんぴょん跳ねて体を温めると、また外に出ていった。もどってきたときには、もう小さな火が燃えていた。セルゲイは両手いっぱいの湿気った薪と、なんと、イモを持っていた。「小さな畑があった」と、セルゲイは言った。小さなイモだったけど、十個くらいあった。ここにはだれもいないから、これをふたりでぜんぶ食べられる。
暖炉に古い薪をくべると、火の勢いが増した。セルゲイが運びこんだ湿気った薪を、暖炉の上やまわりにならべた。イモを暖炉の灰のなかに入れ、鍋に雪をいっぱい入れて、火にかけて溶かし、湯が沸くのを待った。そのあいだ、あたいらも暖炉の前で体を温めた。それからカップ数杯分はある鍋の湯を飲んで、体を内側から温めた。つぎは砕いたイモを鍋で煮た。こうすれば、イモも食べられるし、イモの煮汁も飲める。イモが煮えるまで待ち遠しかった。あたいらは湯気を立てる、舌を火傷しそうに熱いイモを夢中で食べた。たまらなくおいしかった。

なにも考えずに、ひたすら食べた。ものすごく寒くて、ものすごく腹ぺこだったんだ。寒さにもひもじさにも慣れっこだったけど、こんなにつらいのは初めてだった。食べ物が尽きた冬よりも、もっとつらかった。だからとにかく暖かくなることだけ、なにか食べることだけを考えつづけた。でもイモを食べて体がぬくもり、イモの煮汁を最後の一滴まで鍋から飲んでしまうと、この鍋が煮え立つ粥もろとも父ちゃんの上に落ちたことを、いやでも思い出さずにいられなかった。ぶるぶる震えたのは、寒さのせいじゃないよ。

でもそのあとは、父ちゃんのことを頭から閉め出した。これからどうするか、セルゲイと自分のことを考えなきゃならなかった。きょうはどうにか逃げることができた。縛り首にされずにすんだ。森のなかで凍え死ぬこともなかった。そう、あたいらは凍え死にもせず、この森のなかにぽつんと建つ、小さな家のなかにいる。火で体を温めることもできるし、イモの畑があることもわかった。でも……なにかおかしい。

セルゲイも、それに気づいてた。「だれもここには住んでないようだな。それも長いあいだ」

セルゲイはあたいに確かめるように言った。でもそれは、あたいらみたいな人間が住んでいないってこと。森はスターリクのものだ。ここまで来る道はない。ここには広い畑も農場もない。人がたったひとりで住むのにぴったりな、森のなかのからっぽの小さな一軒家。この家は、そう、きっと魔女のものだ。魔女が死んじまったのか、それとも生きて、いつかもどってくるのか、あたいらには知りようがないけれど。

「そうだね」と、答えた。頭のなかの考えは口にしなかった。「だれかがここに住んでたけど、いまはもういない。ベッドや椅子を見ればわかるよ。あれは腐ってから長くたってる。でもとにかく、ここからは早く出たほうがよさそうだね」そう言うと、セルゲイも深くうなずいた。

魔女の家で寝るのは恐ろしかったけど、かといってどこかに行くあてもなかった。だから、考えたってしょうがない。あたいらは火に灰をかけてから、煖炉の上によじのぼった。煖炉の上はけっこう広くて、とても暖かな寝場所になった。どちらかひとり見張っていたほうがいいとセルゲイに言おうとしたけど、そのことばがまだ舌に乗らないうちに、あたいは眠りに落ちた。

12 山腹の亀裂

時の鏡のなかで日が沈んだあと、あたしはガラスと氷の部屋でひとり、フレクがおいていったパンをちぎり、ワインを口に含んだ。安息日にたいせつなろうそくを灯すことはできなかった。ろうそくがほしいと言っても、フレクもソップも不思議そうにあたしを見つめ返すだけだった。

あたしは小さな声で祈りを唱えた。ここにはパンを分け合っていっしょに祈りを唱える父も母もいない。祖父母もいない。あたしはヴィスニアの祖父母の家で過ごした最後の夜を思い出した。家には人があふれ、バシアとアイザックを囲んだみんなが幸せそうだった。バシアは明日も、祖母や母や女性のいとこや友人たちから、独身最後の安息日をお祝いされることになるだろう。ベッドに横たわっても涙があふれ、泣きすぎたせいで喉がひりひりした。

ここには読むものもないし、語りかける相手もいないが、翌日も、安息日の教えを守って、トーラー〔旧約聖書の最初の五つの書。ユダヤ教のたいせつな教えが含まれているとされる〕を暗唱した。

ただし、思い出せるところだけ。正直に言うと、あたしはこれまでトーラーをあんまりまじめに読もうとしなかった。父はトーラーを深く愛していた。ほんとうは、ラビになりたかったのだと思う。でも家が貧しくて、読み書きの勉強が充分にできなかったから、ことばや文字で苦労した。でも数字はすらすら出てきたので、父の両親は息子を金貸しのところへ奉公に出した。その金貸しが、同業のモシェルの大旦那の知り合いだった。こうして、父はモシェルの大旦那の末娘と出会うことになった。これが父と母のなれそめだ。

父さんは、安息日のたびにトーラーを読んでくれた。くり返すうちに、父さんからことばがなめらかに出てくるようになっていた。でもあたしは父の朗読を聞きながら、安息日に禁じられている仕事について考えたり、いろんな想像をめぐらして空腹をまぎらわそうとしたりした。退屈しのぎに、父がもっとも答えに苦しむ質問はなにかについて思いめぐらすこともあった。でも、自分が思っている以上に、父が読んでくれたことは、あたしの記憶に滲みついていた。両目を閉じると、頭のなかに父の声がよみがえり、ところどころでつっかえながらも、あたしは父の声に合わせてつぶやくことができた。こうして、聖書の物語がヨセフがエジプトの監獄に入れられるところまで来たとき、また鏡のなかで日が沈み、安息日が終わった。そして、スターリク王があたしの部屋にもどってきた。

彼が来ても、あたしはすぐには目をあけなかった。待たせることが小気味よかったが、彼がじっと待っているので、妙な感じがして、つい目をあけて彼を見あげてしまった。その顔に満足げな表情が浮かんでいるのを見て、あたしはむっとした。苦々しくあたしを見おろしていたのに、一瞬にして表情を変えたのだろうか。テーブルから身を起こして尋ねた。「なにがそんなにうれしいの？」

「川がふたたび流れを止めた」彼は言った。最初はなんのことかと思ったが、はっと気づいて、透明な壁に近づいた。山腹の亀裂が大きな厚い氷に覆われ、細い滝が凍りついていた。滝壺から流れ出す川も凍っていた。雪が厚く積もり、白い毛布が黒い森を覆いつくしていた。

なぜこれが――この世界が凍りつくことが――彼にとってそんなに喜ぶべきことなのかわからない。目の前に広がるのっぺりとした白さとまぶしさには、なにか恐ろしくて不吉なものがある。緑と土を消してしまった世界は、人間であるあたしには、ライ麦がしおれ、果樹が枯れる、長く厳しい冬そのものだった。

スターリク王が近づいてきて、あたしの横に立った。その顔にはほとんど陶酔するような喜びの表情がある。あたしはことばを選びながら尋ねた。「あなたの王国に雪が降るときには、あたしたちの王国にも雪が降るの？」

「おまえたちの……王国？」彼は、うぬぼれるのもたいがいにしろと言いたげに、かすかな侮蔑をこめて、あたしを見おろした。「おまえたち人間は冬が早く終わることを願い、炎や壁でわたしを遠ざけようとする。そして冬が終わるや、たちまち冬のことを忘れる。だが、わが王国では、こうしていまも冬がつづいている」

「でもね」と、あたしは言った。「ここはいま、あたしの王国でもあるわけよね」彼にあたしが王妃であることを思い出させてあげた。不快そうに彼が顔をしかめるのを見て、溜飲をさげた。「なんなら質問のしかたを変えるわ。日の照る世界は、もうとっくに春になっているはずよね。それなのに、きょうも雪が降っているの？」

「そうだ」と、彼が答えた。「この世界に雪が降るには、人間世界に雪が降らなければならない。そのせいで、わが王国に雪をもたらすために、わたしは長く苦労してきた」

あたしは彼を穴のあくほど見つめた。驚くあまり、最初は恐ろしいとすら感じなかった。あたしたちは、スターリクが冬にやってくること、吹雪が彼らを強くすること、彼らが雪嵐の風とともに氷の王国からやってくることを知っていた。そう、冬が彼らを強くするのだと思っていた。まさか彼らが冬を生み出し、長引かせていたなんて、あたしは——いや、だれだって——考えつきもしなかった。「だけど……あなたがすべてを凍りつかせるようなまねをしなきゃ、リトヴァス皇国ではだれひとり飢えなくてすむのよ。このままだと、あなたは、今年の収穫をぜんぶだめにしてしまうわ！」

彼があたしのほうを見ようともしなかったのは、どうでもよいことだと思っているからにちがいない。彼は透けるように色の薄い輝く瞳で、どこまでも白一色に染まった――でもあたしには飢餓と死の世界にしか見えない――彼の王国を見つめていた。彼の顔に強い願いを叶えた達成感を認め、あたしはこぶしを握った。「さぞかし、ご自分が誇らしいんでしょうね?」歯嚙みしながら言った。

「そうだ」彼は即答し、あたしのほうを向いた。これも質問のうちに数えられたことに気づいたが、もう遅かった。「冬がつづくかぎり、この山から水が流れ出ることはない。それを誇らしく思うのは当然だ。正直なところ、大きな犠牲を払ったが、わたしの願いは叶えられた」

三つの質問に答えると、彼はすぐに体を返し、部屋から出ていこうとした。が、ふいに立ち止まり、あたしを見おろし、「ひとつ、まちがっていたことがある」と切り出した。「おまえは、この世界でも、おまえ自身の世界でも、無力な存在にすぎない。しかし、高位魔法をあやつれるならば、それにふさわしい栄誉を授けねばなるまい。これより、おまえが求めるなら、どんな気晴らしも慰めもなんなりとあたえよう。さらに、おまえの栄誉にふさわしい身分の高い貴婦人たちを世話係として仕えさせることにする」

まったく喜べなかった。あの薄笑いを浮かべた高貴なご婦人たちに囲まれるところを想像し、ぞっとした。彼女らも彼と同じように、あたしをこけにするにちがいない。「けっこうよ! いまの世話係で充分。もしあたしになにか親切なことをしたいなら、彼女らがあたしの質問に答えられるようにして」

「だめだ」彼は顔をしかめ、まるであたしがいたいけな動物を蹴り飛ばすことを勧めたかのように不快感を示した。むしろ彼はそうやって喜びそうなタイプに思えるのだけど……。「わたしがさもそれを禁じているような言い方はやめろ。おまえは、わたしが答えることを求めた。場合によっては、べつのなにかを求めることもできたのに。それをいまごろになって、なんの見返りもあたえず、彼女らからなにを聞き出そうというのか？　そもそも、彼女らの身分からすれば、おまえに対価を求めることすらできないというのに」

彼が立ち去ったあと、あたしはむしゃくしゃして両手を振りあげた。出ていってくれて、せいせいした。彼のいらだちや冷たい怒りより、あの得意げな顔のほうがはるかに気に入らない。あたしは透明な壁から、彼がこの世界にかけた厚い雪の毛布をながめた。おりしも小さな鏡のなかには夜が訪れた。あたしは、ヴィスニア公やその領地のことなんか気にかけてない。町の人たちのことだって、たいして気にかけてない。でも、人間世界でなにが起ころうとしているか、あたしにはわかる。今年の作物は全滅し、借金をかかえた人たちは絶望の淵に立たされるだろう。

あたしは父さんや母さんを思った。あたしの家の軒まで雪が積もり、白く冷たい憎しみがふたりに押し寄せるところを。両親はヴィスニアに、祖父の家に逃げるだろうか。そこなら安全だろうか。南の国々へ逃れる旅費になるぐらいのお金は残してきた。ふたりはあたしのことをもう忘れてしまった、と思いたかった。いちばんそう信じたいときに、あたしにはそれができなかった。
両親は、あたしをおいてはこの国から出ていかないだろう。たとえ祖父が、あたしがスターリク王国へ連れ去られたと伝えても、両親はけっして出ていかないだろう。あたしは、両親に嘘まみれの手紙を送ることもできる。あたしは王妃になれて幸せです。あたしのことはもう忘れてください――。それでも、父さんも母さんも、あたしの言うことを信じないだろう。信じたとしたら、父さんと母さんはいっそう苦しむことになる。母さんは、彼女の足もとにつばを吐いた女からあたしが借金のかたに毛皮を取りあげたときでさえ、それを知って泣いた人だ。あたしの冷えきった心がついにカチカチに凍りつき、ついに両親を捨てて、スターリク王の妃になったと考えるだろう。そう、彼の山の砦を強くするためなら、世界を凍りつかせることもいとわない残酷な王の妃に。

翌朝、フレクとソップが朝食の皿をさげたところで、あたしは宣言した。「きょうは外に出かけることにするわ」スターリクの貴婦人ならやりそうなことを――ここから逃げられるかもしれないという一縷の望みもつないで――当てずっぽうで言ってみた。どうやら当たりを引いたようだ。フレクが今回はためらうことなく、すぐにうなずいてくれた。彼女のあとについて部屋を出て、巨大な空洞の草地に至る、目眩のするような長い階段をおりた。

階段は上りより下りのほうが、はるかに慎重さを必要とした。地上からの高さが、ガラスの階段のもろさが、気になってしょうがない。見たくもないのに、階段からは完璧な同心円を描いてならぶ、白い木々がはっきりと見える。白い木は円の中心に行くほど高くなり、葉も豊かに茂っていた。外側に近い円には若木が生えており、そのうちの何本かはほとんど葉をつけていない。

ようやく階段を下までおりると、フレクに導かれ、木立のなかの複雑な迷路を思わせる小道に足を踏み入れた。小道の路面は凍った池のようになめらかで、透きとおった石のモザイクが両端を縁取っていた。たとえ一日かけたところで、あたしにはどの道がどこへどうつながっているのかを覚えきれないだろう。身分の高いと思われるスターリクたちと何度かすれちがった。彼らはフレクよりも薄い灰色の服を着て、なかには象牙色やほぼ白に近い服で、召使いを従えているスターリクもいた。彼らは遠慮なく、あたしを見つめた。あたしの黒い髪や浅黒い肌や身につけた黄金をもの珍しそうに見てから、にっこりと笑う者もいた。王妃とわかったほうがいいような気がして、頭にはまた冠をのせていたのだ。

階段から遠い端の壁に、山のなかを貫くべつのトンネルが口をあけていた。トンネルはそりが行き来できるほど広く、べつの大きな空洞に広がる草地につながっていた。その草地で、あの鋭いひづめをもつ鹿たちが半透明の花を食んでいた。一台のそりもぽつんと停まっている。ここでは、そりの格納庫も鹿たちの小屋も要らないようだ。この山へ来たときと同じ御者が、手綱やハミを手にして、そりのそばにすわっていた。なにか作業をしていたのかもしれないが、彼の手に道具らしきものは見えなかった。フレクが、外に出かけたいというあたしの希望を伝えると、彼は黙って立ちあがり、二頭の鹿を選び、手早くそりにつないだ。それから、あたしを乗せるためにそりの扉を開いた。それだけだった。

そりで逃亡するなんて考えるだけ時間の無駄だと、暗に言われているような気がした。それでもとにかく、そりに乗りこんだ。御者が鹿になにか話しかけ、鞭をピシッと鳴らした。鹿たちが軽快に走りだし、ガクンとひと揺れしたあと、新たなトンネルに突入した。トンネルの路面には雪が敷かれていた。あたしは姿勢を保つために、座席の脇についた手すりをつかんだ。ここに来たときより速度が出ているのは、たぶん下り坂のせいだ。そりは暗いトンネル内をひた走った。カッカッカッカッカッという低いひづめの音だけが響いていた。やがて前方の暗がりからまぶしい光が差しこんだかと思うと、行く手の銀の門がひとりでに開いた。あっという間にきらめくガラス山の中腹に出て、雪に覆われた森に向かう道を下っていた。

あたしは手すりを握りつづけていたが、冷たい風がほおに当たると、思わず深く息をついた。行きたい土地には行けなかったとしても、移動できることの、外に出られることの喜びが込みあげた。外に出るのは、けっして無駄じゃなかった。

「ねえ、御者さん。あなたのことは、これからソーファァと呼ぶわね」と、声をかけた。彼はフレクやソップのときと同じようにびくっとして、それが自分のことなのかを確かめるように、振り返ってあたしを見た。「ソーファ、あたしはヴィスニアに行きたいの」彼がいぶかしげな顔をするので、さらに言った。「あたしを迎えにきてくれたでしょう？　ほら、結婚する前に」

ソーファは、あたしがまるで地獄の門に連れていけと言ったかのように胴震いをした。「日の照る世界へ？　それは無理です。いまは、つながりません……王の道と、王のお力がなければ」

ああ、そうだ。あのときの白銀の道も白い木々も、いまはどこにも見あたらない。あたしたちを輝く山まで運んできたスターリクの道は、影もかたちもない。後方を振り返ると、あのときと同じながめがあった。高くそびえて、まばゆく輝くガラス山――。そりの刃が雪に残す二本の腺がふもと近くにある銀の門までつづいていた。凍った滝も見えた。森に流れこむ川も凍りつき、きらめいていた。けれども、スターリクの道は、最初からそこになかったかのように姿を消している。前方に見えるのは、雪に覆われて白くはなっているけれど、もともとは濃い色の松の木ばかり。

あたしはそりの座席に身を深くあずけて考えこんだ。あたしがもどるとは言わないので、ソーファはそりを走らせつづけ、凍った川にそりを向けた。それだけが森のなかを貫く唯一の道だった。二頭の鹿は氷上を駆けるのに、なんの苦労もなかった。かぎ爪のように鋭い尖端をもつひづめが役立っているようだ。

スターリク王国には、果てしなく広がる森しかないのだろうか。建物らしきものはひとつも見つからない。あたしは、王国のすべての人があの山のなかに住んでいるのかと、うっかりソーファに訊いてしまった。もちろん彼はなにも答えず、ちらっと振り返った顔が、国王に訊いてくれ、と無言で訴えていた。かなり長い時間そりを走らせても、なんの変化もなかった。正午近くになっているはずなのに、かえって暗くなっていた。あの輝く山から遠ざかるほどに、灰色の空が夕暮れの薄暗さを帯びていく。あたりの木々や雪がぼんやりとして見えにくくなってきた。

遠くに目を凝らすと、ほかより黒くなっている地平線の切れ端が見えた。木々のあいだの開けた空間で川と空が出合っている。鹿たちが速度を落とし、ソーファが後ろを振り向いた。もうこれ以上先に進みたくないのだ。フレクがあの山の深部に行きたがらなかったのと同じ。彼女に無理強いをした罰のように、歩き疲れた足がまだ痛んでいた。でも彼らを味方につけないかぎり、あたしがここから逃げ出すことはできない。

「ねえ、もどったほうがいいの?」と、少し意地悪く、わざと質問にして、ソーファの反応を待った。彼は少しためらったがなにも答えず、すぐに前方に向き直り、鹿たちになにかきついことばを発した。そりは黒い地平線に向かって進んだ。ほどなく大きな枝の下は、完全に夜になった。川堤に生える木々の幹がかろうじて見えるが、暗い夜空には月も星も出ていなかった。木々の黒い葉むらだけが濃い灰色の空を切り取る影になっている。鹿たちがあらがうように首を振った。これ以上先には進みたくないのだろう。このそりに乗っているのがだれかなんて鹿たちは気にしない。凍った川は前方で闇に沈み、それ以上先はなにも見えなかった。

「いいわ。引き返して」とうとう先へ行くことをあきらめて、あたしは言った。ソーファはいかにもほっとしたように、すぐに鹿たちの首をめぐらした。そりが向きを変えると、あたしはいま一度、後方を振り返った。そして、人影を見つけた。川堤の闇にふたつの人影がぬっとあらわれた。ふたりとも厚い毛皮のマントを着ているのが見てとれた。そして、そのうちのひとりが、あたしの知っている、あの皇后だということも……。

寒さに耐えきれなくなり、わたしは鏡を通り抜けて、寝室にもどった。ミルナティウスはぴくりとも動かなかった。わたしはそろりそろりと暖炉まで這っていき、火で体を温めた。そのあいだも、ミルナティウスが目覚める気配はないかと警戒した。彼は魔力によって、ベッドを彼の美しさにふさわしいしつらえに変えていた。意識を失って手脚を広げて眠っていても、その姿はさながら美術品のようだった。彼は眠ったまま深く息をつき、姿勢を変え、意味をなさないことばをつぶやいた。剝き出しの腕がベッドの上掛けから飛び出し、頭が横を向くと首すじがあらわになり、くちびるが半開きになった。

そこにあるのは、わたしと彼が分け合うはずのベッドだった。花嫁はそこで行われることに――もしかしたら手荒に扱われたり、みじめさを味わわされたりするのではないかと――不安を覚えるものだ。心配するのは当然のことだし、わたし自身もいつか結婚したら、それに耐えながら、あとは寝室以外の場所で自分の価値を認められるような妻になるしかないと考えていた。でも、こんなに美しい青年が夫なら、不安を覚えつつも期待に打ち震えることもできたのではないか、ふとそんなことを考えた。女たちの打ち明け話に耳をそばだてるとき、そこに出てくる身を焦がすようななにかを、もしかしたらわたしも知ることができたのかもしれない、と。

でも、目の前に横たわる美しい青年のなかには、わたしをワインのように最後の一滴まで飲み干そうとする魔物がいる。生き延びるためには、日々知恵をしぼって、そいつを出し抜かなくてはならない。ミルナティウスと魔物、どちらが主人でどちらが下僕かはわからないけれど、あの魔物が七年前、ミルナティウスを皇帝の座に押しあげ、以来彼に魔力をあたえつづけているのはまちがいない。その見返りとして、ミルナティウスはわたしを魔物に差し出すつもりだ。ただ、わたしが消えると、その後始末が残る。それを自分が引き受けなくてはならないことだけが不満なのだ。

わたしは木切れを暖炉にくべて、その前でうたた寝をした。夜が明けるとすぐに起きて、急いで寝間着に着替えた。ひと晩じゅうそれを着ていたことにすればいい。それからすぐに召使いたちが入ってくるように、派手にベルを鳴らした。突然の物音にミルナティウスが目覚め、あたりを憤然と見まわしたときには、すでに何人もの召使いが部屋のなかにいた。わたしは彼らに沐浴の用意と朝食を頼んだ。それから、わたしの着替えの手伝いも。こうして召使いたちがせわしなく寝室のなかを動きまわることになり、ミルナティウスとふたりきりにならずにすんだ。わたしは甘やかな声をつくって夫に尋ねた。「あなた、昨晩はよく眠れたかしら？」

ミルナティウスはむっとしてわたしを見つめたが、部屋には四人の召使いがいた。彼は一拍おいて、わたしから視線をそらすことなく、「ああ、よく眠った」と答えた。でも、彼は言ったことの意味をよく理解していなかったかもしれない。つまり、周囲が心配するほど艶事に興味を示さなかった皇帝が、妻の寝室で一夜を過ごし、よく眠れたと答えたことを、居合わせた召使いたちがあらゆる人にまき散らしたとき、宮廷におけるわたしの地位にどう影響するかということを。

ミルナティウスが、廷臣たちの支持を得るために苦労しているとは思えなかった。なぜなら、廷臣たちが離反しようとしたところで、彼らをあやつるだけの魔力が彼にはあるのだから。といっても、あたえられた魔力を浪費しないためにも、廷臣たちの不満は日頃から抑えておこうとは考えるはずだった。

わたしにはあらゆる機会を捕らえて戦い、使えるものならなんだろうと武器にする必要があった。だからこのときもすかさず、ベッドに入り、彼の隣に行った。彼がちらっとわたしを見て、少しだけ横に引いた。そこへ召使いたちがトレーを持ってきたので、わたしは彼のためにお茶を注いだ。彼が甘い物好きだということは知っていたので、そこに糖蜜漬けのサクランボをたっぷり入れて、差し出した。ミルナティウスは、それをひと口飲んで、これこそ魔法だと言わんばかりに驚きの表情になった。

召使いが控えているところでは、彼はほとんどわたしに話しかけようとしなかった。一方、召使いたちは部屋から出ていこうとしなかった。部屋にとどまるようにわたしがこまごまと仕事をあたえていたし、とりわけメイドたちは、これほどうわさ話のねたに事欠かない場所からかんたんには立ち去ろうとしなかった。ミルナティウスは、昨晩魔物が寝間着を燃やしてしまってから、服を身につけていなかった。ベッドの上掛けが彼の肩と薄い胸にまとわりついている。娘たちは、わたしに気づかれていないと思うときだけ、誘いかけるようなまなざしで彼を見つめ、あらゆる理由をつけてそばにとどまろうとした。しかし、そこまで努力しても無駄だった。ミルナティウスがわたしから目をそらそうとしないのだから。わたしが口の前に差し出すパンを彼はゆっくりと咀嚼し、わたしの短い問いかけにたんたんと答えた。やがて沐浴の用意ができたので、わたしは立ちあがって言った。「あなたが湯浴みしているあいだ、わたしはお祈りをしてくるわ」こうしてわたしはいったん寝室から逃れることができた。

礼拝堂から出たとき、屋敷の中庭に停められた皇帝専用のそりに、わたしたちの荷物が運びこまれているのに気づいた。「愛しい人よ、コロンに向けて出発だ」と、通路ですれちがったミルナティウスが目を鋭く細めて言った。わたしには選べない。彼とふたりきりでそりに乗りこみ、暗い森のなかを抜けて行かなければならない。そして、そこを切り抜けたとしても、行く先は、彼の廷臣と兵士がひしめくコロンの宮殿だ。

　わたしは寝室にもどると、銀の首飾りをつけ、毛織物のドレスを三枚重ね着し、その上から毛皮のマントをはおった。そして手には自分の宝石箱を持った。それはべつにめずらしいことではなく、義母のガリナも旅では自分の宝石箱を自分で管理した。だから、わたしの宝石箱のなかに銀の冠しか入っていないことは、だれも知らない。ほかのこまごまとした装身具は、服のあいだに詰めた。宝石箱を少しでも軽くするためだった。わたしは宝石箱をそりの横の壁と自分のあいだにおいた。いざというときには、この箱を持ってそりから飛びおり、森に逃げこもう。そして氷の張った水を見つけ、氷の鏡を抜けて向こうの世界に行くつもりだった。

　だが出発のとき、ミルナティウスの目は魔物の渇望で赤くたぎってはいなかった。そういえば、日中に彼の目が赤く輝くところは見たことがない。魔物が姿をあらわすのは日が落ちてからなのだ。皇帝のそりの出発を、アズオラス公爵邸の女性たちがハンカチーフを振って見送った。その姿が遠ざかるのを待って、ミルナティウスは声を落とし、しかし魔物ではなく彼自身の声で言った。「きみが毎夜こそこそと、どこへ抜け出しているかは知らない。しかし、このまま逃げつづけられるとは思わないほうがいいぞ」

「お許しを、あなた」わたしはそう言ってから、しばらく頭のなかで慎重に考えをめぐらした。ミルナティウスになにを考えさせたいのか、わたしが知っていることをどこまで伝えたいのか……。「わたしはあなたと結婚の誓いをしたわ。なのに、夜になると、あなたではないべつの何者かが寝室にやってくるの。狩人が近づけば、リスはすぐに逃げるものよ」

ミルナティウスは、わたしから身を引くと、そりの座席の端に沈みこんだ。警戒し、ようすをうかがうように、黙ってわたしを見つめている。わたしは努めて平静を装い、座席に背中をあずけ、前方に目をやっていた。そりは森の深い静寂のなかを走っている。木々の枝が新しく降り積もった雪の重みでたわんでいる。なにものにも動じない不変の景色を見て、自分を落ちつけようとした。いまも寒いと言えば寒いが、夜になって訪れるあの冬の王国の比ではない。むしろここでは、銀の指輪の冷たさを心地よく感じた。

かなり長いあいだ走りつづけたあとで、ミルナティウスが唐突に言った。「リスは、身を隠そうとしたとき、どこに逃げる?」

わたしは、いささか当惑して、彼を見つめた。わたしは先刻、彼が魔物と手を結んでいること、その魔物がわたしを狙っていることを知っていると、彼に伝えたつもりだ。だから、どこへ逃げるかなんて打ち明けるはずがない。わたしが協力するはずがない。なのに、わたしが答えないでいると、彼はじゃまされた子どものように顔をしかめ、身を乗り出して、脅すように低い声で言った。「ドコ二イクノカ、オシエロ！」

魔力が熱い波のように押し寄せたが、銀の指輪が飢えた口のようにその熱を吸いとった。だから、わたしはまったく動じなかった。思わず彼に、魔力を無駄遣いしないほうがいいと言いそうになったほどだ。そんな脅しは通用しないと、もうわかってもよさそうなものなのに……。もしかしたら、彼は魔力に頼りすぎるあまり、考えるという習慣を身につけてこなかったのかもしれない。わたしは、あの父のもとで育ったおかげで、考えることを覚えた。わたしがなにを求めているか、わたしが幸福かどうか、そんなことをこと気にかけてくれる人は、あの家にはいなかった。だから、求めるものを手に入れるには、自力で道を切り拓くしかなかった。そして自力で生き延びるしかないいまほど、あの父でよかったと思ったことはない。

このままなにも答えなかったら、ミルナティウスは癇癪を起こすかもしれない。嵐の前ぶれである黒い雲が、すでに彼の眉間に集まっている。あの魔物は日没まであらわれないとしても、ミルナティウスには彼の衛兵たちを使って、わたしを監獄へ送りこむことができる。もちろん、皇帝の新婦が監獄に入れられ、理由もなく忽然と姿を消せば、臣民は激しく動揺するし、わたしの父ならまちがいなくそれを利用するだろう。けれどミルナティウスが、そのような未来を予測しているとはとても思えない。

でも、わたしが彼に未来を示してみせればいい。「四年前、なぜ、あなたはヴァシリアと結婚しなかったの？」彼がまた脅しをかけようと口を開きかける前に、切り出した。癇癪を抑えるのにこれは効いたようだ。「なんだって？」なにを問われているのかさえわからないという顔で、ミルナティウスが尋ね返した。

「ヴァシリア、ウーリシュ公の令嬢よ」と、わたしは教えた。「ウーリシュ公は一万の兵をかかえ、領内には豊かな富を生む岩塩坑ももっているわね。ニームスク王は、ウーリシュ公が忠誠を誓うなら喜んで、彼と彼の領土を受け入れるでしょう――もしもあなたが暗殺されたらの話だけれど。だから、摂政のドミティア大公亡きあと、あなたにはウーリシュ公をうまく取りこんでおく必要があった。なのにどうして、彼の令嬢のヴァシリアと結婚しなかったの？」

彼の顔の上で怒りと困惑が戦っていた。「きみは、あの老いぼれ顧問官たちと同じようなことを言う。あいつらはうるさくてかなわない」

「うるさいからと、あなたは顧問官の話に耳を傾けようとしない。そして、彼らの助言を魔法で封じてしまうのでしょう？」わたしがそう問うと、彼の顔の上で怒りが勝利をおさめた。しかしそれは、これまで見せたような激怒とはちがった。政治について意見されることは、たとえ面倒ではあっても、彼にとってめずらしいことではないのだろう。「でも、顧問官たちの言うことはまちがっていないわ。リトヴァス皇国には世継ぎが必要だわ。世継ぎをつくる意思を示さなければ、あなたは、打ち倒されていたかもしれない。でも、あなたは、わたしを妻にした。ヴァシリアではなくね。だから、ウーリシュ公は、あなたが仕掛ける前に、皇位転覆を決意するかもしれないわ」

「ぼくが負けるわけがない！」彼は、わたしに侮辱されたと思ったかのように、ぴしゃりと返した。

「どうして言えるの？」わたしは尋ねた。「もし、ウーリシュ公がヴァシリアをカジミール公に嫁がせたら、どうなるかしら？　彼らはコロンまで拝謁にくることもなくなるでしょうね。なぜなら、コロンに進軍しないようにあなたに魔法を使って命じられるのはいやだから。あなたは、三百哩の距離をへだてても、彼らの心をあやつれる？　戦場で千の弓兵があなたに向かって放つ矢を止められる？　あなたを刺し殺そうと寝室になだれこむ十人の刺客の剣を避けられる？」

ミルナティウスはまじまじとわたしを見つめた。こんな質問に自力で答えたことなど一度もなかったにちがいない。彼の魔力を知らない顧問官たちが、愚かにも心配しすぎていると、魔力さえあれば自分に降りかかる困難を払いのけられると信じていたのだろう。しかし、魔物さえいれば万全というわけではない。現に彼の母親も、魔術で火刑から逃れることはできなかった。痛いところを突く問いに向き合い、ミルナティウスの万能感が揺らぎはじめているのがわかった。魔力の限界についてわたしが指摘したことを、彼は否定しなかった。

「なぜ、きみがそんなことを気にする？」彼はわたしに尋ねた。わたしが彼のことを気づかうふりをしていると疑っているように。「むしろ、きみなら喜ぶのではないか？」

「わたしの喜びなど、あなたとともに刺し殺されてしまえば終わりよ」わたしは言った。「ウーリシュ公もカジミール公も、わたしの父を敵に回すよりは、味方にしたいと思うでしょう。でも、是が非でも味方にしたいわけではないわ。それに、彼らがあなたの首を取ったとしても、そのあと、わたしが世継ぎを産んだとあっては、彼らにとって不都合なこと。もちろん――」と、付け加えて言った。「あなたが新婚早々、わたしを怪しげなやり方で殺したとしたら、話はべつよ。もしもそんなことになれば、ウーリシュ公にもカジミール公にもわたしの父にも、コロンに進軍し、あなたの首を討ち取る恰好の理由をあたえることになるわね」そう、これこそ強調しておきたい点だった。

ミルナティウスは、座席の端に身を沈め、考えこんだ。彼がもうわたしを見つめずにそりの外をながめていること、おそらく、わたしが彼の頭に植えつけた考えをいやいやながらも検討していることは、わたしにとってささやかな勝利だった。明らかに、そういったことを彼はこれまで避けてきたのだ。

寒く長い一日をかけて、そりは走りつづけた。何度か街道に近いボヤールの屋敷にそりを停め、馬を休ませるか、あるは厩舎から新しい馬を選んで交替させた。どちらの場合でもわたしはそりからおりて、中庭を歩き、その屋敷の主人に親しく話しかけ、挨拶に出てくる子どもがいれば、その子らを褒めそやした。出迎えてくれる人たちはどこでも快活だった。わたしはできるだけ多くの人に自分の存在を印象づけるようにした。もしミルナティウスが人々にわたしを忘れさせようとするのなら、それに備えなければならない。彼は超然として、人とは交わらず、いつもうっすらと目をあけて、わたしを見つめていた。それも、わたしを愛される新妻のように見せるのにひと役買っていた。

季節はずれの雪が厚く積もった、冬のように寒い一日だったので、夜がなかなか訪れないのが奇妙な感じだった。もちろん日が長いのはありがたいことだが、それでも、コロンにある皇帝の宮殿にたどり着くころには、日が暮れはじめ、ミルナティウスの目にまた赤い輝きが宿りはじめているように思われた。そりは宮殿の中庭に停まった。建物の壁ぞいに兵士たちがずらりとならび、入り口の正面階段にマグレータの小さな老いた姿があった。黒い外套を着たマグレータは、ふたりの衛兵にはさまれ、胸の前で両手を握り合わせていた。ミルナティウスの使者が昨夜ヴィスニアに向かい、大あわてで日暮れまでに彼女を連れてもどってきたようだった。

わたしが階段をのぼると、マグレータは両腕でわたしを抱きしめ、「イリーナさま、イリーナさま」と、すすり泣きを洩らした。こんな老女を思い出し、迎えに来てくださって感謝します、と言ってくれるので、申し訳ない気持ちになった。マグレータの声は震え、わたしにきつくしがみつき離そうとしない。もしかしたら、わたしの身に生死にかかわる危険が迫っていることを察しているのかもしれない。

　わたしはひと芝居を打ち、こんなふうにマグレータと再会できたことへの驚きと感謝を夫に伝えた。そのあと覚悟を決めて、正面階段で、衛兵たちが見ている前で、ミルナティウスにキスをした。おそらく、キスはわたしではなく自分が使う武器だと思っていたのだろう。わたしのくちびるが彼の温かいくちびるをかすめたとき、彼は呆然とした。わたしは、愛おしい夫に恥じらってみせる新妻らしく、さっと彼から離れた。そののち衛兵のほうに向き直り、彼らはよく面倒を見てくれたかどうかと、マグレータに尋ねた。彼女はうなずき、ヴィスニアからの長い道中、彼らがいてくれて心強かった、と答えた。

「あなたたちの名前を教えて。覚えておくわ」わたしはそう言って、毛皮のマフから片手を抜いて、ふたりの衛兵に差し出した。銀の指輪がきらりと光った。彼らはぎこちなく手を取り、接吻し、つっかえながら名前を言った。

　ほんとうのところは、周囲が拒もうが当人が騒ごうが、とにかくマグレータを引っ張ってくるよう命令されていたのではないだろうか。自分たちを旅の護衛ではなく、囚人の護送役だと思っていたかもしれない。彼らをしどろもどろにさせたのは、ひとつはわたしの指輪の魔力だ。でももうひとつは、対比の魔法。ミルナティウスは、仕える者にここまでていねいに接することはない。「マタスとヴラダスね」わたしは彼らの名前をくり返した。「わたしの老いた乳母を世話してくれてありがとう。さあ、なかに入って、長旅の疲れを癒やして。クルプニク酒で体を温めるといいわ」

ミルナティウスには、わたしが彼らに示したささやかな親切を取り消すことはできなかった。そんなことをしては変だし、けちくさいと思われる。でももちろん、彼は自分に仕える者がわたしから命令されるのを好まないだろう。「きみときみの乳母には、先にぼくの部屋へ行って、待っていてもらおう」彼は、わたしを追うように宮殿のなかに入ると、冷ややかに言った。そして玄関口にいたほかの衛兵ふたりを手招きして命令した。「このふたりを二階にお連れし、そこから離れないように」

恐れていたとおり、わたしたちをかごの鳥にするつもりなのだ。ミルナティウスは大股で大広間に向かい、わたしはマグレータの手をしっかりと握って、階段を上がった。マグレータも同じように強く手を握り返してきたけれど、わたしの夫がわたしにやさしいかどうか、わたしが幸せなのかどうか、いっさい尋ねようとはしなかった。

「護衛のふたりにクルプニク酒を勧めたのはまずかったのかしら？」わたしは階段をのぼりながら衛兵のひとりに尋ねた。

「いいえ、皇后陛下」彼はわたしを見つめて答えた。

「あら、そう」と返しながら、夫の気まぐれにいくぶんしょんぼりした妻に見えるようにと願った。「皇帝陛下は、国情のことがいろいろとご心配なのでしょう。今夜はくつろいでいただかなければ。夕食は部屋でとることにします。マグレータ、わたしの髪を梳かして結い直してちょうだい」

皇帝の寝室は、実家の屋敷の大広間ほどの大きさがあり、あきれるほど金メッキが輝き、豪奢な装飾がほどこされていた。思わず目を皿にしてながめまわさずにはいられなかった。人の背丈の三倍はある高い天井には、寝室にはふさわしからぬ、エデンの園で蛇に誘惑されるイヴを描いた巨大な天井画がある。壁の大きなくぼみにおかれたベッドは、それじたいがひとつの寝室と言っていいほど大きい。黄金の渦巻き細工と柱で枠組みをつくり、淡い色合いで繊細な模様を描き出す絹のダマスク織りのカーテンがさがっている。窓はどれも床から天井まであり、両開きの扉を通って、優美な錬鉄製のバルコニーに出ることができる。そこから臨む庭園の木々の枝が、雪の重みでしなっていた。

この寝室だけで四つの煖炉があり、もう五月だというのに、四つの煖炉すべてで盛大に火が焚かれていた。わたしたちが寝室に入ったときも、ひとりの召使いが煖炉の番をしていた。寒さに弱い南国の客人をもてなすならともかく、このリトヴァス皇国に煖炉が四つもある寝室をつくろうなんて、どうしたら考えつくのだろう？　しかしこの部屋をつくらせたのはミルナティウスにちがいない。部屋の壁にかすかなつなぎ目がいくつかあり、かつては幾部屋かに分かれていた空間をひとつづきにして、この奇妙な空間をつくらせたのだと想像がついた。

すべてにおいて過剰だったが、それでもこの部屋は美しかった。無駄に豪華で、非実用的で、不便でさえある。でも、ただの悪趣味や滑稽なけばけばしさとは一線を画していた。独創的な画家が描いたおとぎばなしの絵本の世界のように、全体の調和がとれていた。ただし、ぎりぎりのところで――。でも、そんなぎりぎりの感じが、この部屋をいっそう強く印象づけた。七本の鋭利な短剣をあやつる軽業師を、一本でも落としたら惨事が起きると知っていながら、目を離せずに見ているように。この部屋のまんなかに立ってみれば、だれだってしぶしぶながらも、この部屋に魅了されていることを認めずにいられないだろう。わたしたちについてきた衛兵たちも、いかめしい顔をつくるのを忘れて、魅入られたように部屋のなかを見まわしていた。

わたしが宝石箱を持ってマグレータとともに浴槽を隠すついたての奥に行っても、衛兵たちはなにも言わなかった。衝立に隠されてそれまでは見えなかったが、奥の壁に五つ目の煖炉があり、実に堂々とした浴槽のまわりを暖めていた。金メッキをほどこされたその浴槽はとにかく大きくて、わたしなら頭からつま先まで浸せる長さがあった。しかしそれよりわたしの心を捕らえたのは、浴槽の横に立つ、浴槽以上に絢爛たる鏡のほうだった。ミルナティウスは浴槽に浸かりながら、この芸術品を鑑賞するのを楽しみにしているのだろうか。

わたしは衝立の奥から衛兵に声をかけ、階下にいってお茶の用意を頼んでほしいと言った。そのときマグレータは、わたしの手振りだけの指示にすばやく反応し、宝石箱に入っていた銀の冠をわたしの頭にのせた。そうしながらも彼女は怪訝そうな顔をしていたが、わたしが予備のマントを彼女に着せかけ、ひざをついて煖炉の前から重い毛皮の敷物を引き寄せ、それも彼女の肩にかけると、その顔はいっそう困惑した。わたしは毛皮の敷物の端を彼女の手に押しつけた。彼女はそれをしっかりと握ったが、なにか尋ねるように口が開きかけた。わたしは人さし指を口に当てて沈黙をうながし、鏡のほうを手で示してみせた。

鏡の向こう側に、深い雪に覆われた、暗い森があった。うまくいくのかどうか、マグレータを鏡の向こうの世界に連れていけるのかどうかはわからない。けれどもいまは、それに望みを託すしかない。マグレータの手をつかんだとき、廊下に足音が響き、寝室の扉がけたたましい音とともに開かれた。ミルナティウスの声には、あの魔物の声が重なっていた。「**イリーナ ドコダ？ カワイイ イリーナ ドコナンダ？**」

マグレータがあっと声をあげてしまった。わたしは彼女の手を引いた。鏡を見た彼女の顔が青ざめ、とっさにわたしを引きもどそうとした。わたしは、彼女の手を強く握りしめ、「わたしから離れないで」とささやいた。マグレータはおびえた形相で後ろを一瞬振り返ったのち、大きくうなずいた。わたしは鏡のほうに向き直り、一歩踏み出し、彼女を引き寄せた。つぎの瞬間、わたしたちはふたりで凍りついた川の堤に立っていた。

13 出会いと計略

その朝、マンデルスタムの旦那さんは家にもどると、ブーツの雪を落としながら、マンデルスタムの奥さんに小さな声で言った。「ふたりはまだ捕まっていないそうだ。追っているうちに、雪が降りだしたらしい」

おいらは、雪が降ってくれてよかったと思った。でも待てよ、ほんとにそうかな。だって、雪のせいでワンダとセルゲイが凍え死んでしまうことだってあるかもしれない。いや、やっぱり雪が降ってよかった。おいらはそう思い直した。だって、雪のなかで働いてて、すごく寒くて、いつのまにか眠ってしまったことがあるんだ。そのときは、父ちゃんに頭をたたかれて、目を覚ました。父ちゃんは、凍え死にてぇのかって怒鳴った。そりゃ死にたくないよ。だけど、ただ眠るだけで、痛くはないから、そんなに怖くはないんだ。父ちゃんは、死ぬとき、怖かっただろうか、と考えた。あのときの父ちゃんの声は、怖がってる声だった。

朝ごはんは粥だった。マンデルスタムの奥さんが、粥に山羊の乳をかけて、干しブルーベリーをのせてくれた。それから黒砂糖もちょっぴり。とんでもなくうまかった。そのあと外に出て、山羊の世話をした。ワンダが別れぎわに、そうしろって言ったから。マンデルスタムの奥さんは、「こんな寒い日には、あの子たちにも温かい朝ごはんをあげなきゃね」って、大きな鍋でイモを煮た。おいらはイモをつぶすのを手伝った。そして、うちの山羊たちにはイモを多めにやった。うちのやつらは、マンデルスタムさん家の山羊とくらべると、ガリガリだ。そのうえ、きのうはもとからいる山羊たちに小突かれたり、噛みつかれたりした。だけど、もとからいる山羊たちの毛をぜんぶ刈ってやったら、いじめはやめた。うちの山羊たちは泥や枯れ草まみれだけど、まだ毛がふさふさだ。温かいイモを食べてしまうと、山羊たちはみんないっしょに小屋のなかでくっつき合った。

庭には雪がたくさん積もってた。おいらは、山羊や鶏たちが草を食べられるように、雪を集めて大きな山にした。地面は凍ってたけど、白い木がくれた実をポケットから取り出して、そいつをつらつら見ながら、ここに植えようかどうしようかって考えた。でも、ぜったいにここだとも思えない。まちがえるのはいやだから、ポケットにもどして、家のなかに入った。昼になると、マンデルスタムの奥さんが、バターとジャムを塗ったパン三切れ、卵ふたつ、それからニンジンと干しプルーンをいっしょに煮た料理を出してくれた。昼ごはんも、とんでもなくうまかった。

昼から先は、なにをしたらいいかわからなかった。マンデルスタムの奥さんは、紡ぎ車の前にすわった。でも、おいらはやり方を知らない。マンデルスタムの旦那さんは、本を読みはじめた。でも、おいらは読み方を知らない。「なにしたらいい？」と尋ねた。

「外に出て、遊んでくればいいじゃない、ステフォン」奥さんが言った。でも、おいらは遊び方も知らない。旦那さんが、奥さんに言った。「だけど町の子たちが……」奥さんはきゅっと口を結んで、旦那さんにうなずいた。町の子がおいらに意地悪するかもしれないってことだ。おいらが、父ちゃん殺しに手を貸したんじゃないかって疑われてるらしい。つまり、おいらは新入りの山羊とおんなじだ。

「ワンダだったら、なにをするの？」と訊いてみた。でも、訊いてるときに思い出した。「集金だ！」

「でも、あなたは子どもだから、まだ集金は無理ね」マンデルスタムの奥さんが言った。「近くの森でキノコを採ってくるのはどう？　食べられるキノコの見分け方は知っているわね？」

「はい」と答えると、バスケットを渡された。でも、森には雪が積もっているから、キノコを採りに行くというのは、あまりいい考えだとは思えなかった。外に出て、雪を見わたした。キノコはどこにもなかった。だから、まだ子どもかもしれないけれど、集金をがんばってやってみようと考えた。だって、マンデルスタムの旦那さんも奥さんもやらなくて、ワンダもやらなくて、ほかにだれが集金をやるんだろう？　そうだ、前は、ほかのだれかが、あの家に住んでたんだ。前にワンダがその人のことを話してくれた。でも、名前が思い出せない。なんだか変だな。こんなに思い出そうとしても、名前が出てこない。おいらは名前を覚えるのが得意で、だいたいの名前は、思い出そうとすれば、すぐに出てくるんだけどね……。

でもとにかくいま、マンデルスタムさんの家にも裏の小屋にも、ほかに人が住んでいないのは確かだ。なぜわかるかっていうと、そのだれかさんをさがしてまわったからだ。もし、そのだれかさんを見つけたら、おいらは名前を尋ねるつもりだったし、そうすればもう変な気分にならなくてすむはずだった。鶏小屋のなかまで見たけど、鶏しかいなかった。だからつまり、この家には、マンデルスタムの旦那さんと奥さんのほかには、おいらひとりしかいないってことだ。

きょうは月に一度の市の日のつぎの日だから、ワンダなら町から南西に伸びるでこぼこ道を歩いて、ふたつの村へ集金に行ったはずだった。金を集める家の名は、リベルニク、フロル、グナディス、プローヴナ、ツミル、ドゥヴーリ。でこぼこ道を歩きながら、六つの名を頭のなかでくり返していると、そのうちすてきな歌のようになってきた。村に着くと、片っぱしから扉をたたいて、家の名前が六つのうちのどれかにあてはまるかどうかを尋ねた。もしそのうちのどれかなら、バスケットを差し出した。みんな、おいらをじいっと見つめて、バスケットになにかを入れてくれた。ツミルの奥さんはやさしい声で「かわいそうに！」って、おいらの頭に手をおいた。

「あのユダヤ人たち、もうあんたを働かせてるのね！」

「そうじゃなくて……」と言ったけど、奥さんは首を振って、バスケットに大きなイモを入れた。それから、甘いお菓子もくれた。ワンダがマンデルスタムの奥さんからもらったお菓子を分けてくれたことがあるけど、それもとんでもなくうまいやつだった。だから、ツミルの奥さんに言い返すのはやめて、つぎの家に向かった。

おいらはいろんなものが入ったバスケットを手に、マンデルスタムの奥さんのところにもどって、言った。「まだ子どもだなんてことないよ、ぜんぜん」奥さんはバスケットのなかをのぞくと、あわてふためいた。どうしてなんだろう？

マンデルスタムの旦那さんは、おいらの肩に手をおいて、やさしい声で言った。「ステファンや、わたしたちがちゃんと説明しておけばよかった。集金というのは、どんなまちがいもあってはならないんだ。そして、それをきちんと帳面につけておかなくてはならない。うんとがんばってくれたことは認めるが、きみはどこの家に行って、なにを受け取ったか、きちんと覚えていると言えるかな？」

「言えますよ。月のこの日、ワンダが集金に行ってたのは、リベルニク、フロル、グナディス、プローヴナ、ツミル、ドゥヴーリ――」おいらは、バスケットの中身をひとつひとつ指して、だれからもらったものかを説明した。それでも、マンデルスタムの奥さんの顔は悲しそうだった。

だけどそのあと奥さんは、とろとろのソースをかけただんごの料理を出してくれた。ソースのなかにはニンジンとイモと、ほんものの鶏肉。紅茶には甘い蜂蜜を大きなスプーンで二杯。いったい、どうしちゃったんだろう？　やっぱりおいら、なにかまずいことをしたのかもしれない、という気になってきた。

セルゲイもあたいも、その小さな家に長くとどまりたいとは思ってなかった。だけど、すぐに出ていくのも無理だった。その家に来て最初の朝、目覚めると、雪が戸口と窓台に厚く積もって、窓の下にも大きな雪の吹きだまりができていた。外に出ると、木々の黒っぽい幹がほんの少し見えるほかは、どこもかしこも白一色だった。すべての木が雪の重みで枝をしならせ、芽吹いたばかりの若葉が雪に押しつぶされていた。もう街道がどっちの方角かもぜんぜんわからない。

セルゲイとふたりで、家のまわりを調べた。いろんなものが見つかった。小さな畑にはイモとニンジン。山羊を何頭か飼えそうな納屋。そこには古いわらの山と、あたいの背丈くらいはある、刈り取られた羊毛の山が見つかった。羊毛はまだ洗われてなくて、底のほうは汚れて固まっていたけれど、上のほうはまだ使えそうだった。納屋の棚の上に一個のバスケット、片隅にはシャベルがあった。シャベルがあれば、イモ掘りが楽になる。家のなかの棚には、たたまれた毛布があった。

その日は一日じゅう日が照って、雪が積もっていても、暖かだった。雪はすぐに溶けはじめた。セルゲイはたきぎを集めに行き、あたいはイモとニンジンを煮て、それから、納屋にあったわらでふたり分の新しい靴をつくりはじめた。あたいの靴の片方はどこかでなくし、もう一方はばらばらになった。羊毛も少し使うことにした。いつものように木の皮で編むわけじゃないから、硬い靴にはならない。羊毛にはとげや葉くずがいっぱいついていた。あたいは鍋で湯を沸かし、そのなかで羊毛を洗った。櫛がないからぜんぶ手でやった。毛のなかに紛れこんだ棘がちくちくと痛かった。でも、靴はぜったいに必要だ。

靴が一足できあがるころ、セルゲイがたきぎをかついでもどってきた。試しにはかせてみたら、悪くないできだった。もっとたくさん羊毛をなかに詰めれば、はきやすくなるだろう。ふたりでイモとニンジンを食べた。そのあとは、自分の靴をつくった。それが終わると、今度は窓をふさぐ覆いを編んだ。セルゲイが鳥の巣を見つけ、茶色の斑点のある卵を三個とってきた。卵を食べると暗くなったから、またその家で眠った。

つぎの朝は、穀物箱が見つかった。雪が溶けて、箱の一部が見えるようになっていたからだ。箱には半分までオーツ麦が入ってた。思わずふたりで箱のなかをのぞきこんだ。これだけあれば、けっこう長いあいだ、ここで暮らせるはずだ。セルゲイとあたいは顔を見合わせた。ここが魔女の家だとしても、夜になってももどってこないから、もうずっともどってこないんじゃないかって考えはじめてた。だけど、おかしい。こんなにたくさんのものがつぎつぎに見つかるなんて……。

「出てったほうがいいみたいだね」あたいは、しぶしぶだけど、セルゲイにそう言った。ほんとうに出ていきたいわけじゃない。だって、街道が見つかるって保証がどこにある？　セルゲイが顔を上げた。つられてあたいも空を見あげると、雪が落ちてきた。ああ、これでまたどこへも行けやしない。

セルゲイはなにも言わなかったけど、がっかりしてるのがわかった。あたいとおんなじだ。しばらくすると、セルゲイのほうから言った。「椅子とベッドを修理しよう。ここの主がもどってきたときのために」

それはいい考えだ、とあたいは思った。イモとニンジンと羊毛とオーツ麦をもらって、この家に寝て、それでなんにもお返しをしないんじゃ、泥棒とおんなじだからね。ここにもどってきただれかさんは、かんかんに怒るだろう。怒って当然だ。だから、なにかお返しをしなくちゃいけない。

あたいはオーツ麦をなかに運び入れ、それを料理しながら、ふたりで椅子のすわるところを新しくつくり直した。セルゲイは雪のなかに出ていって、若木から細い枝をとってきた。細い枝で格子をつくり、あたいが靴をつくったときのように、そこにわらと羊毛を編みこんだ。それを椅子に縛りつければできあがりだった。

　つぎは、おんなじやりかたで、ベッドの新しいマットをつくるつもりだった。でも、食事のあと、たきぎを集めに出たセルゲイが、すぐにもどってきた。家の裏手で雪に埋もれた木材を見つけ、そのとなりには木の台座があって、そこに斧が突き立ってるのも見つけたんだ。斧は錆びて、柄は少し腐り、ささくれだらけで持つと手が痛いけど、セルゲイが石で錆びを落とすと、まだ充分に木を断ち落とせることがわかった。つまり、新しいマットだけじゃなくて、新しいベッドの木枠までつくれるってこと。

　このままいすわるのは不安だったけど、かといって、仕事を終わらせないで出ていくのも不安だった。ふたりとも、請け負った仕事をやっているような気分になってたんだよ。それにどのみち、雪はやみそうにない。そんなわけで、セルゲイがベッドの木枠をつくり、あたいがマットを編むことにした。

　つぎの朝起きると、雪があたいのひざの上くらいまで積もってた。それでも、食糧はあるし、家のなかは暖かい。セルゲイがベッドのつづきに取りかかり、あたいは椅子を修繕したときのように、枝を編んでベッド用の大きなマットを六枚つくった。それを積み上げ、わらと汚れをとった羊毛で厚みを出した。とうとう、仕事が終わった。これで出ていきたいときにここから出ていけるようになった。その日はまた天気がよくなって、雪がどんどん溶けた。セルゲイとあたいは、明日ここから出ていこうと、話し合って決めた。

　つぎの朝、あたいらは持っていける食べ物をさがしに庭に出て、小さなイチゴ畑を見つけた。畑は霜に当たってだめになってたけど、イチゴの実は凍りついてたから、まだおいしく食べられた。あたいは家に入って、イチゴを入れられるものはないかとさがした。煖炉の隣の棚の暗い片隅に、前には気づかなかった古い壺がいくつかあった。ここも前に調べたはずなんだけど……。大きな壺はからっぽで、イチゴを入れるのにちょうどよかった。べつの壺には塩がいっぱい。小さな壺には蜂蜜が少し入ってた。味も問題なかった。

　もうこれだけで胸がざわざわしたけど、まだ終わりじゃなかった。その棚のいちばん大きな壺の隣に、古びた木の紡錘と、何本かの編み針があった。そう、まだ仕事があるってことだ。紡錘と編み針があれば、羊毛を紡いで、編むことができる。つまり、もともとこの家のベッドにのっていて腐ってしまった、ほんもののマットレスが作れるってことだ。あたいは紡錘をセルゲイに見せた。「どれくらいかかる?」セルゲイが不安そうに尋ねた。あたいは首を振った。わかんないよ、やってみないと。

　その日はずっと、あたいが糸を紡ぎつづけ、セルゲイが羊毛を洗った。せいいっぱい急いで、六つの毛糸玉をつくった。でも、マットレスをくるむには、もっと毛糸がいるだろう。セルゲイが外へ出て、薪をたくさん集めてきた。あたいは鍋いっぱいに粥をつくった。明日は、もう外へ出ていかなくてもいい。腹がへったら、鍋から粥を食べればいい。こうして、あたいらはまた煖炉の上で眠りについた。

「ワンダ……」つぎの朝、セルゲイがあたいの名を呼んだ。弟はテーブルをじっと見つめていた。だから、あたいもテーブルに目をやった。なんの問題もなさそうだけど……。テーブルの上は片づいてた。椅子は、きちんとテーブルの下に入ってた、そばを通るときじゃまにならないように。えっ、待ってよ。きのう、椅子は壁に寄せておいたはず。眠る前にもとにもどしたんだっけ……。そんな覚えもないけど……。よくわからないまま、「とにかく、朝ごはんにしよう」と、あたいは言った。

煖炉のなかの粥の鍋はまだ温かかった。あたいはふたを取り、鍋をのぞきこんだ。きのう鍋いっぱいに粥をこしらえた。そんなに大きな鍋じゃないから、だいたいふたりで一日分だ。だけど、鍋の中身がごっそりとなくなっている。セルゲイが食べたんじゃ……いや、ぜったいありえない。なぜって、大きな木のスプーンが鍋のなかにあったからだ。きのうの晩、あたいは心のなかで思った――ああ、大きなスプーンがあればなあ。そう、この家にはスプーンなんかなかったんだよ。

「停めて！」とあたしが叫ぶと、ソーファは手綱を引いてそりを停めたけど、川堤に立つふたりの人影を不安そうに見つめて言った。「こんな場所に来るのは、妖魔しかいませんよ」

でもあたしには、その人がだれかわかっていた。白い毛皮のマントをはおってそこに立つ若い女性の頭には、あたしが彼女のもとまで届けた銀の冠がのっている。まちがいない、公爵令嬢のイリーナだ。彼女がここまで来る方法を見つけたのなら、もとの世界にもどる方法もきっとあるはずだ。「さあ、ふたりのところまで行って。それとも、あたしの質問に答えてくれる？　どうしてそれができないの？」あたしは容赦なく言った。

少し間があったけど、ソーファはしぶしぶながらもそりを返し、川の道を引き返して、ふたりのそばまでそりを進めた。イリーナは銀の冠だけではなく、きらめく首飾りと指輪も身につけていた。彼女の息はこの冷気のなかでも白くなっていなかった。イリーナに抱きかかえられるように、ひとりの老婦人が立っていた。厚い毛皮を体に巻きつけているけど、老婦人の体は激しく震えている。そして吐く息も彼女の顔のまわりで白い霧になっている。

「どうやってここまで来たの？」あたしは尋ねた。

イリーナが目を上げて、あたしを見つめた。その表情を見るかぎり、あたしがだれか気づいていないようだ。「わたしたち、怪しい者ではないわ」イリーナが言った。「どこか身を寄せる場所はないかしら？　わたしの乳母はこの寒さに耐えられないわ」

「そりに乗って」あたしは言った。ソーファがびくっとするのがわかったけど、あたしは彼女に手を差し出した。イリーナは一瞬ためらい、凍った川を見おろした。それから老婦人をそりに乗せ、あとから彼女も乗りこんだ。あたしは自分の外套を脱いで、毛布のように老婦人の体をくるんだ。それでも老婦人はがたがたと震え、くちびるは紫色になっていた。「ここからいちばん近い、休める場所に連れてって」あたしはソーファに命じた。

ソーファはまたびくっとした。でも、一瞬ためらったのちに、鹿たちの首をめぐらした。そりは川堤を越えて、暗い木立のなかに入った。左手にはまぎれもなく夜があり、右手には遠くから照らされた薄明がある。闇がはじまる境界にいるみたいだ。イリーナが後方を振り返り、遠ざかる川を見つめた。それからあたしのほうに視線を移した。彼女の褐色の髪が白い毛皮と銀の冠に美しく映えていた。木々の枝から雪が舞い落ち、銀の首飾りを透明な宝石のようにきらきらと光らせた。遠ざかる薄明を取りこむように、彼女の青白い肌が輝いていた。あたしは唐突に、イリーナは家系のどこかでスターリクの血を引いているにちがいないと確信した。銀を身につけた彼女こそ、この冬の王国の王妃のように、この世界に溶けこんでいた。「どうやって、ここにたどり着いたの？」あたしはふたたび尋ねた。

イリーナはあたしを見つめ返し、眉をひそめ、それからゆっくりと言った。「わたし、あなたを知っているわ。あなたは、宝石商の奥さんね」

彼女は知らなくて当然だった。あたしやアイザックの名は彼女に伝えられてはいない。彼女は公爵令嬢。あたしたちは名もない存在。ああ、あのままでいられたらよかった。あたしはバシアのように、アイザックの奥さんになっていてもおかしくない立場だった。でも、あたしは「いいえ」と答えた。「あたしは、宝石職人に銀を渡しただけなの。あたしの名前は、ミリエム」

ソーファが御者席で身じろぎし、驚いたようにあたしを振り返った。イリーナは軽くうなずいたあと、なおも考えこむように眉根を寄せ、首飾りに指を伸ばした。「ああ、この銀はここから……」

「なるほど」あたしにはようやく察しがついた。「銀があなたをここに連れてきたのね？」

「ええ、鏡を通り抜けて」イリーナが言った。「それでわたしは助かったのよ。いえ、わたしたちは」彼女は老婦人のほうに身を乗り出した。「マグレータ、マグレータ。眠ってはだめよ」

「イリーナさま……」老婦人がつぶやいた。目を半ば閉じ、がたがたと震えている。

ソーファが突然、そりを停めた。手綱を強く引いたので、鹿たちがあらがって頭をもたげた。

ソーファは前方を見つめていた。背すじを伸ばし、肩はひどく張りつめている。あたしたちは、ほとんど雪に埋もれた塀の近くまで来ていた。庭を囲う低い石塀だ。そして、塀の向こうには、なつかしさを誘う、温かいオレンジ色のほのかな光があった。家のなかの煖炉が、あたしたちを招くように燃えている。でもソーファの顔は、怒れる暴徒を前にしたかのようにおびえていた。

「あの家にはだれが住んでるの？」あたしはまたうっかりと尋ねてしまった。ソーファは苦しげな目でこちらを見つめた。それだけではなにもわからない。でも、老婦人の容態がさらに悪くなっていた。「手伝って。彼女をそりからおろして」あたしがそう言うと、彼はしぶしぶ鞭をおいて、そりからおりた。そして、まるで子どもを扱うように、軽々とマグレータと呼ばれた老婦人を持ちあげた。服や毛皮を重ねた上からだったが、彼が触れたとき、マグレータは短いうめきをあげた。

ソーファはマグレータを抱きかかえたまま雪面をなんの苦もなく歩いたが、イリーナとあたしは、固まった雪をかき分けるように進むしかなかった。ソーファのあとを必死で追ったが、塀に近づくと、雪が急に少なくなった。そこは、ほんとうに小さな一軒家だった。人ひとり暮らすのがやっと、煖炉とそのまわりだけでできている家だ。

粥のいい匂いが家のなかからただよってきた。煖炉の薪が、扉や窓の覆いの隙間から吹きこむ風でパチパチと爆ぜる音が聞こえる。ソーファは小さな家から離れたところに立ち、そこから動かなかった。彼の不安そうなようすが、あたしを用心深くさせた。けれどもイリーナはまっすぐに扉に近づき、ひるむことなくそれを押しあけた。扉といっても、つぎはぎの薄い板に風よけのわらの覆いがついただけのものだったので、あけた勢いでバタンと大きな音を立てて床に倒れてしまった。「だれもいないようね」と、イリーナが言い、あたしたちを振り返った。

イリーナが先に、あたしがつづいてなかに入った。家のなかがからっぽだということは、すぐにわかった。部屋がひとつしかないのだ。小さな寝台がひとつあり、その上にわらが敷かれていた。イリーナは、あたしがマグレータに着せた外套をわらの上に敷いた。ソーファがおっかなびっくりで入ってきて、マグレータを寝台に寝かせようとしたが、彼の視線は煖炉の閉じた扉とその周囲からのぞく炎の舌から片時も離れなかった。そして、マグレータを寝台におろすや、ソーファは脱兎のごとく入り口まで退散した。煖炉のかたわらには薪を積みあげた箱がおいてある。あたしは煖炉の扉を開き、なかに鍋を見つけた。ふたをとると、温かい粥が鍋のふちすれすれまで入っていた。

「マグレータに少し食べさせましょう」イリーナが言った。あたしたちは、棚の上に木のボウルとスプーンを見つけた。イリーナは粥をたっぷりとボウルに入れて、寝台のそばにひざまずいた。マグレータは粥の匂いに目を覚まし、イリーナが差し出す小さなスプーンの粥を飲みこんだ。

ソーファは、まるで毒を飲まされている人を見るように、彼女のひと口ひと口に眉をひそめた。あたしと目が合うと、彼の口がなにかを言おうと動きかけたが、新たな恐怖が彼の舌を動かなくさせたようだった。あたしはなにかおぞましいことが起きるのかと身構えた。なにも隠れていないことを確かめるために、部屋の四隅に目を凝らした。外へ出て、庭を見わたした。火が焚かれ、温かい食べ物が用意されていたのだから、この家の住人が近くにいてもおかしくない。でも、あたしとイリーナがそりをおりてから雪だまりのなかを必死に突き進んできた跡が残っているほかに、家の周囲にはどんな足跡もなかった。もちろん、スターリクなら足跡を残さないこともあるかもしれない。でも……。

「ここは、スターリクの家じゃないのね」あたしはソーファに言った。質問ではなく、意見表明として。彼はうなずかなかったが、困惑や驚きの表情を返すこともなかった。フレクやソップは、あたしがまちがったことを言うと、そんな顔をするのだけれど。

あたしはもう一度、庭に目をやって気づいた。この家は境界線上に建っている。庭の半分は薄明、もう半分は完璧な夜。この家は夜と薄明のあわいにある。あたしはソーファのほうを見て言った。「扉を閉めるわ」

「わたしは外にいましょう」彼はすぐに返した。希望の兆しが見えた気がした。あたしは家に入り、扉を床から持ちあげ、もとの位置にもどした。しばらく待ったあと、勢いよく扉を引きあけた。

しかし、外をのぞけば、そこにはなにもない庭と、不安そうに待っているソーファの姿があるだけだった。彼はさっきより家から遠ざかり、石塀の向こう側にいた。あたしはがっかりして、家のなかを振り返った。マグレータが目をあけ、イリーナの両手を自分の両手で包むように握っていた。「ご無事だったのですね、イリーナさま」彼女は消え入るような声で言った。「あなたのご無事を祈っておりました」

イリーナがあたしを見つめて言った。「ここに泊まれるかしら」

「安全だって保証はないけど……」

「あのまま外にいるよりは、よほど安全よ」

「皇帝は、あなたと結婚しなかったの？」あたしは尋ねた。もしそうなら、公爵は彼女に怒りをぶつけたにちがいない。自分の計画がうまくいかないと、癇癪を起こす人のように思われた。

「いいえ、結婚したわ。わたしは、リトヴァス皇国の皇后よ、生きているかぎりは」イリーナはたんたんと言ったけど、まるで命が危ぶまれているみたいな言い方だった。「皇帝は、黒い魔法使いなの。そして、炎の魔物に取り憑かれている。その魔物がわたしを貪りつくそうとしているわ」

なんだか笑ってしまった。お互いにあまりにもひどすぎて……。「つまり、異界の銀は、あなたには夫ではなく火の怪物を、あたしには氷の怪物を運んできたってことね。どっちの怪物もひとつの部屋に閉じこめて、戦わせることができればいいのに。そうすれば、あたしたち、夫から自由になれるわよ」

腹立ちまぎれに口にした。怒りをまぎらわすための冗談だった。けれどもイリーナは、頭のなかでなにか考えをめぐらしてから、ゆっくりと言った。「その魔物が言っていたわ。わたしはそいつの渇きをたっぷりと、長く癒やせるのだと。わたしを求めるのはわたしが……冷たいからだと」

「それはあなたがきっと……スターリクの血を引き、スターリク銀を身につけているからよ」あたしも考えながら言った。イリーナがうなずいた。あたしは扉に身を寄せ、隙間から外をうかがった。ソーファはいまも家から遠ざかっている。立ち聞きできるような距離ではないし、こちらに近づいてきそうもない。あたしは大きく息を吸って、イリーナを振り返った。「ねえ、その炎の魔物と取引できる？　スターリク王を貪りつくすチャンスをちらつかせたとしたら、魔物は乗ってくるんじゃないかしら」

スターリク銀を身につけることによって、ふたつの世界を行き来できるようになったことを、イリーナが教えてくれた。あたしとイリーナは、そのあと小さな家の外に出た。そして家の裏手で大きな洗い桶を見つけ、なかに雪が積もっていたので熱いお湯を注ぎ、桶を水で満たした。イリーナがその水面をのぞきこんで言った。「わたしには抜け出してきた場所が見えるわ。宮殿の寝室よ。あなたには見えるかしら？」

そうは言われても、あたしに見えるのは、揺らめく水面にうっすら映るあたしたちの顔だけだった。イリーナがあたしの片手を取り、試しに水から向こう側に抜けようとした。あたしは手首まで濡れたけれど、イリーナの手は水から引きあげても、しずくひとつ垂れていなかった。彼女は首を振った。「あなたをいっしょに連れていけそうにないわ」現実の世界から閉め出されてしまったような、スターリク王の手で生まれた土地から根っこごと引き抜かれてしまったような気がした。

「つまり、彼を説得して、送りとどけてもらうしかないってことね」苦々しい。まさにスターリク王の言ったとおりだ。もしあたしたちの企てが成功し、わが夫が早すぎる終わりを迎えたとしたら、そのときあたしはこちら側の世界にいたくない。あのスターリクたちがあたしを女王として受け入れるなんて考えられない。少なくとも、永遠の冬をつくり出すとか、大地から雪の木とやらを出現させるとか、ええとあとは……とにかく彼の要求したことに応えられる魔法をあたしが使いこなせないかぎりは。

あたしとイリーナは急いで計画を詰めた。決めることはそれほど多くはなかった。肝心なのは時間と場所。あとはそれぞれが夫を説得するために最大限に努力するしかなかった。「炎の魔物は、昼のあいだは出てこられないようなの」イリーナが言った。「魔物があらわれるのは夜だけにかぎられている。理由はわからないわ。でも、昼間に出てこられるのなら、もうとっくにわたしを手にかけていたでしょうね。きょうは皇帝とほとんどふたりきりだったから」いったんことばを切り、なにかを考えるように黙りこんだあとで、付け加えた。「皇帝の母である前皇后が黒魔術を使った罪で裁判にかけられたとき、彼女を捕らえて火刑にするまで、すべてが一日のうちに、それも日没前に終わったのだったわね」

「ふたりを会わせるのは、夜にするしかないわね」あたしはそう言ってから、あたしがもとの世界にもどることを、スターリク王はどんな理由なら受け入れるだろうかと考えた。「あなたは、ヴィスニアへもどるように皇帝を説得できる？」あたしはイリーナに尋ねた。「たとえば三日後はどう？」

「殺されないためなら、なんとしてでも彼を説得してみせるわ」イリーナは言った。

相談を終えると、イリーナは乳母のところに行った。あたしはそりまでもどった。ソーファは、帰りたくてたまらないようすで、なにも尋ねなかった。帰りの道中、あたしにはどんな景色も目に入ってこなかった。頭のなかをいろんな考えが駆けめぐり、そのうち胃がよじれ、喉を焼いて苦いものが込みあげてきた。

もちろん、あたしは恐れていた——計画を実行に移すことも、失敗も、成功も。計画が目ざすところは、殺しみたいなもの——いや、自分に嘘はつけない——これは殺しだ。だけどスターリク王だって、最初はあたしを殺して当然だと考えていた。それに、彼と約束を交わしたわけでもない。結婚しているかどうかだって、はっきりしない。あたしは彼から冠を授けられたけれど結婚の契約は交わさなかった。

あたしたちはお互いのことをよく知らない。もしラビとまた話す機会があるなら、これが結婚なのかどうかを尋ねてみたい。でも、結婚していようがいまいが、ラビは、ユディト〔旧約聖書外典『ユディト書』に語られる女性。敵将の首を切り落として町の人々を救ったと言われる信心深い寡婦〕を手本とし、スターリク王の首を取ることはまちがっていない、と言うかもしれない。スターリク王国は、あたしひとりじゃなく、あたしたち人間の敵なのだから。でも、それを実行に移すのはかんたんなことじゃない。

ソーファは、あたしの部屋にのぼる長い階段の下にそりを停めた。ソップが階段のそばの低い石に腰かけていた。あたしを見たときの安堵の表情からすると、そこで一日じゅう不安に駆られながらあたしの帰りを待っていたのかもしれない。長い遠出で体がこわばり、あちこちが痛くて、そりからおりるときにぎくしゃくした。ソップの足どりが早いので、階段をあがると息が切れた。

途中であたしを待たなければならないとき、彼女はやきもきするように体を揺らした。下を見つめている彼女の視線を追うと、あの円形の木立があり、夜の訪れを告げるように、白い花が静かに閉じていくところだった。スターリク王がまもなく、三つの質問に答えるためにあたしの部屋にやってくる。あたしが部屋にいないと、彼は怒りだすだろうか？　あたしは足を早めて階段をのぼった。

部屋に着くと、スターリク王が腕を組んで待ち受けていた。怒りが彼のとがったほお骨や目に奇妙な輝きをあたえていた。あたしが部屋に入るなり、彼は「質問しろ」と、脅すように言った。

彼から渡された時の鏡のなかで、夕日が半分ほど沈んでいた。

「夜のへりに建つ家には、だれが住んでるの？」なにをおいても、尋ねずにいられなかった。もちろん、あのあと家の主がもどってきてマグレータを餌食にしていないことを祈るばかりだけれど。

「だれも」彼はすぐに答えた。「つぎの質問」

「嘘でしょ」あたしは言った。ソップが見えないところからいきなり鞭で小突かれた馬のようにびくっとし、お辞儀をして部屋から出ていこうとした。スターリク王が目をかっと見開き、こぶしを握り、あたしのほうへ一歩踏み出した。殴られるんじゃないかと思った。

「煖炉に粥があったわ！」あたしはとっさに、叫ぶことで反撃した。

彼の動きが止まった。口を固く結び、しばらく沈黙してから言った。「わたしの知るかぎりではだ」これでおしまい、と言わんばかり。「つぎの質問」

あたしはまた同じことを尋ねそうになった。彼のなかからふつふつと沸きあがる怒りが、淡い虹色の光となって皮膚の上で揺れていた。ソーファがマグレータを人ではなく羊毛の袋のように抱きあげたこと、ソップとフレクが銀貨で満杯の収納箱を軽々と倒したことを思い出さずにいられなかった。ふつうのスターリクがあれだとしたら、スターリク王はいったいどんな怪力を出すんだろう？　なにごともなく時が流れていきますように。早く終わりますように。迫りくる大きな危険からするりと逃れられるほど自分が小さくなれたらいいのに、と思った。この感覚は初めてじゃない。雪のなかでオレグが顔をゆがませ、大きなこぶしを握りしめて近づいてきたときのことがよみがえった。すぐさま逃げたかった。命請いをしたかった。恐怖が背骨を駆け抜けた。

だけど、ともう一度、あたしは思い直した。結局のところ、死ぬときは死ぬわけだし、だれだって死ぬのは一度きり……。スターリク王があたしを凍りつかせるような恐ろしい目でにらみつけていた。でも彼を恐れてなんの得になるだろう？　彼にどんな魔力と怪力が備わっていようと、彼に殺されるのもオレグに殺されるのも同じだ。あの雪のなかでオレグに首を絞められたときとなにも変わらない。

そして、もしあたしがそこまでスターリク王を怒らせたのだとしたら、どんなに懇願したって、彼が引くことはないだろう。あたしが森のなかで命請いをしても、オレグが手をゆるめなかったように。自分の喉に手がかかった土壇場で、命請いをしても手遅れなのだ。生き延びたかったら、もっと早いうちにこちらから折れる、あるいはつねに折れつづけるしかないだろう。『千夜一夜物語』のシェヘラザードのように、毎夜、残忍きわまりない夫に物語を語り聞かせ、自分を生かしておくよう請わなければならない。しかし、それがいつもうまくいくとはかぎらない。

そんな取引を、あたしはしたくなかった。たとえ身を危険にさらしても、スターリク王を倒すほうを選びたかった。もう彼を恐れるものか、と覚悟を決めた。あたしは背すじを伸ばし、彼のぎらぎらした目を見すえて言った。「言わせてもらうけど、あなたには、あたしに包み隠さず話す義務があるのよ。それがあたしに対する借りなんだから。当たりがつくことならなんでも話して。たとえば、あの家をだれが建てたか知っているのなら――」

「借りだと？」彼は怒りの声で言った。あたしは視界のすみっこで、おそるおそる遠ざかっていくソップの姿を捕らえた。部屋を出ていくまであともう少しだ。「借り？　借りだと？」彼はなおも言った。

そして、気づくと、スターリク王はあたしのまん前に立っていた。目をそらしている一瞬のうちにとてつもない速さで移動したのだろうか。彼は片手をあたしの喉にあて、親指であごの下のくぼみを押しあげた。あたしは首をのけぞらせ、しかたなく彼の顔を見あげた。「わたしにおまえに対する借りがあるとすれば、あとふたつの質問に答えることだけではないのか？」彼はあたしを見おろしながら、やんわりと言った。

「なんとでも言えばいいわ」圧迫された喉から声をしぼり出した。ここで折れるつもりはなかった。

「本気で言っているのか？」空気が張りつめた。彼を爆発寸前まで追いこんでしまった。でも、もう、心に決めていた。あたしは去年の冬、母のかたわらにすわり、母の命を削る咳の音を聞きながら、覚悟を決めた。そしておびただしい数の家の玄関口に凍えながら立って、借りを返すように要求した。あたしは、喉の奥から込みあげてきた苦いものを、もう一度呑みこんでから言った。

「そうよ、本気よ」あたしはどこの冬の王にも負けないくらい冷ややかになっていた。

彼は怒りのうめきをあげ、さっと身を返した。部屋の端まで大股に歩いていき、壁を向き、こぶしを握りしめて立った。「おまえは……」と、あたしのほうを振り返ることなく言った。「おまえは、向こう見ずにも、このわたしに刃向かおうとしている。まるでわたしと対等であるかのように――」

「対等でしょ。だって、あなたはあたしの頭に冠をのせたもの」怒りなのか勝利感なのかその両方なのか、両手がぶるぶる震えだしそうだった。あたしは両手をきつく握りしめた。「あたしは、あなたの臣下でもないし、召使いでもないわ。怖じ気づくネズミのような妻がほしければ、ほかをさがせばいい。あなたのために銀を金に変えてくれるだれかをね」

彼は息をハッと吐き出し、肩を上下させながら憤懣やるかたないようすで立っていた。そして、しばらくしてから言った。「けたはずれに強い魔女が、人間どもの頼みごとに辟易し、日の照る世界とわが王国の境界に家を建てて住みはじめた。彼女が人恋しくならないかぎり、人間がその家を訪ねても、姿を見せることはなかった。ところが、ずいぶん前になるが、魔女はどこかへ去った。以来もどってこない。あれほど強い魔力なら、わが王国にもどってきたとき、わたしにわからないはずはないのだが」

あたしはまだ怒りに息を荒らげていて、最初はそれが自分の勝利だとは——あたしの問いに対する答えだとは気づかなかった。「ずいぶん前って、どれくらい?」と、すぐに尋ねた。

「日の照る世界でおまえたちの歳を数えるような蜻蛉のごとき儚き時間を、どうしてこのわたしが気にすると思うのか」スターリク王は言った。「魔女が去ったときに生まれた人間の子どもたちが、ずいぶん前に死んだ。その子どもの子どもたちが、いまは老いている。そうとしか言えない。さあ、つぎの質問だ」

ここまでの答えは悪くなかった。少なくとも、すさまじい力をもつ魔女があらわれて、マグレータを粥に放りこんで食べてしまうことはなさそうだ。だけど、まだ知りたいことがある。あの家の食べ物がどこから来たのか、煖炉の火はだれが焚いたのか……。でもそこまで尋ねる余裕はなかった。どうしても訊いておかなければならないことがあった。「いとこのバシアに、彼女の結婚式でダンスを踊ると約束したの」あたしは言った。「その結婚式が三日後で――」

話の途中で彼が振り向き、あたしを見つめた。目の奥がきらりと光った。警戒しなければ……。彼はあたしをへこませるチャンスを見逃さない。「そこで、わたしに助けてほしいというわけか」

見るからにうれしげに、やんわりと言った。「そして、おまえは、それをわたしに拒まれたくはない」

「あなたに助ける気などないことはわかってるわ」あたしは言った。彼がおもしろそうに、鼻をふんと鳴らした。「でも、あたしにもただひとつ役に立つところがあるって、あなたも認めているはずよ。だから訊くわ。どれだけ黄金をつくり出したら、あたしをバシアの結婚式に連れていってくれる?」

スターリク王が少し残念そうに眉根を寄せた。あたしが彼の前にひれ伏して嘆願するとでも思っていたのだろうか。しかし、彼の欲深さがここで話を終わらせなかった。「ここには銀貨の保管室が三部屋ある」と、彼は切り出した。「小、中、大と、部屋はしだいに大きくなる。結婚式に送りとどけてほしいのなら、そのすべての部屋にある銀貨を金貨に変えよ。すみやかに取りかかるんだな。なぜなら、約束の時間どおりに終わらせることができないとき、おまえの願いは断たれるうえに、偽証罪にも問われることになる」彼は勝ち誇ったようにしめくくった。まるであたしの頭上に斧を振りかざして脅しているかのように。いや、ほんとうに脅しているのかもしれない。もしもあたしが偽証罪を宣告されたら……。スターリク世界の契約に対する生真面目さを考え合わせれば、それが大罪であることは容易に想像がつく。

「いいじゃない」

彼が不意打ちをくらったようにあたしを見つめた。「なんだと？」

「それでいいじゃない！」あたしは言った。「あなたの要求どおりに――」

「ほう、いきなり承諾か。おまえにしてはめずらしく交渉もせず――」彼は突然口をつぐんだ。その顔の上でまたしても怒りが奇妙な虹色の光となって揺れた。一瞬、早まったかもしれないという後悔がかすめたが、もう遅かった。「では、契約成立だ。おまえの健闘を心から祈ろう」

「ちょっと、その保管室ってどれくらいの大きさなの？」と、尋ねたけれど、スターリク王は立ち止まることなく部屋を出ていった。

となると、あたしのほうもこれ以上立ち止まっているわけにはいかなかった。急いでベルを鳴らすと、ソップがおそるおそる部屋にもどってきた。彼女は、あたしの向こう見ずな態度がなにか災いをもたらしていないかどうか、つまり絞め殺されたり、打ちすえられたり、なにかひどい罰を受けていないかどうかを確かめるように、あたしをじっと見た。「この宮殿には、銀貨の保管室が三つあるそうね」あたしは言った。「そこにあたしを連れていって」

「いま、ですか?」彼女(かのじょ)は疑わしげに問い返した。

「そう、いますぐに」

14 自分の才能を高く見積もりすぎて

ミリエムを見送ると、わたしは家のなかにもどった。マグレータが外套や毛皮を巻きつけて、煖炉の前でまるくなっていた。横になるように言ったけれど、彼女は首を横に振って応じなかった。寝台の上にはわらしかなく、彼女の老いた骨には硬すぎるというのだ。「お眠りください、イリーナさま」マグレータは言った。手を休めることができない性分の彼女は、もう自分の仕事を見つけていた。この家から紡錘と羊毛が見つかり、マグレータはいま、紡錘で羊毛を紡いでいる。「どうかお休みください。わたくしが子守歌を歌ってさしあげましょう」

寝台はせまくて硬くて快適ではなかった。でも結婚式の夜以来眠りが足りなかったし、わたしの骨はまだ老いていなかったので、耳慣れたマグレータの甲高い歌声を聞きながら、いつしか深い眠りに落ちた。そして目覚め、身を起こしてみると、小さな家の外はまだ暗かった。でも元気が回復し、目が冴えて、もう一度眠りにつくのは無理だった。マグレータは椅子にすわったまま、うとうとしていた。わたしは自分の毛皮のマントを着て、家の外に出た。

夜と薄明を分ける境界線は、庭を横切る位置から動いていなかった。石塀の向こうの鬱蒼とした森は静まり返っている。生き物の気配はまったくない。鳥やけものの音が茂みの奥から聞こえたら、いくらかは安心できるだろうに。わたしは家の裏手に回り、大きな洗い桶をのぞきこんだ。ミリエムとわたしとで、この洗い桶を家の外の、ちょうど煖炉の裏側にあたるところに運んでおいた。これでこの桶の水が凍りつくことはない。小枝を使って表面の氷を割り、暗い水面をのぞきこんだ。皇帝の寝室に朝日が差し込み、あらゆる装飾の金を輝かせているのが見える。ミルナティウスはすでに目覚め、服を着て、部屋のなかを行ったり来たりしている。痛みがあるのか足をかすかに引きずっている。召使いたちが背中を丸め、頭を低くして、皇帝の朝食の皿をあわただしくならべていた。彼らは、わたしがそこにいないことをどう思っているのだろう?

わたしは家のなかにもどり、マグレータのほおにキスをした。彼女は煖炉のそばで糸を紡ぎつづけていた。「イリーナさま、おもどりになってはいけません」彼女は声を震わせ、わたしの両手をきつく握った。「おふたりの計画は危険すぎます。悪魔のごとき怪物があなたの魂をむさぼろうと狙っているというのに」

「でも、ここに永遠にとどまるわけにはいかないわ」

「では、ここで待ちましょう。あの方があなたをさがすのをあきらめるまで」マグレータは引きさがらなかった。「しばらく待って、それからもどって、逃げればよいのです」

「皇帝から逃げろと言うの？　わたしたちふたり、だれの目に触れることもなく、あの宮殿から？」わたしは首を振った。「そして、そのあとはどうするつもり？」

「あなたのお父さまのもとへ……」マグレータの声は尻すぼみになった。父は、わたしが殺されたのなら仇を討とうとするかもしれないが、皇帝からわたしをかくまうようなことはできないし、試みようとも思わないだろう。

マグレータの手から自分の手を引き抜くこともできず、わたしは考えつづけた。「理由がなんであれ、もしわたしがいま姿を消したら……」と、切り出した。「きっと、戦が起こるわ。お父さまはウーリシュ公とカジミール公のところへ行って、彼らに皇帝を討つ大義をあたえることでしょう。でも、ミルナティウス帝と彼に取り憑いた魔物はかんたんにはこの国から出ていかないわ。彼らはためらうことなくリトヴァス皇国を焼き落としにかかるはず。だれが勝利しようが、この国は荒れ果てる。そこにスタークが襲いかかり、わたしたちは氷のなかに埋めつくされてしまうのよ」

マグレータがおずおずと言った。「イリーナさま、あなたがそこまで案じたり考えたりなさる必要があるのでしょうか」

「では、ほかのだれが？　わたしは皇后なのよ」本来ならば、皇后とは世継ぎを生み、それができなければ、おとなしく黙っている立場なのかもしれない。もちろん、そうする皇后もいるはずだ。けれど、それはわたしの選択肢に入っていなかった。「もどらなければならないわ」

「それでもし、魔物がスターリク王を求めなかったら、どうなるのです?」マグレータは言った。

「あんなものと契約など結ばないでくださいまし」

わたしは言い返さなかった。ただ彼女の手からわたしの手をそっと抜き、静かに言った。「わたしの髪を結ってくれる、マグレータ?」冠をはずし、仕事がしやすいように、彼女に背を向けて床にすわった。マグレータはしばらくわたしの肩に手をおいていたが、腰につけた袋から銀の櫛とブラシを取り出し、わたしの髪を手に取った。髪にブラシをあて、結いあげる彼女の手の感触には、幼いころから慣れ親しんでいた。髪が結いあがると、そこに冠をのせて、わたしは外の洗い桶まで行った。

洗い桶をのぞきこむと、ミルナティウスをひとり残して、召使いたちはいなくなっていた。皇帝は浴槽に背を向けて椅子にすわり、怒りをまぎらわすように、ぐいっとホットワインをあおっている。料理には手をつけていない。わたしは洗い桶の水にゆっくりと足から体を入れた。そして、ミルナティウスの背後に立てかけられた金メッキで縁取られた大きな鏡のひとつから抜け出し、寝室にもどった。すぐにそこから足音を忍ばせて数歩歩き、バルコニーに通じるガラス扉のひとつを後ろ手であけた。たったいま、バルコニーから入ってきたかのように、「おはようございます、あなた」と、ドアをあけると同時に言った。ミルナティウスは椅子の上でびくっとし、こちらを振り返った拍子に湯気を立てるホットワインがこぼれ、赤い液体が飛び散った。

彼とのあいだにはかなり距離があった。この寝室の広さのおかげで、すぐに首をひねられずにすんだ。彼が近づいてきたので、わたしは扉に片手をかけ、たたみかけるように言った。「これでわたしと永遠のお別れになってもいいの？　わたしが消えたら、あなたに取り憑いた魔物はさぞや喜ぶでしょうね。それがいやなら、わたしと話し合うのよ」

彼はさらにわたしに近づき、バルコニーの外をちらりと見た。雪が降りしきり、わたしの足もとにも雪が吹きこんでいる。わたしの姿は、冬の風に運ばれてどこからともなくあらわれ、すぐにもどこかへ消えていきそうに見えたかもしれない。「話し合うだって？　なにを話し合えと言うんだ？」彼は荒々しく返した。「なぜ、きみはいつも帰ってくる？」

「父の税収についての話をしたいわ」わたしはそう言って、彼の興味が――彼の魔物ではなく、皇帝としての彼自身の興味が――頭をもたげるのを待った。彼には仲介者になってもらわなければならない。彼はあの魔物を怒らせて痛めつけられたくない。ゆえに魔物にえさをやろうとやきもきしている。「父の税収がどれくらいか、あなたはご存じかしら？　ご自分の税収がどれくらいか、ご存じかしら？」ふたつ目の質問は、念のために付け加えた。

「自分の税収がどれくらいかはわかる、当然だ！」彼はぴしゃりと返した。つまり、知っていてしかるべき父の税収がどうなっているかについては知らないということだ。「きみの父上からの上納を減らせと言いたいのなら――」

「あなたの税収になにが起きているかわかる？」わたしは彼をさえぎって言った。「あなたの税収は下がりつづけているのではなくて？」

「ああ、いかにも。年々減っていく。税率を上げるつもりだったが、顧問団がうるさく反対し――いや、なぜ、きみが税の話をしたがる？」そこまで言って、怒りが沸きあがったようだ。

「ぼくをからかっているのか？」

「いいえ」と、わたしは言った。「なぜ、あなたの税収は減りつづけているの？　なぜ顧問団は、あなたが税率を上げようとするのをじゃまするのだと思う？」

彼はわたしに食ってかかろうとした。ところが、「なぜならそれは――」と言ってから突然口をつぐんだ。そして、ゆっくりとした口調でつづけた。「それは冬が年々長く、ひどくなっているからだ」

少なくとも考える気にはなってくれたようだ。ミルナティウスは話しながら、わたしの肩越しにバルコニーの向こうを見つめた。六月も近いというのに、前日に降りつづいた雪が厚く積もっている。外から吹きこむ雪が、わたしの毛皮に落ち、白さのなかに溶けこんでいく。これでもう、彼は長びく冬を偶然の気象の変化とは考えないだろう。そう、これはたまたまの不運ではない。

いま彼の頭のなかには、またも襲い来る雪嵐が、凶作が、飢える農民たちが、そして皇帝を討とうと兵を上げる諸公たちが、ありありと浮かんでいることだろう。そして、隣国の飢えを知らない兵士の軍団が皇帝を討ち取りにやってくる。黄金に輝く宮殿は破壊され、彼は飢えた炎の怪物の餌食になる――。彼の表情の変化に、その光景がつぎつぎに脳裏をかすめ過ぎていくのが見てとれた。

ミルナティウスは恐れはじめていた。わたしのもくろみどおりだった。「そうよ、スターリクよ」と、わたしは言った。「スターリクが、冬を終わらせないようにしているの」

喜んでとは言えないまでも、ミルナティウスはわたしの話に耳を傾けた。彼は金メッキとベルベットの寝椅子に、わたしは彼と向き合う椅子に腰かけた。わたしたちのあいだには大きなテーブルがあり、その天板が磨きあげた銀の鏡になっていた。鏡をのぞくと、暗い夜空と降りつづく雪が見えた。いざとなったら、この鏡のなかに飛びこめばいい。わたしが椅子に背をもどすと、鏡はただわたしとミルナティウスの頭上にある天井画を――林檎の木に巻きつく緑の蛇の放つかすかな輝きを――映すだけになった。ミルナティウスは椅子の背に身をあずけ、くちびるに片手をあてがい、むっつりと黙りこみ、わたしがつまびらかにしていく提案に聞き入った。

それは、鏡の向こうの世界でミリエムからもちかけられた提案だった。わたしはその提案を受け入れた。わたしたちは、スターリク王をこちらの世界に連れてくる。この世界には、わたしの父の名声と権力という後ろ盾があり、皇后という地位と権威もある。うまくいけば、二体の怪物どうしはお互いをつぶし合ってくれるだろう。そうなると、ミルナティウスの軍団は従うべき君主を失い、まずはわたしに従おうとするだろう。父のかかえる三千人の兵士もわたしに味方するはずだ。父はこれまでわたしの求めるものなどなにひとつ気にかけなかったし、それはこれからも変わらないだろう。けれども今度ばかりは、父とわたしが同じものを守ることになる——つまり、わたしの首を。

もちろん、計画の詳細については、ミルナティウスに打ち明けなかった。それでも、スターリク王が彼の王国を強化するために冬を引き延ばしていることは詳しく説明した。「あなたの魔物がわたしを求めるのは、わたしがスターリクの血を引いているからなの。わたしとスターリク王と、どちらがスターリクの濃い血を引いているかは、わかりきったことだわ。だから、わたしはスターリク王をあなたに引き合わせようとしているの。それによって、あなたはこの皇国を救い、同時に、あなたの魔物にもえさをやることができるのよ」

「なにを根拠にそれを信じろと？」

「あなたはどうして、わたしがここに何度ももどってくると思う？　わたしにはもどらないという選択もあるのよ。そのうえあなたには、わたしがここから出ていくのを止めることもできない。衛兵を増やせば、どうにかなると思う？　もし本気でそう思うのなら、わたしが捕まる危険を冒してまでもどってくるのはなぜだと思う？」

彼はいらだって、左右の手のすらりと長い指を小刻みに打ち合わせた。「わからない！　なぜきみはそんなことをする？　スタークリク王がこの皇国を凍りつかせようが、きみはかまわないはずだろう？　スタークリクの血を引き、その一員にもなれるのだから」

それは、むずかしい質問だった。マグレータにも同じことを尋ねられたが、彼女を納得させられる答えは出てこなかった。「それは……リスたちも飢えることになるからよ。大樹が枯れたときには……」

「リスたち！」彼がわたしをにらみつけた。でも、ふざけて言ったつもりはない。そのことばが自分の口から出たとき、奇妙にも、これが真実だと思った。

「そうよ、リスたちのため」わたしは本気で言った。「そして、農民、子ども、おばあさん、すべての民――あなたには役に立たないから見えない人たち。その人たちが、あなたよりも、あなたの兵士よりも、先に死ぬことになるからよ」わたしには最初、自分の胸に込みあげてくる感情の正体がわからなかった。なにがこのことばをわたしに言わせているのだろう？

ああ、怒りだ。わたしはこれまで怒ったことがなかった。怒ることは、犬が自分の尾を追いまわすように、意味がないことだと思っていた。父に、義母に怒って、あるいはわたしに無礼なふるまいをする召使いに怒って、いったいなんになるだろう？　人はときとして天気にも怒る。つま先を石にぶつけて、ナイフで指先を切って、それがまるで悪意でなされたことであるかのように怒る。わたしにとってはすべてが同じように意味のないことだった。怒りは炉に燃える炎。わたしは、そこにくべるどんな薪ももちあわせていなかったのだ――いまのいままでは。

ミルナティウスはいらだちに顔をゆがめてわたしを見つめた。七年前にあの庭園で、これ以上死んだリスをいじめないで、とわたしが言ったときのように。彼はあれをみずからの喜びのためにやっていた。あのときのことを思い出し、いっそう怒りが増幅し、声がとげとげしくなった。

「わたしの事情なんてあなたに関係ある？　もしわたしが嘘をついたら、あなたはいまより困ったことになるの？」

「ああ、なるだろうな。きみが真実を包み隠さず話そうとしないなら、困ったことになる。そして実際、きみは話していない」彼は言い返した。「きみは、どうやって消えるのかをまだぼくに話していない。どこへ行くのかも、そして、あの老婆をどこへ隠したのかも。あるいは、どうやってスターリク王を差し出すつもりなのか、それを詳しく語ることには積極的ではないようだな」

「当然だわ。どうしてあなたをそこまで信用すると思うの？　結婚の誓いを交わしてから、あなたのしたことといったら、わたしを魔物の餌食にしようという算段だけ」

「ぼくがそれを企んだと言いたいのか？　ぼくがきみとの結婚を本気で望んだとでも？　あいつ、

がきみを求めた。だから、ぼくは教会の祭壇に向かった」

「そして、わたしの父が、わたしが皇后になることを求めた。だから、わたしは祭壇に向かった。押しつけられたからなどと泣き言を言わないで」

「ははん、つまりきみは、リスと泥まみれの農民を救うために結婚に応じたわけではなかったということだな」彼は冷笑を浮かべたが、わたしと目を合わせようとはしなかった。しばらく間をおいて言った。「いいだろう。今夜あいつに、きみと引き替えにスターリク王を取るかどうかを訊いてみよう」

「それでいいわ。それから——」さらにたたみかけた。「あなたの配下の諸公に手紙を書いてもらいたいの。わたしたちの結婚を祝いにくるようにと。ウーリシュ公への手紙には、わたしが親友のヴァシリアに会いたがっていると書き添えて。彼女にはわたしのもとで女官長をつとめてもらいたい、と」

彼は眉根を寄せた。「それが、今回の件とどういう関係が——」

「ウーリシュ公令嬢ヴァシリアをカジミール公と結婚させるわけにはいかないでしょう？」すでに話したことなので、いささかいらいらしたけれど、もう一度思い出してもらった。

「ウーリシュが、カジミールと組んで皇帝の座を奪いとるつもりなら、彼の娘がきみの女官長だろうがまったく気にしないのではないか？」ミルナティウスが訊いた。

「彼らが気にしているのは、お互いの関係を深める血の絆がないことよ」わたしは言った。「だから、ウーリシュ公とあなたの絆を固めれば、なおさら効果的だわ。ヴァシリアが到着しだい、縁談をまとめましょう。あなたの臣下で、ヴァシリアにふさわしい、若くて見栄えのするお相手はいないかしら？　できるなら、だけれど。ああ、気にしないで」最後にそう言ったのは、ミルナティウスがあまりにもぽかんとわたしを見つめていたからだった。彼にはふたりの伯母がいるため、結婚適齢期の令息には事欠かない。その全員に会った覚えはないけれど、ひとりくらいは、未婚か妻を亡くしたかで、ヴァシリアにふさわしい結婚相手が見つかることだろう。「わたしがお相手をさがしてみるわ。ともあれ、あなたには、きょうのうちに、わたしを宮廷の方々に正式に紹介していただきたいわ」

「またどうして？　きみにとって楽しい経験にはならないと思うな。なにしろ、ぼくの廷臣たちは美の基準がなかなかどうして高い」

彼は明らかに、わたしが皇后の座にいるのもそう長くはないと前々から読んでいたし、いまもそう思っているのだろう。「わたしはあなたの妻であり皇后よ。あなたの臣下たちのお眼鏡にかなわない器量だとしても、慣れてもらわなければ」わたしは答えた。「どんなうわさも、芽のうちにつぶしておく必要があるわ。わたしが夜のあいだだけ消えるといううわさはすでにこの宮殿に広まり、それを知らない召使いはいないでしょう。でも、それを放置するわけにはいかない。

たとえどうにか冬を終わらせることができたとしても、今年の収穫はひどいものになるわ。そのうえ、あなたはこれまで多くの諸公や貴族たちの怒りを買ってきたのよ」

ミルナティウスはなおも抵抗しようとした。それは表情を見るだけでわかったけれど、彼はわずらわしげにベランダに積もった雪を見ただけで、なにも言い返さなかった。彼には考える頭があるのに、国政については考えようとしてこなかっただけ。彼がこれまで求めてきたものは支配の象徴、富や享楽や美だった。それを手に入れるために彼に苦労はいらなかった。結局のところ、彼は野心家でもなかったのだ。

彼がもし、政治について少しでも考えているのなら、当然、先の問いよりもさらに政治的に重要な問いを、あの時点で思いついていたはずだ。つまり、カジミール公をだれと結婚させるのか――。そして、その問いに対する答えは、すでにわたしの頭のなかにある。カジミール公をだれと結婚させるのか。それは、このわたしだ。

ミルナティウスが魔物とともに凍りつくか焼かれるかで息絶えるとき、あるいは死をまぬがれたとしても、魔物との契約が廷臣の前にさらされて国を追われるとき、わたしは男女の契りのなかった結婚として、この婚姻を無効にする承認を得ることができるだろう。

カジミール公に特別な好意を寄せているわけではない。彼は一度だけ父を訪ねてきたことがあった。わたしは彼に注目されるような器量ではなかったし、彼はきわめて行儀が悪く、メイドのひとりをひざにのせ、胸やお尻にさわり、満足げに笑っていた。彼が去って三日後、その娘が、彼女の賃金では買えそうもない金の首飾りをしていたところを見ると、少なくともお愉しみのお返しはしたようだ。わたしの父に近い年齢で、慎み深さからはほど遠い人だった。でも考える頭はあるし、残忍でもない。もっと重要なのは、わたしを魔物に差し出すようなまねはまずしないだろうということ。わたしが夫に求める基準は、ミルナティウスのおかげで、前よりもさらに低くなった。

それでも、カジミール公と結婚すれば、わたしはこのリトヴァス皇国全土を掌握するだけの編み目のような連携を諸公のあいだにつくることができるはずだ。カジミール公は、わたしとの結婚が権力の座をもたらすことに満足するはずだ。そしてウーリシュ公令嬢ヴァシリアが先帝のいとこと結婚すれば、それがウーリシュ公の権力への野心を抑えることになる。そのときが来たら、わたしはウーリシュ公の耳もとでささやこう。わたしと親友のヴァシリアはほぼ同時期に子づくりをはじめることになる。つまり、ゆくゆくはウーリシュ公の孫に皇帝の座を約束することができるということを。それにはウーリシュ公も、ミルナティウスの親族も満足するだろう。この計画をまとめあげるためにわたしが必要とするのは、ミルナティウスがいまいるこの場、この宮廷だ。都合よくミルナティウスが落ち戸の上に立ってくれたら、彼を奈落の底まで落とせるかもしれない。わたしがその戸の掛け金をはずす方法さえ見つけておけば……。

でもまずは、ミルナティウスの魔物にスターリク王を仕留めてもらわなければならない。でなければ、このリトヴァス皇国に生き延びる道はない。わたしは椅子から立ちあがり、動きを止めて、かすかに眉をひそめてみせた。あたかもたったいま、頭のなかでなにかを思いついたように。

「そうだわ」と声をあげる。「結婚のお祝いは、お父さまの屋敷にもどってするのがいいわ。諸公に手紙を書くとき、このコロンではなく、ヴィスニアに集結するように伝えてください」

「なぜそんな必要が――いや、いい」ミルナティウスはぼそぼそと言い、鳥の飛翔のような優雅さで片手を宙に振りあげた。袖口の美しいレースが鳥の長い尾のようだった。話し合いの結果に、わたしは満足した。あと何通りかの口実が用意してあったが、いささか説得力に欠けた。それらを使わずにすんだのはありがたかった。スターリク王がうまくいけば三日後、わたしたちとはべつの結婚式のためにヴィスニアに到着するということまでは、ミルナティウスに前もって話しておくつもりはなかった。

月曜日の午後、集金をすませてマンデルスタムの奥さんのところにもどる途中、森のなかで町の子がふたり遊んでいるのに出会った。おいらはセルゲイみたいにでっかくないけど、その子たちよりは大きかった。だからふたりは、おいらにけんかを売ろうとはしなかった。でも、マンデルスタムの旦那さんの言うとおり、おいらと遊びたいってわけでもないらしい。そのうちのひとりが叫んだ。「おい、父親を殺すってどんな気持ちだい？」

そいつらはすぐに逃げていったから、つまり、答えなんかどうでもよかったってことだよ。おいらは、残りの道を歩きながら、その答えを考えてみた。自分が父ちゃんを殺したのかどうか、おいらにはよくわからなかった。おいらは、父ちゃんが火かき棒でワンダを殴るのも、おいらの上に倒れてくるのもいやだった。でも、父ちゃんは倒れて死んだ。父ちゃんが倒れたことに、おいらが関係ないわけじゃない。そんなこと望んじゃいなかったけど、たぶん、そう言ったところではじまらないんだ。ああ、よくわからない。

おいらにわかるのは、マンデルスタムの奥さんや旦那さんといっしょに暮らすのは、とんでもなくいいってことだ。もう腹ぺこになるってこともない。ただ、ワンダとセルゲイのことはいつも考える。テーブルについているときでも考えるから、食べ物じゃなくて石を呑みこんでるみたいな気分になる。もしも、セルゲイもワンダもいっしょにマンデルスタムさん家で暮らせたら、毎日がとんでもなくいいものになるだろう。家は小さいけど、おいらとセルゲイは小屋で眠ればいい。ううん、そんなことぜったいないよ。セルゲイが父ちゃんを殴って、それで父ちゃんが倒れて、倒れたせいで父ちゃんは死んじまったんだから。

それでつぎに考えたのは、おいらひとりマンデルスタムさん家で暮らすのがいいか、きょうだいみんなそろって父ちゃんと暮らしてたほうがよかったか――。結局のところ、父ちゃんと暮らしてたほうがよかった。セルゲイとワンダがいてくれたら、それでもよかったんだ。でもたとえ父ちゃんが殺されなくても、それはいつまでもつづかなかった。だって父ちゃんは、ワンダをカイユスの息子と結婚させようとした。

それでつぎは、おいらひとりマンデルスタムさん家で暮らすのと、そんなにいいところじゃないかもしれないけど、どこかよその土地でセルゲイとワンダといっしょに暮らすのと、どっちがいいだろうと考えた。答えを出すのはむずかしかった。だって、おいらにはよその土地というのがどんなだかわからない。でもそれからうんと長い時間をかけて考えて、とうとう答えを出した。セルゲイとワンダといっしょに暮らすほうがいい。いつも胃袋に石を詰めてるみたいじゃ、おいらは幸せになれないよ。

白い木の実は、いまもポケットのなかにある。これをマンデルスタムさん家の庭に植えようかとずっと考えてるけど、まだ植えてはいない。木の実を取り出し、じっと見て、声に出して言ってみた。「母ちゃん、おいら、ここには植えられないよ。セルゲイとワンダはここには帰ってこられないんだからね」そして木の実をまたポケットにしまった。

セルゲイとワンダもいっしょに安心して暮らせる土地が見つかるまでは、こいつを植えることはできない。悲しいよ。白い木がそばにあれば、母ちゃんが近くにいるって思えるのにさ。でも、おいらの判断はまちがってない。そんな気がする。セルゲイとワンダは、この木の実をどこかに植えるようにっておいらにくれた。でも、母ちゃんは、ふたりに訪ねてきてほしいって思うだろう。

おいらはバスケットを持って、マンデルスタムさん家にもどった。マンデルスタムの旦那さんが、集めてきた金や物について帳簿にきちんと書きとめた。おいらは尋ねてみた。「セルゲイとワンダがどこ行ったか、知ってる人、いるのかな」

旦那さんはペンを持つ手を止めて、おいらを見あげた。「きょうも男たちがさがしに出たが、なんの手がかりもなかったようだ」

おいらはそれを聞いて喜んだ。だけど、ちょっと考えて、喜んでばかりもいられないと気づいた。「おいらが、ふたりを見つけなくちゃ」そうは言ったけど、大のおとなが何人も出ていって見つけられない。だったら、おいらはどんなふうにふたりをさがせばいいんだ?

「マンデルスタムの旦那さんがおいらの頭に手をおいた。「どこか安全な場所に落ちついたら、きみに便りを寄こすかもしれないよ」旦那さんはそう言った。猫なで声っていうか、山羊をおびきよせてつなぎたいときに、こういう声を使う。だけど旦那さんは、おいらを縛ったり痛めつけたりしようっていうんじゃなく、おいらが雪の森のどこかで死んじまわないよう、この安全で暖かい家に住まわせておきたいだけなんだ。でも、この安全で暖かい家にずっといたら、おいらは二度とセルゲイとワンダに会えないだろう。

「便りは来ないと思う」おいらは言った。「だって、便りを送ったら、居場所がばれて、また追われることになっちまう」

マンデルスタムの旦那さんは、なにも言わず奥さんを見あげた。奥さんは糸を紡いでいた手を止めて、旦那さんを見返した。つまり、おいらの考えは正しかったたってことだ。正しくなかったら、ふたりはちゃんとそれを言ってくれるから。

おいらは言った。「セルゲイとワンダは、ヴィスニアに行こうとしてた。だれかに頼んで仕事をさがしてもらうって」おいらはそのだれかについてしばらく考えた。その人はだれかのおじいさんなんだけど、……ええと、だれだったっけ？　なんか変だ。でも、おいらはそのおじいさんの名前を覚えてた。「そう、モシェルの大旦那さんだ」

「その人は、わたしの父親よ」マンデルスタムの奥さんが言った。奥さんが旦那さんに向かって、「バシアの結婚式は水曜日だわ。わたしたち、行けるわね。そして……」奥さんが困ったような顔になり、口をつぐんだ。「そして……」同じことをくり返す。そうやって、なにかが口までせりあがってくるのを待っているみたいだ。

旦那さんも眉を寄せて、困ったような顔で奥さんを見つめた。奥さんは、紡ぎ車のそばから立ちあがり、両手を握り合わせながら、なにかをさがすみたいに部屋のなかを歩きまわった。やっと炉棚の前で立ち止まると、そこにならんだ木彫りの人形をじいっと見つめた。「……ミリエムがそこにいる」奥さんは突然言った。「ミリエムが、わたしの父さんを訪ねようとしているわ」

マンデルスタムの奥さんは、その名前をしぼり出すために力を使いはたすくらいがんばった。マンデルスタムの旦那さんは弾かれたみたいに立ちあがり、その拍子にペンを落とし、みるみる青ざめた。おいらは、その人はだれかって尋ねようとした。でも、尋ねようと口を開きかけたときには、もうその名前を忘れてた。マンデルスタムの奥さんが振り返って、片手を突き出した。「ねえ、ヨーゼフ」と、旦那さんに裏返った声で呼びかける。「ヨーゼフ、どれくらい時間が……？」奥さんのことばは尻すぼみになった。おいらは、奥さんから目をそむけた。なんだか倒れてうめきをあげながら死んでいった父ちゃんの顔を思い出したから。

「そりを頼もう」マンデルスタムの旦那さんが言った。もう夕方だったけど、旦那さんはもう外套をはおっていた。とにかく一刻も早く行かなきゃって感じだ。奥さんは煖炉の奥から秘密の壺を取り出し、銀貨六枚を数えて革袋に入れて、旦那さんに手渡した。旦那さんはそれを持って出ていった。

奥さんはすぐに寝室へ行って、大きな袋に旅荷を詰めはじめた。セルゲイとワンダをさがしにいけるのはありがたいけど、おいらは急ぐのは好きじゃない。奥さんはいま動かなきゃ悪いことが起きるっておびえてるみたいだった。床にひざまずいて、収納箱から旅に持っていく服を取り出そうとした。おいらは服を詰めやすいように、大きな袋の口をしっかりあけておくのを手伝った。でも、奥さんは急に手を止めた。しゃがみこんだまま、収納箱のなかを見つめてる。そこには奥さんには小さすぎる服が何着かと一足の黒い革のブーツがあった。服はすり切れて継ぎ当てをしてあったけど、まだ着られるものばかりだ。奥さんは震える手で、それにさわった。

「奥さんの？」って、おいらは訊いた。奥さんは黙って首を振ると、またいくつかのものを袋に詰めて、ふたを閉じた。これでおしまいのはずだったけど、奥さんはひざまずいて、両手をふたにおいた。それから突然こっちを見て、またふたをあけた。収納箱のなかから黒いブーツを取り出し、おいらにくれた。試してみた。ちょっと大きかったけど、革がすごくやわらかくていい感じだ。なにしろおいら、革の靴をはくのは生まれてはじめだ。

「靴下もはきなさい」奥さんはそう言うと、箱のなかから靴下を取り出した。これも、奥さんには小さすぎる、毛糸で編んだ靴下だった。これをはくと、ブーツがぴったり合った。山羊の世話をするために外に出たけど、足はちっとも冷たくなかった。雪のことなんか忘れてずんずん歩けた。「出かけているあいだ、だれが山羊にえさをやるんですか？」また家にもどり、奥さんに訊いた。

「ガヴェリテの奥さんのところに行って、頼んでくるわ」奥さんはそう言うと、外套を着こみ、スカーフをかぶり、壺から銅貨を何枚か取り出して、外に出た。おいらは玄関口から、奥さんが通り向かいの家の扉をたたくのを見てた。ガヴェリテの奥さんは、マンデルスタムの奥さんを家のなかに入れなかった。奥さんを玄関口の階段に立たせ、自分は両腕を胸の前で組み、家を守る壁みたいに立っていた。マンデルスタムの奥さんがお金を取り出すと、壁になるのをやめて、お金を受け取り、さっとなかに入って、乱暴に扉を閉めた。

マンデルスタムの奥さんは、疲れた顔で家にもどってきた。遠いところまで出かけていって一日じゅう畑仕事をしてきたみたいに。奥さんは黙ったままバスケットを取り出し、そこに旅の食事をつめた。煖炉の薪の燃えさしをかきまわし、火がゆっくり消えるように灰をかぶせた。そのころには、家の前にそりが来ていた。マンデルスタムの旦那さんがそりからおりて、バスケットや袋をそりまで運び、奥さんがそりに乗りこむのを助けた。おいらは奥さんの横にすわった。旦那さんが二枚の毛皮のマントと厚い毛布を奥さんとおいらの上にかけてくれた。それから旦那さんは家に鍵をかけ、門扉を閉じると、おいらの横、奥さんとは反対側のとなりにすわった。

御者はセルゲイと同い年ぐらいの若者だった。大きな外套を着て、たぶんその下にも二枚外套を着こんでいて、顔はやせているのに、御者席にすわるとやけに大きく見えた。御者が大きな馬たちに向かって舌を鳴らすと、そりが動きだした。出発だ。そりは町のなかを走った。人がたくさんいた。一日の仕事が終わったあとみたいだ。畑の雪が溶けてないから、畑でする仕事はそんなにないんだけど。

　町の人たちは怒ったような目でおいらたちのほうをじろじろ見た。町の通りのはずれにある大きな家から数人の男たちが出てきた。その家には大きな煙突があって、湯気を上げるクルプニク酒のカップを描いたかんばんが出てた。男たちは道に立ちふさがってそりを停めさせ、そのうちのひとりがマンデルスタムの旦那さんに言った。「やい、ユダヤ人。おれたちが知らないと思うなよ。人殺しを逃がすつもりだな」

「わたしたちは結婚式に出るために、ヴィスニアに行くんだ」旦那さんが静かに言った。

　男がふんと鼻を鳴らし、御者を見あげた。「おまえ、オレグのせがれだな？　アルギスって言ったな？」御者がうなずいた。「ユダヤ人をしっかり見張ってろ。目を離すんじゃないぞ。いいな？」アルギスがもう一度うなずいた。

　おいらはクルプニク酒のかんばんのある家のほうを見た。カイユスが腕を組んで、どんなもんだいって感じにあごを突き出して、戸口に立ってた。なんであんな顔するんだろうな。おいらはカイユスをじいっと見つめた。カイユスもおいらを見返して、顔をしかめた。でももう、どんなもんだいって顔じゃなかった。カイユスは背を向けて、さっさとなかに入ってしまった。

　アルギスが鞭をふるい、馬たちが走りだす。おいらも旦那さんも奥さんも、アルギスの後ろの席で押し黙った。それまでも黙ってたんだけど、いまのはぜんぜんよくないだんまりだ。そりは屋根付きじゃないけど、そりのなかに閉じこもってるような感じがした。そのうちそりが町を抜(ぬ)けて、まわりは木ばっかりになった。流れ過ぎていく木を見ていたら、木が集まって壁(かべ)をつくって、おいらたちを閉め出しているような気がしてきた。

　ソップに保管室へ案内されるときには、もうだいたい想像がついていた。けれども実際に両開きの扉(とびら)を開いて、いちばん小さな部屋をながめると、覚悟(かくご)していても衝撃(しょうげき)を受けた。その部屋だけで、祖父の屋敷(やしき)にある地下金庫のゆうに三倍の広さがあった。銀貨を入れた収納箱(チェスト)や革袋(かわぶくろ)が、四方の壁(かべ)に積みあげられている。げんなりする思いで、そのあいだを通って、二番目の部屋に出た。その部屋は、最初の部屋の三倍の広さがあり、積みあげられた袋(ふくろ)や箱、木製の棚(たな)のあいだに何本かの細い通路がもうけてあった。

　三番目の保管室への入り口は、この部屋のいちばん奥(おく)にあった。銀の装飾(そうしょく)をほどこされた白い木製の重厚な両開きの扉(とびら)で、それを押(お)しあけた向こうにあったのは、気も遠くなるような歳月(さいげつ)が山の内部につくった巨大洞窟(きょだいどうくつ)だった。革袋(かわぶくろ)に詰(つ)められ、あるいは革袋(かわぶくろ)からこぼれて、銀貨があたしの頭の高さぐらいの山をいくつもつくっていた。部屋のまんなかには小川が流れていた。氷結してきらきら光る小川は、ゆるい曲線を描く道となり、アーチ形の出口からもうひとつのアーチ形の出口に向かっている。あの白い木々の林から流れ出す水が、山の深部を通って、やがて山腹の滝へと向かうのだろうか。

きのうは、ひとつの収納箱の銀貨を金に変えるのにまる一日使った。ここにあるすべての銀貨を相手にするとなると、いったいどれだけたくさんの魔法と時間を必要とするのだろう？　それはあたしの想像を超えていた。

そばに立ったソップが、横目であたしのほうをうかがった。「食べ物と飲み物を持ってきて」あたしはそう言うと、げんなりした気分のまま最初の部屋にもどった。

すでに長い一日を過ごしたあとで、求めるものはベッドだけだった。でもあたしは袋から銀貨をあけて、それを金に変えて、もとの袋にもどした。それをくり返した。一度だけ、袋に両手を突っこんで、中身を一気に変えられないものかと試してみたが、うまくいかなかった。均等に変わってくれない。袋から取り出してみると、十数個がまだ銀のままだった。

ここにあるすべての銀貨を金に変えなければ、スターリク王は許さないだろう。たった一個の銀貨が部屋の隅に残っていてもだめだ。たった一個の取りこぼしでも、彼ならかならず見つける。とにかく細心の注意を払って進めていくほうが、細心の注意を払ってあとから確認するよりも早い。いや、早いなんて言えない。ソップが食事のトレーを持ってきたとき、あたしはまだ数個の革袋の分しか終えていなかった。

あたしは呑みくだすように食事をすませ、ふとトレーの上にあるナプキンに目をとめた。それを床に広げてみた。つぎの袋の半分をその上にあけると、銀貨は重なり合わず均等にナプキンの上に広がった。これなら、どれが変わってどれが変わっていないかよくわかる。何度か試し、片手で一回なでるだけで、ナプキンの上のすべての銀貨を金に変えられるようになった。ただし、急ぎすぎると、むらが生まれる。ゆっくりと同じ速さで手を動かし、意識を注ぎつづければ、すべてが一度に金に変わった。

「濃い色の大きなテーブルクロスを持ってきて」と、ソップに頼んだ。ソップがそれを持ってくると、袋や収納箱から銀貨を取り出し、その上に広げた。テーブルクロスを使うと、ナプキンのときの五、六倍の量を一度に扱うことができた。すべてを金に変えたら、テーブルクロスの端を持ちあげて、金のかけらをそのまま床にこぼす。そして、またテーブルクロスを広げる。

ことばにすると変な感じだが、あたしはこの作業にあきてきた。自分の指先から魔力を放って銀を金に変える、その作業はくり返すうちに魔法でもなんでもなくなった。銀貨を小鳥に変えられるなら、もっとよかった。いや、指先から火を放てるだけでもよかったのに。この能力をありがたいとは思わなかった。ひとつのことばを口のなかで何度もくり返しているうちに、そのことばが意味を失ってしまう。それにちょっと似ているかもしれない。

疲れて、体がこわばり、足や指が痛かった。それでも作業の手を止めなかった。金貨の上にすわり、棚からもっと銀貨を集めようとして足もとの金貨に足をすべらせた。からっぽにした革袋、ひっくり返した箱が部屋の片隅に山積みになった。

時間がまたたく間に過ぎて、気づいたときには、部屋の最後の収納箱の中身をあけていた。あたしは最後の一枚を金に変え、よろめきながら棚まで歩いて、銀貨が残っていないか確かめた。部屋のなかを三度回って調べたあとは、しばらくぼうっと立っていたが、やがて輝く財宝を見つけたドラゴンのように、自分の築いた金貨の山に横たわり、そのまま不覚にも眠ってしまった。

はっと目覚めると、間近にスターリク王が立って、あたしの築いた金の山を見わたしていた。片手にはすくいあげた金貨があり、温かな黄金の輝きを見つめる彼の目には、貪欲な光が宿っていた。あたしはあわてて立とうとして、金貨に足もとをすくわれた。彼は不動の姿勢のまま、片手だけ突き出し、あたしの腕を捕らえた。おかげで転ばずにすんだけれど、彼としては親切からではなく、自分のそばであたしに腕をばたばたされたくなかっただけだろう。「いまの時間は？」と、あたしは訊いた。

彼はその質問に答えなかった。ということは、いまは夜ではないということだ。時間の感覚をすっかり失っていた。長く眠ったという感じはなく、目が疲れてしばしばした。深呼吸を一回。彼はあたしから離れて、部屋のなかを調べ、からっぽの収納箱や革袋をのぞきこんだ。片手にはまだ金貨を握っている。

「どう？」あたしは挑むように言った。「取りこぼしがあるのなら言って」

「いいや」彼がそう言って、手のなかの金貨をこぼした。金貨は鈴の音のような響きとともに床に散らばった。「この最初の保管室のすべての銀貨を、あなたは黄金に変えた。そして、あとはふたつの部屋が残っている」いつもより口調がていねいだった。そのうえ、あたしに向かって軽く頭をさげるしぐさまでついていた。あたしは驚いて、彼の立ち去っていく後ろ姿を最後まで見つめた。そのあと、はっとわれに返って、黄金の山を突き崩しながら扉に向かって走り、階段を駆けのぼって自分の部屋に入った。

彼から渡された時の鏡はベッドの上にあり、鏡のなかでは空を淡いピンクと黄金に染めて朝日がのぼっていくところだった。あたしはがっくりとベッドに腰を落とし、手のなかの鏡を見つめた。ほぼひと晩を、いちばん小さな部屋に費やしてしまった。このまま眠らずにつづけたら、ふたつ目の部屋を終えられるかもしれない。希望はある。でも、三つ目の部屋の最後の一枚を金に変える前に、約束の時間が尽きてしまうんじゃないだろうか。

いっそ、ここから逃げ出せないものか。森のなかのあの小さな家まで、もしかしたら行き着けるかもしれない。でも、それができたからといって、なんになるだろう？　どのみち、彼の王国から出ることはできない。すぐには下にもどらないと決めて、ベルを鳴らし、ソップとフレクに朝食を頼んだ。焦ってもしかたない。あたしは憤然とテーブルにつき、大皿に盛られた魚や冷えた果物を食べた。せめて、おびえた顔をするのはやめよう。頭上に銀の剣が切っ先をこちらに向けて吊るされているわけでもないのだから。

わが夫のあの丁重さには、約束を守れなければ待っているのは死だと、より強く確信させるものがあった。ソップとフレクが、あたしには見えていないと思っているのか、この人はいったいなにをしているのかしらといぶかしむように目と目を見交わした。でも、黄金の山をスターリク王のために残し、自分は首を刎ねられる運命だとしたら、どうしてそのために必死になれるだろう？　スターリクの法は、失敗を許しそうにない。自分の宣言を真実に変えられなければ、その報いとして世界から弾き出されてしまうかもしれない。

あたしは、もう一杯ワインを飲むつもりだった。酔ってもかまうものかと思った。けれども唐突にある考えがひらめき、グラスをおろした。立ちあがり、ソップとフレクに言った。「あたしといっしょに、保管室まで来て。それからソーファにも、いちばん大きなそりで、保管室まで来るように伝えて」

ソップが驚いたようにあたしを見つめた。「保管室に、ですか？」

「ええ、そう」と、あたし。「いまなら川が凍っているから、あの木々の林から保管室まで川の道をたどっていけるはずよ」

鹿たちはかなり警戒したようすでトンネルからあらわれた。そりの御者席にすわったソーファが注意深く手綱をさばき、銀貨が築く大きな山を縫って、鹿たちをこちらに導いてきた。フレクもソップもソーファも、あたしの望みを伝えると、さらに不安そうな顔になった。あたしはあえて頼むのではなく、命令口調でそれを言ったのだ。

「でも……それをどこに持っていけばいいのですか？」しばし間をおいて、ソップが尋ねた。

あたしはもう一方の暗いトンネルの口を指さした。「そりをあのなかに進めて。そしてあのなかに荷をおろして。これをぜんぶ運びこめるだけの場所を確保してね」

「その……ただ、おくだけ？」フレクが言う。「トンネルのなかに、ですか？」

「あそこにおいたら、だれかが盗む？」あたしはすました顔で尋ねた。三人ともぎくっとしたように、あわてて目をそらした。表情から答えを読まれたくないのだろう。正直言って、あたしはそこが安全かどうかなんて気にしなかった。あたしが気にかけていること。それは、この三つの保管室にあるすべての銀貨を金に変えると約束したのだから、すみやかにここにある銀貨をごっそりと減らさなければならないということだ。わが夫が新しい財産の置き場をお気に召さないのなら、あたしの仕事がすんだあとで、もとにもどせばいいだけのこと。

少しの間があって、ソーファが黙って仕事を開始した。それぞれの手に三つの袋を持って、そりに放りこむ。荷台で音がするたび、鹿たちが耳をぴくりと立てた。フレクとソップも彼を手伝いはじめた。

　彼らの仕事ぶりを確認したところで、あたしは二番目の部屋に行った。黒いテーブルクロスを広げて、作業を再開する。きのうに輪をかけて退屈だった。手足が痛むのに、体は疲れきっていない。痛さが増した分だけ退屈さも増している。それでも、革袋をあけて中身を銀から金へ、銀から金へと変えつづけ、変えた黄金をあいた場所に押しのけた。飲むのも食べるのもやめた。首に鎖でかけた、時の鏡のなかで太陽がまぶしく輝いている。恐ろしい速さで時が流れていく。

　二番目の部屋には六つの大きな棚があり、それぞれに銀貨の詰まった収納箱がならんでいた。昼の金色の日が翳りはじめるころ、まだひとつ目の棚を終えていなかった。鏡から夕暮れのオレンジ色の光が洩れるころ、ようやくふたつ目の棚に手をつけた。こうして第一日目が暮れた。

　日没からほどなく、スターリク王があらわれた。いつもどおり時間に厳格だった。彼は扉口のそばの乱雑な黄金の山から金貨をひとつかみすると、それを指の隙間からこぼしながら、あたしの仕事の進み具合を調べるように部屋を見まわした。くちびるを引き結び、まだこんなにも銀貨が残っていることにいらだつように、かぶりを振った。「結婚式は何時からだ？」

　あたしは一心不乱に作業していた。集中力を高めれば、二層になった銀貨も金に変えられることがわかった。彼の質問に答えるため、いったん手を止め、ふうっと息を吐き出した。「結婚式でダンスを踊ると約束したの。楽師なら真夜中までいるはずよ」冷静になろうと努めた。「だから、真夜中まで時間はあるはず」せいいっぱい強がって言ってみたが、残されているのは二日分の夜と昼しかない。大きな山にスプーンでトンネルを掘っているようなものだ。

「あなたはこの部屋をまだ終えていない。三番目の部屋は手つかずだ」彼は苦々しげに言った。だいたい、こんなむちゃな難題を突きつけてきたのは彼のほうなのに……。ありがたいことに三番目の保管室につづく扉が閉まっていたので、彼にはその部屋で行われている作業を見られずにすんだ。「せいぜい、やってみるがいい。たとえしくじるとしても」あたしは彼をにらみつけた。やりとげられる可能性が皆無なら、こんなことはとっくにやめている。

彼はあたしがにらみつけていることなどおかまいなしに、冷ややかに言った。「質問を」

いまあたしがほしいのは、質問への答えなんかじゃなくて、時間だ。もししくじったら、あたしはどうなるのか、それを尋ねようかと思った。でも、いまは知りたくない。これ以上不安にさいなまれるのはいやだ。「どうやったら、この作業をもっと速くできるの？　あなたがそれを知っていればだけど」あたしは尋ねた。あまり期待はしていないが、彼はあたしより魔法に詳しいはずだ。

「せいいっぱい速くやることだな」彼は答え、こんなばかな質問をするのが信じられないという目であたしを見た。「あなたにわからないことが、どうしてわたしにわかるだろう？」

あたしはいらだって首を振り、手の甲でひたいをこすった。「あなたの王国の果てにはなにがあるの？　光が尽きるところには――」

「闇がある」彼が答えた。

「それぐらい、あたしにだってわかるわ！」いらついて言った。

「では、なぜ尋ねる？」彼もいらついて返した。

「あの闇のなかに、なにがあるかを知りたいからよ！」あたしは言った。

彼は両手を振りあげた。「わが王国だ！　わが民と、われらが深遠なる力。その力が、この山を強くする。人間の寿命を何世代も連ねた長い歳月をかけて、われわれは光の壁を高く築いてきた。力を合わせ、闇からこの砦を守り、永遠の冬を生きられるようにした。それがたやすいことだと思っているのか？　わが王国の境界をやみくもにほっつきまわれば、あっさりとべつの世界に至る道を見つけられると、本気で思っているのか？」彼は銀貨であふれた部屋を苦々しげに見つめた。「おそらくあなたは、いかにも人間らしい早まった約束を悔いている。そして、逃げる方法はないか、わが王国で交わした誓いから逃げ出す方法はないかと考えている。そうではないか？　闇の世界へ逃れる方法が見つかるなどと考えるな。そこに行けばかくまってもらえるなどと、報復をまぬがれることができるなどと考えるな」

彼はあたしに冷笑を向けた。まるで彼から逃げることをあたしが恥じていると思っているかのように。いっそ間髪容れず逃げ出すことができたらどんなによかったか。でもあたしには、その闇の世界というものをどうやって見つければよいのか、まったくわからなかった。その闇の世界の住人を知らないけれど、あたしがそこで歓迎されないことも、彼の言うとおり真実であるように思われた。あとはたった一個の質問が残るのみだが、あたしにはもう、スターリクのしきたりもその王国も、どうでもよかった。どんな手段を使っても、ここを出ていかなければならない。あたしが求めるもの、それはとにかくこの作業を進めることだけ。「これを達成させるために、あなたからあたしに提供できそうな助けはなにかある？」

彼はいらだたしげに手を振った。「いや、なにもない。たとえそれがあるとしても、あなたは、わたしの助けと交換するだけのものを、もうなにも持っていない」彼は言った。「あなたは愚かにも、自分の才能を高く見積もりすぎて、無理な約束をした。あなたがこれを達成できるとは、わたしはいささかも思っていない」

彼は身をひるがえし、立ち去った。あたしは、いまいましい銀貨の山を見わたしながら考えた。そう、彼の言うことが正しいのかもしれない、と。

【著者】

ナオミ・ノヴィク
1973年ニューヨーク生まれ。ポーランド移民の二世として、ポーランド民話に親しんで育つ。ブラウン大学で英文学を学んだ後、コロンビア大学でコンピューター・サイエンスを学び、『ネヴァーウィンター・ナイツ』などのRPGゲームの開発に携わる。

2006年『テメレア戦記Ⅰ 気高き王家の翼』で作家デビュー。もっとも優秀なSFファンタジーの新人作家に贈られるジョン・W・キャンベル賞や、コンプトン・クルック新人賞を受賞、その後ベストセラー・シリーズとなった。

2016年『ドラゴンの塔』が、投票によってその年最高のSFファンタジー小説に贈られるネビュラ賞を受賞。同時にヒューゴー賞にもノミネートされた。

現在、ニューヨーク市に暮らす。

【訳者】
那波かおり（なわ・かおり）
翻訳家。上智大学文学部卒業。主な訳書にナオミ・ノヴィク『テメレア戦記』シリーズ（ヴィレッジブックス）、『ドラゴンの塔』（静山社）、ジョン・ケインメーカー『メアリー・ブレア――ある芸術家の燦きと、その作品』（岩波書店）、エヴァ・スローニム『13歳のホロコースト――少女が見たアウシュヴィッツ』（亜紀書房）、マット・ヘイグ『#生きていく理由――うつ抜けの道を、見つけよう』（早川書房）など。

銀をつむぐ者〈上〉 氷の王国と魔法の銀

著者 ナオミ・ノヴィク
訳者 那波かおり

2020年3月19日 第1刷発行

発行者 松岡佑子
発行所 株式会社静山社
〒102-0073 東京都千代田区九段北1-15-15
電話・営業 03-5210-7221
https://www.sayzansha.com

カバーイラスト 河合真維
ブックデザイン 藤田知子
組版・本文デザイン アジュール
印刷・製本 中央精版印刷株式会社

Published by Say-zan-sha Publications, Ltd.
ISBN978-4-86389-554-6 Printed in Japan

ナオミ・ノヴィク作品

那波かおり 訳

ドラゴンの塔 上　魔女の娘

東欧のとある谷間の村には、奇妙な風習があった。10年に一度、17歳の少女を一人〈ドラゴンの塔〉に差し出すこと。平凡でなんの取り柄もないアグニシュカは、まさか自分が選ばれることはないと思っていた…。

ドラゴンの塔 下　森の秘密

穢れの〈森〉に入ったものは、二度とまともな姿で出てこられない。アグニシュカは、〈森〉に囚われていた王妃を奪還したが、人形のように何も反応しない。果たして〈森〉の進撃を食い止めることはできるのか…。